UNION GÉNÉRALE D'ÉDITIONS
8, rue Garancière – PARIS VIᵉ

*Du même auteur
dans la même collection*

LE CAPTAIN CAP, n° 1692
A SE TORDRE / VIVE LA VIE! / PAS DE BILE, n° 1693

DEUX ET DEUX FONT CINQ/ ON N'EST PAS DES BŒUFS

PAR

ALPHONSE ALLAIS

Préface d'Hubert JUIN

Série « Fins de siècles »
dirigée par Hubert Juin

ISBN 2-264-00672-2

PRÉFACE

Ceux qui l'ont connu s'accordent sur ceci : Alphonse Allais n'était pas « drôle ». Au mieux était-il, dans son naturel, « fumiste », ce qui n'est pas la même chose. C'est un homme qui fait rire en écrivant, mais qui émeut aussi bien. Il ne faut pas creuser bien profond pour découvrir la blessure, et voir qu'Allais était un personnage d'une extrême sensibilité, mais écorché par la bêtise contemporaine. Un humoriste de ce talent est un pessimiste dans son intime. Dans cette mesure, il faut choisir de ne pas mettre en morceaux les recueils qu'il a publiés. Il est important de les prendre, chacun, dans son continu. C'est ainsi que l'on perçoit, comme l'a montré François Caradec, que l'*humour* d'Alphonse Allais est très exactement son *humeur*.

Ensuite, c'est un chroniqueur indispensable. Il a mis a nu les défauts de l'époque et les mœurs du temps. Pour un historien, c'est une mine. Pour un lecteur de bonne compagnie, c'est un exemple. Nous savons que Charles Cros fut pour lui un exemple privilégié [1], mais nous savons la complicité singulière qu'il entretint avec Jules Renard. Dans le *Journal* [2] de ce dernier, Allais est cité régulièrement.

1. Voir, dans la même série, du même auteur : *A se tordre* (n° 1693).
2. On trouvera les quatre volumes du *Journal* de Jules Renard dans cette même série de la collection 10/18.

7

Renard semble ne pas l'aimer : ce n'est pas même une feinte, c'est une défense. Paul Léautaud remarque avec justesse, à propos de Jules Renard : « *Au fond, il y avait chez lui beaucoup d'Alphonse Allais* ». Quel compliment pour l'un, et quelle louange pour l'autre!

Enfin, comment ne pas remarquer que notre auteur est une illustration magistrale de ce que l'on devrait nommer : la civilisation du Café. Ce type d'institution publique, pratiquement ignorée de nos jours, impliquait des règles, des coutumes et des lois. On y faisait de la politique, de la stratégie, de la littérature. On y lisait les journaux; on y découpait les bons de sa rente; on y commentait divers faits; on y écrivait (son courrier, pour le moins); on s'y préparait à mourir. Alphonse Allais au café! D'abord, un témoignage de Sacha Guitry, si jeune en 1900, et qui montre Alphonse Allais à Tamaris : « *Il écrivait hebdomadairement au* Journal, *et au* Sourire. *Il devait envoyer ses deux articles le jeudi. Il aurait très bien pu le faire le mercredi. Il attendait le jeudi soir, il attendait jusqu'à la dernière minute, puis il allait s'asseoir dans le fond du café le plus voisin de la poste – car il n'écrivait jamais chez lui (...) Sitôt qu'il avait terminé ses deux articles, il les mettait sous enveloppe, sans les avoir relus, et envoyait un garçon les jeter à la poste* ». Et Jules Renard de confirmer qu'aux mêmes dates lorsqu'on demandait à Alphonse Allais de désigner le café où il était supposé écrire ses articles il répondait : « *C'est celui-là. Celui-là aussi, puis celui-ci, celui-là encore, quelquefois, enfin celui-ci* »...

Le Café aidant, Alphonse Allais, comme l'indique Maurice Donnay « *remontait sur ses contes le courant des préjugés* ». Toujours l'image du viking!

Ce qui requiert assez souvent Alphonse Allais, c'est la politique. En 1893, Albert Caperon, dit le Captain Cap, se présente aux élections législatives. Dans la deuxième circonscription du IXᵉ arrondissement, Caperon, le 20 août, obtient 176 voix.

Agent électoral : Allais, Alphonse. Cette même année, Anatole France publie *les Opinions de Jérôme Coignard* et *la Rôtisserie de la Reine Pédauque*. En outre, c'est le moment où paraissent en volume *les Trophées* de José-Maria de Heredia, et le *Boubouroche* de Courteline. Lugné-Poe présente à l'Œuvre *Pelléas et Mélisande*. Le Théâtre Libre donne *Mademoiselle Julie* de Strindberg. A l'Opéra, on applaudit (ou non) *l'Or du Rhin*. Guy de Maupassant vient de mourir dans les conditions que l'on sait, alors même qu'Auguste Vaillant tente de bombarder l'Assemblée nationale. Alphonse Allais n'oubliera pas le Captain Cap, et tellement qu'il reprendra en 1902, dans une forme anthologique, tous les textes inspirés par ce personnage : c'est une façon de manuel d'éducation politique qui n'a rien perdu de sa verve (nous avons vu pire depuis, mais non meilleur, hélas!).

Il faut lire Allais[1] dans le détail, c'est ce qui importe. Justement, il est l'homme du détail, du trait vif, et de l'écriture rapide. Il a un regard triste que l'on ne peut oublier, – et cela justement parce que ce regard est ensemble lointain et implacable.

Hubert Juin

1. D'Alphonse Allais, dans cette série « Fins de Siècles » voir : *le Captain Cap, ses aventures, ses idées, ses breuvages* (n° 1692).

A Alfred Capus

DEUX ET DEUX FONT CINQ

(2 + 2 = 5)

1895

POLYTYPIE

Je le connus dans une vague brasserie du quartier Latin.

Il s'installa près de la table où je me trouvais, et commanda six tasses de café.

– Tiens, pensai-je, voilà un monsieur qui attend cinq personnes.

Erronée déduction, car ce fut lui seul qui dégusta les six *moka,* l'un après l'autre, bien entendu, car aurait-il pu les boire tous ensemble, ou même simultanément?

S'apercevant de ma légère stupeur, il se tourna vers moi, et d'une voix nonchalante, qui laissait traîner les mots comme des savates, il me dit :

– Moi... je suis un type dans le genre de Balzac... je bois énormément de café.

Un tel début n'était point fait pour me déplaire. Je me rapprochai.

Il demanda *de quoi écrire.*

Les premières phrases qu'il écrivit, il en froissa le papier et le déjeta sous la table.

Ainsi fut de pas mal de suivantes. Les brouillons de lettres jonchaient le sol.

De la même voix nonchalante, il me dit :

– Moi... je suis un type dans le genre de Flaubert... je suis excessivement difficile pour mon style.

Et nous nous connûmes davantage.

Comme une confidence en vaut une autre, je lui avouai que j'étais né à Honfleur. Une moue lui vint :

– Moi... je suis un type dans le genre de Charlemagne... je n'aime pas beaucoup les Normands.

Le malentendu s'éclaircit, et je sus d'où il était :

– Moi... je suis un type dans le genre de Puvis de Chavannes... je suis né à Lyon.

Son père, un boucher des Brotteaux, avait tenu à ce qu'il débutât dans la partie :

– Moi... je suis un type dans le genre de Shakespeare... j'ai été garçon boucher.

De la bonne amie qu'il détenait, voici comment j'appris le nom :

– Moi... je suis un type dans le genre de Napoléon Ier... ma femme s'appelle Joséphine.

La susdite le trompa avec un Anglais. Il n'en ressentit qu'une dérisoire angoisse.

– Moi... je suis un type dans le genre de Molière... je suis cocu.

Joséphine et lui, d'ailleurs, n'étaient point faits pour s'entendre. Joséphine avait la folie des jeunes gens à peau très blanche. Et il ajoutait :

– Moi... je suis un type dans le genre de Taupin...

(Le reste de la phrase se perdit dans la rafale.)

Nous résolûmes, un jour, de déjeuner ensemble... Rendez-vous à midi précis, j'arrivai à midi et une minute.

Il tira froidement sa montre :

– Moi... je suis un type dans le genre de Louis XIV... j'ai failli attendre.

De la sérieuse ophtalmie qu'il avait eue, il se voyait presque guéri, et s'en félicitait de la sorte, variant sa formule, un peu :

– Moi... je ne voudrais pas être un type dans le genre d'Homère ou de Milton.

Et puis, tout à fait éteint en son cœur le souvenir de Joséphine, il en aima une autre.

Laquelle ne voulut rien savoir.

Alors, il la tua.

Et ce fut l'arrestation.

Pressé de questions par le juge d'instruction, il se contenta de répondre :

– Moi... je suis un type dans le genre d'Avinain... je n'avoue jamais.

Et ce fut la cour d'assises.

Là, il voulut bien parler.

– Moi... je suis un type dans le genre d'Antony... Elle me résistait, je l'ai assassinée!...

Le jury n'admit aucune circonstance atténuante. La mort!

Mal conseillé, Félix Faure ne sut point le gracier.

Pauvre gars. Je le vois encore, Pierrot blême, les mains liées sur le dos, les pattes entravées, sa malheureuse chemise à grands coups de ciseaux échancrée.

Au tout petit jour, les portes de la Roquette s'ouvrirent.

Il m'aperçut dans l'assistance, se tourna vers moi, et d'une voix nonchalante qui laissait traîner les mots comme des savates, il me dit :

– Moi... je suis un type dans le genre de Jésus-Christ... je meurs à trente-trois ans.

ET DAUDET?

– Et Daudet? me demanda le capitaine Flambeur.

– Daudet? m'interloquai-je. Quel Daudet?

– Eh bien! Daudet, parbleu, l'auteur, Alphonse Daudet!

– A propos de quoi me parlez-vous de Daudet?

– Pour savoir s'il est un peu *recalé*.

– Recalé?... Daudet?...

Alors, subitement, une flambée de ressouvenance m'éclaira.

– Ah! oui, Daudet!... Eh bien oui, il est tout à fait *recalé* maintenant!

– Tant mieux! Tant mieux! Pauvre gars!

Pour la clarté de ce récit, comme dit Georges Ohnet, il nous faut revenir de quelques années en arrière.

Le père Flambeur, un vieux capitaine au long cours de mon pays, le meilleur homme de la terre, extrêmement rigolo (ce qui ne gâte rien), débarqua un jour à Paris, pour voir l'Exposition de 1889.

(Le but de ce voyage m'évite la peine de vous indiquer la date.)

Tout de suite, il arriva au *Chat Noir* où je tenais mes grandes et petites assises et me promut son cicerone.

J'acceptai avec joie, le père Flambeur étant un joyeux et dépensier drille, moi pas très riche, à l'époque (et pas davantage, d'ailleurs, maintenant) [1].

Ce vieux loup de mer avait une manie étrange : connaître des grands hommes.

Je lui en servis autant qu'il voulut.

A vrai dire, ce n'étaient point des grands hommes absolument authentiques, mais les camarades se prêtaient de bonne grâce à cette innocente supercherie, qui n'était point sans leur rapporter des choucroutes garnies et des bocks bien tirés.

– Mon cher Zola, permettez-moi de vous présenter un de mes bons amis, le capitaine Flambeur.

– Enchanté, monsieur.

Ou bien :

– Tiens, Bourget! Comment ça va?... M. Paul Bourget... Le capitaine Flambeur.

– Très honoré, monsieur.

1. Depuis que ces lignes furent écrites pour la première fois, un riche mariage a sensiblement amélioré ma situation.

Emile Zola, autant que je puis me le rappeler, était représenté par mon ami Georges Moynet, avec lequel il a une vague analogie.

Quant à Bourget, son pâle sosie se trouvait être une manière de peintre hollandais dont j'ai oublié le nom et qui n'a pas dégrisé pendant les deux ou trois ans qu'il passa à Paris.

Et le reste à l'avenant.

Le malheur, c'est que le capitaine Flambeur avait meilleure mémoire que moi et me mettait parfois dans un cruel embarras.

– Tiens, s'écriait-il tout haut, voilà Pasteur qui entre!... Hé! Pasteur, un vermout avec nous, hein!

Régulièrement, Pasteur acceptait le vermout, à condition que ce fût une absinthe.

Pardon, Zola! Pardon, Bourget! Pardon, Pasteur! Et pardon tous les autres, littérateurs, poètes, peintres, savants, membres de l'Institut ou pas!

Un jour, au tout petit matin...

(Étions-nous déjà levés, ou si nous n'étions pas encore couchés? Cruelle énigme!)

Un jour, au tout petit matin, nous passions place Clichy, sur laquelle se dresse la statue du général Moncey (et non pas Monselet, comme prononce à tort ma femme de ménage).

Le piédestal de cette statue est garni d'un banc circulaire en granit, sur lequel des vagabonds s'étalent volontiers pour reposer leurs pauvres membres las.

Un nécessiteux dormait là, accablé de fatigue.

Son chapeau avait roulé à terre, un ancien chapeau chic, de chez Barjeau, mais devenu tout un poème de poussière de crasse.

Et, au fond du chapeau luisaient encore, un peu éteintes, deux initiales : A. D.

– Tenez, capitaine Flambeur, regardez bien ce bonhomme-là. Je vous dirai tout à l'heure qui c'est.

– Qui est-ce?

– Alphonse Daudet.

– Alphonse Daudet!... Celui qui a fait *Tartarin de Tarascon?*

– Lui-même!

– C'est vrai, pourtant. Voilà son chapeau avec ses initiales... Ah! le pauvre bougre! Mais il ne gagne donc pas d'argent!

– Si, il gagne beaucoup d'argent, mais, malheureusement, c'est un homme qui *boit!*

– C'est égal, c'est bien triste de voir un homme de cette valeur-là dans cette purée!

– Ah! oui, bien triste! Mais, pour moi un homme qui *boit* n'est pas un homme intéressant.

– Je ne vous dis pas, mais si on le réveillait pour lui payer à déjeuner?

– Gardez-vous-en bien! Daudet est malheureux mais très fier.

Alors, très discrètement, le bon papa Flambeur tira une pièce de cent sous de son porte-monnaie et l'inséra dans la poche de l'auteur des *Kamtchatka*

J'avais oublié cette histoire : il a fallu, pour me la rappeler, que le capitaine Flambeur me demandât, l'autre jour :

– Et Daudet?

ANTIBUREAUCRATIE

Ma jument baie cerise était atteinte de coqueluche, et mon alezan hors de service à la suite de chagrins d'amour. Quant à mes robustes percherons, impossible de compter sur eux, totalement abrutis qu'ils sont par la lecture à haute voix, devant eux, de la chronique d'un penseur bien personnel et profond.

D'autre part, je me trouvais dénué des deux francs nécessaires à la mobilisation d'un fiacre!

Alors, quoi?

Aller à pied, dites-vous?

J'aurais bien voulu vous y voir.

C'était loin, où j'allais, très loin, dans un endroit situé à une portée de fusil environ et deux encâblures du tonnerre de Dieu! je résolus donc de prendre l'omnibus.

Je grimpai sur l'impériale et versai quinze centimes ès-mains du conducteur.

Voilà donc une situation claire et nettement établie :

Je suis sur l'impériale, j'ai versé les quinze centimes de ma place. Je puis donc passer, la tête haute, devant l'Administration de la Compagnie des Omnibus. Bon.

Tout à coup, le temps changea et des gouttes d'eau se mirent à choir.

Or, j'avais mis, la veill', mon parapluie en gage.

(J'ai élidé l'*e* de *veille* pour que la phrase constituât un alexandrin joli et coquet.)

Je descendis dans l'intérieur du véhicule et remis ès-mains du conducteur un supplément, ou plutôt, pour employer le mot propre, un complément de quinze centimes.

Voici donc une nouvelle situation claire et nettement établie :

Je suis dans l'intérieur d'un omnibus, j'ai versé les trente centimes de ma place, je puis donc... (Voir la suite plus haut.)

L'omnibus s'arrêta : on était devant un bureau.

Une tête de brute avinée apparut, et cette tête clama sans urbanité :

– Voyageur descendu de l'impériale?

C'est à moi, s'il vous plaît, que ce discours s'adressait.

Devant cette tête de brute, cette voix éraillée et ce ton goujateux, je résolus soudain de garder un silence de sépulcre.

– Voyageur descendu de l'impériale? rogomma de nouveau le bas fonctionnaire.

Même mutisme.

Alors la discourtoisie du contrôleur s'exhala en propos blasphématoires, où le saint nom de Notre-Seigneur se trouvait fâcheusement mêlé.

Ce sacrilège n'eut point le don de m'émouvoir.

— Mais, sacré mille tonnerres de bon D... de nom de D...! Il y a ici un voyageur descendu de l'impériale! Ous qu'il est?

— C'est monsieur, intervint le conducteur en me désignant.

— C'est vous qui êtes descendu de l'impériale?

— Hein? me décidai-je à faire.

— C'est vous qui êtes descendu de l'impériale?

— Qu'est-ce que ça peut bien vous f... à vous?

— Comment, qu'est-ce que ça peut bien me f...?

— Oui, que je sois descendu de l'impériale ou de la lune.

— C'est pour le contrôle.

— Le contrôle? Quel contrôle? Est-ce que je suis chargé de faire le contrôle de votre sale guimbarde?

Nouveaux blasphèmes véhéments du contrôleur.

— Pardon! m'écriai-je, de combien est la place que j'occupe en ce moment?

— De trente centimes.

— Conducteur, combien vous ai-je versé?

— Trente centimes.

— Eh. bien! alors, je ne vous dois rien, ni un sou, ni une explication. Si votre Compagnie tient tant que ça au contrôle, elle n'a qu'à mettre un contrôleur à l'impériale, un contrôleur à l'intérieur et un contrôleur sur les marches. Mais sous aucun prétexte, je n'entends être mêlé à cette ridicule et odieuse bureaucratie.

— Enfin, voulez-vous, oui ou non, dire si c'est vous qui êtes descendu de l'impériale?

— M...!

Je dois déclarer que tout le monde dans l'omnibus me donnait tort, cohue lâche et servile d'Européens, indignes de la liberté.

Seule, une petite fille, qui tenait *le Journal* à la main, semblait plongée dans une joie profonde par toute cette scène. (Si ces lignes viennent à lui tomber sous les yeux, un petit mot d'elle-même me fera plaisir.)

– Et puis, repris-je d'un air furibard, voilà cinq minutes que vous me faites perdre ; je me plaindrai au Conseil municipal. Je suis l'ami de M. Pierre Baudin.

Est-ce cette menace ? Est-ce le désir légitime de mettre fin à cette pénible histoire ? Ne sais, mais l'omnibus se décida à partir.

Mes covoyageurs me contemplaient avec des regards de basse-cour en courroux.

Ce fut surtout le lendemain que je m'amusai beaucoup. Passant devant le bureau d'omnibus où s'était perpétré ce conflit, j'interpellai la brute avinée :

– J'ai beaucoup réfléchi depuis hier. J'aime mieux tout avouer.

– Hein ?

– Le voyageur descendu de l'impériale, eh bien ! c'était moi !

CORRESPONDANCE
ET CORRESPONDANCES

Ma foi, tant pis ! On dira ce qu'on voudra, je l'imprime toute vive cette petite lettre, sûrement pas écrite par M. José-Maria de Heredia, mais si rigolo !

Et puis c'est toujours ça de moins à faire, n'est-ce pas ?

« Cher monsieur Alphonse Allais,

» Vous permettez, dites, que nous vous appelions *cher monsieur Alphonse Allais,* bien que nous n'ayons pas l'avantage de vous connaître; mais nous vous gobons toutes beaucoup à l'atelier et ça excuse notre familiarité.

» Chaque matin, quand on ouvre *le Journal,* tout de suite on regarde s'il y a une *Vie drôle,* et quand il y en a une, ce n'est qu'un cri :

» – Quelle histoire à dormir debout va-t-il encore nous raconter aujourd'hui, cet imbécile-là?

» Rassurez-vous, le mot *imbécile* est pris ici en bonne part, un peu comme les petites mamans qui appellent leur bébé *horreur.*

» Votre histoire d'omnibus, surtout, nous a beaucoup gondolées *(sic),* car nous les connaissons, les omnibus, et surtout le personnel des omnibus, qui se venge bêtement sur les voyageurs et les pauvres petites voyageuses des tracasseries et de l'exploitation des grosses légumes capitalistes [1].

» Depuis le jour où votre article sur les omnibus a paru, nous n'avons plus qu'une idée : c'est d'affoler des contrôleurs, et nous y arrivons souvent.

» Témoins, hier :

» Nous avions passé la soirée à la fête de Montmartre. Des jeunes gens très gentils, mais que nous avons tout de même plaqués brusquement, nous avaient offert un saladier chez un troquet du boulevard Rochechouart.

» (Peut-être ne savez-vous pas ce que c'est qu'un saladier [2]. On vous expliquera ça une autre fois.) Et ça nous avait mises en gaieté.

» Mais l'heure est l'heure, n'est-ce pas? et comme on n'a pas de landaus bouton d'or, nous grimpâmes sur le tramway *Place de l'Etoile-La Villette,* en demandant une correspondance.

» (En attendant qu'un riche Bolivien nous offre un petit hôtel rue Fortuny, nous demeurons chez nos parents, boulevard de Charonne.)

» Sur le trajet, mon amie Lucienne ne disait rien.

---

1. Bravo, petites modistes, et vive la Révolution sociale!
2. Ces jeunes filles me connaissent mal.

Évidemment, elle ruminait quelque chose, mais je me demandais quoi.

» Je fus bientôt fixée.

» Nous descendîmes à la Villette, et je me disposais à me diriger vers le bureau de *La Villette-Place du Trône,* quand Lucienne m'arrêta.

» Avec un culot d'enfer, elle s'avança vers le contrôleur et lui demanda, en montrant nos deux correspondances :

» – Qu'est-ce que c'est que ces petits cartons-là ?

» – Mais, mademoiselle, ce sont des correspondances.

» – Très bien !... Et ces correspondances nous donnent le droit de monter, sans rien payer, sur un omnibus qui correspond avec celui que nous quittons ?

» – Parfaitement !

» – Mais, dites-moi ! Ma correspondance n'est valable qu'à la condition qu'on ne quitte pas le bureau auquel on est descendu ?

» – Parfaitement !

» – Parfaitement, vous-même ! Nous n'allons pas quitter le bureau pour ne pas perdre notre correspondance. Nous allons attendre ici le tramway de la Place du Trône.

» – Mais il ne passe pas ici, mademoiselle. Il faut que vous alliez le prendre au bureau là-bas.

» – Non, non, nous ne voulons pas quitter le bureau où nous sommes descendues. Notre correspondance ne vaudrait plus rien. Et puis, nous n'avons pas pris le tramway pour faire le trajet à pied.

» (Il faut vous dire, au cas où vous l'ignoreriez, que le bureau de *La Villette-Place du Trône* est situé à plus de 100 mètres de celui de l'*Étoile-La Villette* auquel il correspond soi-disant.)

» Je vous fais grâce du reste du dialogue. Le malheureux contrôleur devenait fou furieux devant l'aplomb et la logique de Lucienne. Moi, j'étais malade de rire.

» A la fin, comme il fallait bien rentrer, nous prîmes notre tramway, après cette terrible menace :

» – Nous reviendrons demain avec un huissier, et si la voiture ne vient pas nous prendre ici même, nous la ferons marcher, votre sale Compagnie.

» Je ne sais pas si notre petite histoire va vous intéresser, mais, dans tous les cas, nous avons joliment rigolé, nous.

» Tâchez d'arranger ça, vous ferez plaisir à de petites jeunes filles de la rue de la Paix, qui font des chapeaux pour les belles dames et qui vous aiment bien sans vous connaître.

» Et puis, si vous étiez chic et qu'il n'y ait pas derrière vous une terrible madame Alphonse Allais, vous nous feriez signe et vous viendrez un de ces jours nous chercher pour déjeuner, en bons camarades, dans un petit endroit de la rue Saint-Honoré que nous connaissons et où on n'est pas trop mal.

» N'ayez crainte, on ne vous cramponnera pas, car il faut que nous soyons rentrées à une heure.

» *N. B.* – On n'est pas laides.

» A bientôt?

« LUCIENNE ET MOI. »

Eh bien! c'est entendu, Lucienne et vous! Dites-moi le jour et l'endroit. On déjeunera dans le fameux petit endroit, *en bons camarades,* comme vous dites, car mon cœur, mon pauvre cœur, est devenu la propriété exclusive et définitive d'une jeune princesse toute d'ambre clair, laquelle n'aimerait pas beaucoup, je crois, que je la trompasse déjà.

LE MYSTÈRE DE LA SAINTE-TRINITÉ

Devant la jeunesse contemporaine

Il y a deux ou trois jours, pas plus, j'ai rencontré mon jeune ami Pierre, dont j'eus l'heur de faire la connaissance à Nice, cet hiver.

Aux Champs-Élysées, mon jeune ami Pierre accompagnait, sans enthousiasme, le baby, sa sœur, qui jonchait, inerte, la copieuse poitrine de sa percheronne nounou.

Étendu sur deux chaises tangentes, Pierre affectait des attitudes plutôt asiatiques et ne semblait point s'amuser autrement.

Il m'aperçut, se décliqua, tel le ressort A. Boudin *(voyez ce ressort)* et vint vers moi, l'œil plein d'une rare désinvolture et, toute large ouverte, sa main loyale :

— Tiens, te v'là, toi!... j'suis pas fâché de te voir. Faudra venir nous dire bonjour... Tu sais que nous sommes revenus de Nice?

— Je m'en doute un peu, à ta seule rencontre.

— C'est vrai! je suis bête... Viens nous dire bonjour... Maman te gobe beaucoup... Elle dit que rien que de voir ta bobine, ça la fait rigoler.

— Je remercierai Madame ta mère de la bonne opinion...

— Fais pas ça!... Tu seras bien avancé quand tu m'auras fait engueuler comme un pied!

— Et puis, je lui dirai aussi que tu te sers de la détestable expression *engueuler,* laquelle est l'apanage exclusif de gens de basse culture mondaine.

— Oh! la la! ousqu'est mon *monok!*... Et puis, tu sais, j'm'en fiche, tu peux lui dire tout ce que tu voudras, à maman. Quand elle est un peu fâchée, je n'ai qu'à lui passer mes bras autour du cou, je l'appelle *p'tite mère chérie...* je l'embrasse sur les yeux... Et elle ne me dit plus rien.

— Tu as de la chance d'avoir une mère comme ça.

– Eh ben! il ne manquerait plus que ça... C'est vrai, tout de même, j'ai pas trop à me plaindre... Elle est très chouette, maman!

– Dis donc, mon vieux Pierre!

– Mon vieux Alphonse!...

– Surtout, ne va pas t'offusquer de ce que je te dirai.

– Marche toujours!

– Il me semble que tu ne me tutoyais pas à Nice?

– Ah! oui... tu ne sais pas?

– Non, je ne sais pas.

– Eh ben! mon vieux, maintenant je tutoie tout le monde!

– Tout le monde?

– Tout le monde!... Tiens, le pape arriverait, là, tout de suite, le pape lui-même, en bicyclette, et me demanderait de lui indiquer le boulevard Malesherbes, je lui dirais : « Prends la rue Royale, monte tout droit, et puis, au bout, à gauche, tu trouveras le boulevard Malesherbes. » Et, s'il n'était pas content, le Saint-Père, ça serait le même prix!

– A la suite de quelle évolution ce parti pris t'est-il venu?

– Une nuit que je ne pouvais pas dormir... J'avais pris du café chez des gens avec qui on avait dîné... Maman s'était pas aperçue... Et moi, avec tout ça, j' pouvais pas m'endormir... Alors, je pensais à des tas de trucs... Tout d'un coup, je me suis dit que c'était idiot d'employer le pluriel quand on avait affaire qu'à un seul type... Tu comprends?

– A merveille.

– Vois-tu, comme c'est bête, quand on n'a qu'un bonhomme ou qu'une bonne femme devant soi, de lui dire : *Comment allez-vous?* Comme s'ils étaient trente-quatre mille. Alors, je me suis juré, dans ce cas-là, de lui dire, au bonhomme ou à la bonne femme : *Comment vas-tu?* Ceux que ça épate, je leur dis : Vous vous croyez donc des tas?

– Bravo, mon vieux Pierre, tu te rapproches de la nature, et de la raison.

– Et puis, tu sais, on m'en fait pas démordre!... Ainsi, l'autre jour, en plein catéchisme, j'ai tutoyé le *ratichon*.

– Le...?

– Le *ratichon*... le curé, quoi! Si t'avais vu sa bobine!...

– Tu vas donc au catéchisme?

– Oh! m'en parle pas! C'est assez rasoir!... je comprends pas que des parents, qui se vantent d'être des gens sérieux, peuvent abrutir des pauv' gosses comme nous à toutes ces... Tiens, j'allais encore employer un mot de basse culture mondaine, comme tu dis.

– Ne te gêne pas avec moi.

– Ce matin, c'était le mystère de la Sainte-Trinité. Te souviens-tu du mystère de la Sainte-Trinité?

– Brumeusement.

– C'est crevant!... Le Père, le Saint-Esprit, le Fils!... Le Père a engendré le Saint-Esprit en se contemplant lui-même... Toi, qui commences à être un vieux type, tu comprends pas grand-chose à ça, déjà? Alors, quoi, nous les mômes!... Et après, le Père a contemplé le Saint-Esprit, et ils ont engendré le Fils!... C'est dommage, dis donc, qu'on n'ait pas organisé des trains de plaisir pour assister à ça, hein?... Ils sont trois et ils ne sont qu'un... Ils ne sont qu'un et ils sont trois!... Arrange ça... Moi, encore, je ne suis pas trop bête, j'en prends et j'en laisse; mais, autour de moi, au catéchisme, il y a un tas de petites gourdes qui en deviennent *gaga*. Tiens, veux-tu que je te dise?... Seulement, tu le répéteras pas à p'tite mère, qui coupe un peu dans ces godants-là?

– Tu parles dans l'oreille d'un sépulcre.

– Eh ben! le mystère de la Sainte-Trinité...

– Dis.

– Ça manque de femmes!

LA VAPEUR

Il n'y a qu'à moi que ces veines arrivent.

J'ai rencontré, hier, Valentine, dans des conditions exceptionnellement avantageuses qu'on va pouvoir apprécier plus bas.

Valentine est une jeune personne de Montmartre qui se destine au théâtre.

Son physique est attrayant, ses manières sont accortes, son intelligence pétille, mais son impudicité est notoire dans tout le neuvième arrondissement et une partie du dix-huitième (sans préjudice, d'ailleurs, pour quelques autres quartiers de Paris).

– Que fais-tu par là? m'informai-je après l'avoir baisée sur le front.

– Devine?

– Je ne suis pas somnambule.

– Je sors de chez l'oncle.

(C'est ainsi que la jeune Valentine désigne familièrement le vigoureux cénobite de la rue de Douai).

– Tu es restée longtemps chez cet esthète?

– Dans les une heure, une heure et demie.

– Mâtin!

– Ah! dame! il n'a plus vingt ans, le pauvr' bonhomme!

– Et il t'a fait répéter *le Songe d'Athalie*?

– Non, ça n'est plus *le Songe* qui marche maintenant, c'est *les Imprécations de Camille*... Une idée à lui.

Et Valentine prit, en disant ces paroles, un air extraordinairement malin, dont je ne sus point percer le sens. Je feignis de comprendre.

Et elle ajouta :

– Ce qui m'embête le plus, c'est que je lui ai dit que je rentrais chez moi, rue Rochechouart. Alors, il m'a priée de remettre au *Petit Journal* sa chronique de demain.

– Montre.

– Ah! non, par exemple! Tu lui ferais encore des blagues, et il m'attraperait, lors de mes débuts, à la Comédie-Française.

– Poseuse, va!

Toutefois, à la suite d'habiles manœuvres, cinq minutes après ce dialogue, je détenais le manuscrit de M. Francisque Sarcey et j'en copiais le passage suivant, qu'on a pu lire, le même jour, et dans mon journal, et dans le *Petit Journal.*

M. Marinoni manifesta un vif mécontentement, mais j'ai autre chose à faire dans la vie que de ma préoccuper des allégresses ou des déboires de M. Marinoni.

Et puis si M. Marinoni n'est pas content, il sait où me trouver.

LA VAPEUR

. . . .

« Ah! c'est bien vrai, mes amis, il n'y a encore que les voyages pour apprendre quelque chose! Si on restait chez soi, tous les jours, du matin au soir, je vous demande un petit peu ce qu'on saurait de la vie.

» On n'en saurait rien du tout. Voilà ce qu'on en saurait.

» Ainsi, voilà la vapeur. Tout le monde parle de la vapeur : la vapeur par-ci, la vapeur par-là.

» Mais qui de nous sait exactement ce que c'est que la vapeur?

» J'en excepte, bien entendu, les personnes qui s'occupent spécialement de cette question, ingénieurs, mécaniciens, etc.

» Moi, il y a huit jours, j'étais comme tout le monde : je parlais de la vapeur, mais j'aurais été pendu s'il m'avait fallu dire en quoi consistait ce phénomène.

» La semaine dernière, je suis allé, au Havre, assister à la réouverture du Grand-Théâtre.

» Ah! mes amis, vous n'avez pas idée de ce que je suis populaire au Havre.

» C'est que le Havre est une ville de bon sens qui ne se laisse pas emballer par les idées nouvelles, ou soi-disant nouvelles.

» Au Havre, c'est moi qui vous le dis, le symbole ne ferait pas un sou.

» Ibsen et Wagner sont appréciés à leur juste place, et on leur préfère une bonne représentation du *Verre d'eau* ou de la *Favorite*.

» Mais, me voilà parti sur le théâtre, alors que je m'étais proposé d'aborder dans cette causerie la question de la vapeur.

» Quelques Havrais, dont un fort aimable, ma foi, M. Jules Heuzey, m'ont mené voir un transatlantique.

» Les transatlantiques sont ces énormes bâtiments qui font le trajet, chaque semaine, entre le Havre et New York. C'est même de là que leur vient leur nom de transatlantique (des mots latins : *trans,* au-delà, et *atlanticum,* atlantique).

» J'ai pris un vif plaisir à visiter *la Touraine,* le plus bel échantillon de la Compagnie.

» A Paris, on ne saurait s'imaginer tout le confortable et tout le luxe que l'on peut entasser dans ces *maisons flottantes.* (Le mot est de M. Jules Heuzey et il est fort juste.)

. . . .

» Mais c'est surtout la machine, ou plutôt les machines, dont je fus émerveillé.

» Quelle puissance, mes chers amis, et quelle régularité!

» Comment ne point admirer ces monstres de force qui se laissent mener avec la docilité du mouton et l'exactitude du chronomètre?

» Nous étions guidés dans ces merveilleux

labyrinthes par le chef mécanicien lui-même, M. François (François est seulement son prénom, mais son nom est un nom alsacien extrêmement difficile à retenir). M. François nous expliqua avec une bonne grâce, une lucidité d'esprit et un rare bonheur d'expressions, ce que c'est que la vapeur.

» Avez-vous vu bouillir de l'eau?

» Il s'en échappe une sorte de buée qui se dissipe dans l'air. Eh bien! cette buée-là, c'est la vapeur.

» Répandue dans l'air libre, elle n'a aucune force.

» Mais si vous la contraignez à passer dans un espace restreint, oh! alors, elle acquiert une excessive puissance d'extension, et elle met tout en œuvre pour s'échapper de ce milieu confiné.

» C'est cette propriété que les ingénieurs utilisent pour faire marcher leurs machines.

» Et, à ce propos, une remarque assez intéressante.

» Les Anglais dénomment leurs mécaniciens *engineers*, mot qui, à la prononciation, ressemble à notre mot *ingénieur*.

» *Ingénieur* dérive évidemment du mot latin *ingenium*, qui signifie *génie*. C'est d'autant plus vrai que le *génie* est le mot qui sert à désigner la profession des ingénieurs.

» *Engineer* vient de *engine*, machine, la traduction de notre mot *engin*.

» Il serait assez piquant de déterminer le degré de cousinage linguistique entre *ingénieur* et *engineer*.

» Jules Lemaître a peut-être son idée là-dessus.

» Mais me voilà loin de la vapeur.

» J'y reviens.

» Les machines à vapeur consistent en de l'eau qu'on fait chauffer dans de gros tubes sur un bon feu de charbon de terre.

» La buée de cette eau est amenée dans une sorte de cylindre où se meut un piston.

» Elle pousse ce piston jusqu'au bout du cylindre.

» Alors, à ce moment, grâce à un mécanisme extrêmement ingénieux, la vapeur passe de l'autre côté du piston qu'elle repousse à l'autre bout du cylindre.

» Et ainsi de suite.

» Il résulte de ce va-et-vient du piston un mouvement alternatif qu'on transforme, par d'habiles stratagèmes, en mouvements rotatoires de roues ou d'hélices.

» Tout cela est très simple, comme vous voyez, mais il fallait le trouver.

» L'éternelle histoire de la brouette qui fut inventée par Descartes (*sic*).

. . . .

« FRANCISQUE SARCEY »

L'espace restreint, comme dit notre oncle, dont je dispose, me force à n'insérer point l'éloquente à la fois et bonhomme péroraison de cette chronique.

Je le regrette surtout pour vous, pauvres lecteurs!

L'ACIDE CARBONIQUE

C'était un vendredi soir, le dernier jour que je passais en Amérique, peu d'heures avant de m'embarquer, car la *Touraine* partait dans la nuit, à trois heures.

À une table voisine de celle où je dînais, dînaient aussi deux dames, ou plutôt, comme je l'appris par la suite, deux jeunes filles dont une vieille.

Ou même, pour être plus précis, une miss et une demoiselle.

La miss était Américaine jeune et très gentille. La demoiselle était Française, entre deux âges, et plutôt vilaine.

La miss avait, entre autres charmes, deux grands yeux noirs très à la rigolade. La demoiselle s'agrémentait de deux drôles de petits yeux tout ronds, de véritables yeux d'outarde (Bornibus).

Toutes deux parlaient français, la demoiselle très correctement (parbleu! c'est une institutrice); la miss avec un accent et des tournures de phrases d'un comique ahurissant.

Je prêtai l'oreille... (Je prête assez volontiers l'oreille, fâcheuse habitude, car, un de ces jours, on ne me la rendra pas, et je serai bien avancé!)

O joie! Ces deux dames parlaient de la *Touraine* en termes qui ne laissaient aucun doute... J'allais les avoir comme compagnes de route.

Toute une semaine à voir, plusieurs fois par jour, les grands yeux très à la rigolade de la petite miss!

Tout de suite, j'espérai qu'on enverrait la vieille outarde au lit, de bonne heure, alors que, très tard, la petite miss et moi nous dirions des bêtises dans les coins.

Cependant, se poursuivait la conversation des deux dames.

L'outarde était d'avis qu'on allât tout de suite après dîner au paquebot et qu'on se couchât bien tranquillement.

Miss Minnie (car enfin, voilà deux heures que je vous parle de cette jeune fille sans vous la présenter), miss Minnie disait d'un air résolu :

– Oh! pas tout de suite, coucher! Allons faire *une petite tour* avant embarquer!

– On ne dit pas *une petit tour,* mais on dit *un petit tour.*

– Pourtant on dit *la tour* Eiffel.

– Ce n'est pas la même chose. Dans le sens de monument, *tour* est féminin; dans le sens de promenade, ce mot est du masculin.

Les questions de philologie m'ont toujours passionné, et je crois détenir, en cette partie, quelques records.

– Pardon, mademoiselle, intervins-je, la règle que vous venez de formuler n'est pas sans exception. *Tour,* dans le sens de voyage, n'est pas toujours masculin.

Les yeux ronds de l'outarde s'arrondirent encore, interloqués.

– Il est masculin pour tous les pays, sauf le Cantal, le Puy-de-Dôme et la Haute-Loire.

Du coup ces dames eurent un léger frisson de terreur. J'étais, sans nul doute, un fou, peut-être furieux, si on le contrariait.

– Parfaitement! insistai-je. Ainsi, l'on dit *le* tour de France, *le* tour du monde, mais on dit *la* tour d'Auvergne.

Ma compatriote s'effondra de stupeur, mais j'eus la joie de voir que Minnie, en bonne petite humoriste yankee, s'esclaffait très haut de mon *funny joke.*

Alors, nous voilà devenus des camarades.

On fit *un petit tour* dans quelques *roof-concerts,* on but des consommations exorbitantes et, finalement, on s'échoua, près du port, dans une espèce de café français, où une clientèle assez mêlée tirait une tombola au profit d'un *artiste.*

Minnie gagna douze bouteilles de champagne, qu'elle n'hésita pas à faire aussitôt diriger dans sa cabine.

Pas plus tôt à bord, elle tint à constater la valeur de son breuvage. Vous me croirez si vous voulez, il était exquis et de grande marque.

(Rien ne m'ôtera de l'idée qu'il ne fût le fruit d'un larcin).

Comme toutes les Américaines, Minnie adore le champagne, mais pas tant que son institutrice.

La vieille outarde se chargea, à elle seule, de faire un sort aux trois quarts de la bouteille.

Minnie était indignée. Elle me prit à l'écart.

– Est-ce qu'elle va boire toute ma champagne, cette vieux chameau! Tâchez à lui faire une bonne blague pour qu'elle est dégoûtée de cette liquide.

– Si je réussis, miss, que me donnerez-vous?

– Je vous embrasserai.

– Quand?

– Le soir, sur le pont, quand le monde sont en allés coucher.

– Et vous m'embrasserez... bien?

– Le mieux que je *pouverai!*

– Mazette! espérai-je.

Dès le lendemain matin, devant l'institutrice, j'amenai la conversation sur le champagne.

– C'est bon, c'est même très bon; mais il y a certains tempéraments auxquels l'usage du champagne peut être nuisible et même mortel.

– Ah! vraiment? fit la vieille fille.

– Mais oui. Ainsi, vous, mademoiselle, vous devriez vous méfier du champagne. Ça vous jouera un mauvais tour, un jour ou l'autre.

– Allons donc!

– Vous verrez... C'est de ça qu'est morte Mme Beecher Stowe.

J'avais mon plan. Une vieille plaisanterie, faite jadis à Chincholle au cours d'un voyage présidentiel, me revenait en mémoire.

Le docteur Marion, dont je n'hésite pas à mêler le nom à cette plaisanterie du plus mauvais goût, me fournit une petite quantité d'acide tartrique et de bicarbonate de soude.

A sec, ces deux corps ne réagissent point l'un sur l'autre. Dissous, ils se décomposent : l'acide tartrique se jette sur la soude avec une brutalité sans exemple, chassant ce pauvre bougre d'acide carbonique qui se retire avec une vive effervescence, à l'instar de ces maris trompés qui claquent les portes pour faire voir qu'ils ne sont pas contents.

C'est ce mécontentement bien naturel de l'acide carbonique que les fabricants d'eau de Seltz utilisent pour produire leurs eaux gazeuses.

Où plaçai-je ces deux poudres?

Ici, il me faudrait employer l'ingénieux stratagème auquel eut recours naguère George Auriol pour éviter les mots shocking.

Malheureusement, je n'ai pas, comme ce jeune maître, un joli bout de crayon attaché à ma lyre. La seule ressource me reste donc de la périphrase.

Je plaçai mes produits chimiques au fond d'un vase d'ordre tout intime à l'usage coutumier de la vieille outarde, et j'attendis.

Le lendemain, je m'amusai beaucoup au récit du docteur.

Dès le matin, elle l'avait fait mander, et, folle de terreur, lui avait raconté son étrange indisposition.

— Ça moussait! ça moussait! Et ça faisait *Pschi, pschi, pschi, pschi.*

— N'auriez-vous pas bu des boissons gazeuses, hier? demanda-t-il.

— Si, du champagne.

— C'est bien cela. Vous ne pouvez pas digérer l'acide carbonique. Ne buvez plus ni champagne, ni soda, ni rien de gazeux.

Minnie trouva la farce à son goût. Elle me récompensa en m'embrassant le mieux qu'elle put. Et quand les Américaines vous embrassent du mieux qu'elles peuvent, je vous prie de croire qu'on ne s'embête pas.

Et encore j'emploie le mot *embrasser* pour rester dans la limite des stricts convenances.

THE PERFECT DRINK

Bien que l'heure ne fût pas, à vrai dire, encore très avancée, une soif énorme étreignait les gorges du Captain Cap et de moi (triste conséquence, sans doute, des débauches de la veille).

D'un commun accord, nous eûmes vite défourché notre tandem, cependant que notre regard explorait l'horizon.

Précisément, un grand café très chic, ou d'aspect tel, se présenta.

Malgré l'apparence fâcheusement heuropéenne (l'*h* est aspiré) de l'endroit, tout de même nous voulûmes bien boire là.

– Envoyez-moi le stewart! commanda Cap.

– A votre disposition, monsieur! s'inclina le gérant.

– Donnez-nous deux grands verres.

– Voilà, monsieur.

– Je vous dis *deux grands verres*, on non point *deux dés à coudre*. Donnez-nous deux grands verres.

– Voilà, monsieur.

– Enfin!... Du sucre, maintenant.

– Voilà, monsieur.

– Non, pas de burlesques morceaux de sucre... Du sucre en grain.

– Voilà, monsieur.

– Pas non plus, de ce sucre de la Havane qui empoisonne le tabac.

– Mais, monsieur...

– J'exige du sucre en grain des Barbades. C'est le seul qui convienne au breuvage que je vais accomplir.

– Nous n'en avons pas d'autre que celui-là.

– Triste! Profondément triste! Enfin...

Et Cap jeta au fond de nos verres quelques cuillerées de sucre qu'il arrosa d'un peu d'eau.

– Et maintenant, deux citrons!

– Voilà, monsieur.

Cap jeta un regard de profond mépris sur les citrons apportés.

– Deux autres citrons!

– Voilà, monsieur.

Ici Cap entra dans une réelle fureur :

– Je vous demande deux *autres* citrons!... Entendez-vous? Deux *autres* citrons! Deux *autres!* Non point *two more*, mais bien *two other*! Des citrons *autres!* Vous me f... là des limons de Sicile! alors que je rêve uniquement de citrons provenant de l'île de Rhodes... Avez-vous des citrons provenant de l'île de Rhodes?

– Pas pour le moment.

– Ah! c'est gai! Enfin...

Et Cap exprima dans nos verres le jus des limons de Sicile.

– Du gin, maintenant! Quel gin avez-vous?

– Du *Anchor gin* et du *Old Tom gin.*

– Du vrai *Anchor?*

– Du vrai.

– Du vrai *Old Tom?*

– Du vrai.

– Et du *Young Charley gin?* Est-ce que vous en avez?

– Je ne connais pas.

– Alors, vous ne connaissez rien. Enfin...

Et Cap, à chacun, nous versa une copieuse (ah! que copieuse!) rasade de *Old Tom gin.*

– Remuons! ajouta-t-il.

A l'aide d'une longue cuiller, nous agitâmes ce début de mélange.

– De la glace, maintenant!

– Voilà, monsieur.

– De la glace, ça!

– Mais parfaitement, monsieur!

– D'où vient cette glace?

– De l'usine d'Auteuil, monsieur!

– L'usine d'Auteuil? Elle est peut-être admirablement outillée pour fournir de l'eau bouillante à la population parisienne, mais elle n'a jamais su le premier mot du frigorifisme. Vous pouvez aller lui dire de ma part...

– Mais, monsieur!

– D'ailleurs, je ne connais qu'une glace vraiment digne de ce nom : celle qu'on ramasse l'hiver dans la Barbotte!

– Ah!

– Oui, la Barbotte! La Barbotte est une petite rivière qui se jette dans le Richelieu, lequel Richelieu se jette dans le Saint-Laurent... Et savez-vous le nom de la petite ville qui se trouve au confluent du Richelieu et du Saint-Laurent?

– Ma foi, monsieur...

– Ah! vous n'êtes pas calés en géographie, vous autres Européens! La petite ville qui se trouve au confluent du Richelieu et du Saint-Laurent s'appelle Sorel... Et surtout, n'allez pas confondre Sorel en Canada avec la très jolie et très séduisante Cécile Sorel ou avec Albert Sorel, l'éminent et très aimable nouvel académicien! Jurez-moi de ne pas confondre!

– Volontiers, monsieur!

– Alors, donnez-moi votre sale glace de l'usine d'Auteuil.

– Voilà, monsieur!

Et Cap mit en nos breuvages quelques factices icebergs.

– Vous n'avez plus, désormais, qu'à nous apporter deux bouteilles de soda... Quel soda détenez-vous ici?

– Mais... le meilleur! Du *schweppes!*

– Ah! Seigneur! Éloignez de moi ce calice! du *schweppes!*... Certainement, le *schweppes* n'est pas une marque dérisoire de soda, mais auprès de celui que fabrique mon vieux *old fellow* Mooanman de Fall-River, le *schweppes-soda* n'est qu'un fangeux, saumâtre et miasmatique breuvage!... Enfin... Donnez-nous tout de même du *schweppes!*

– ... Dit mon père, hugolâtrai-je.

C'était fait! Nous n'avions plus qu'à lamper notre *drink,* largement, comme font les hommes libres, forts, rythmiques et qui ont la dalle en pente...

... Quand le gérant eut l'à jamais regrettable idée de nous apporter des chalumeaux.

La combativité de Cap n'en demandait pas davantage.

– Ça, des pailles! fit-il avec explosion.

– Mais, monsieur...

– Non, ça, ça n'est pas des pailles! C'est de la

paille, et de la paille périmée, sortant de dessous –
saura-t-on jamais? – quelles innommables vaches!
Je n'ai point accoutumé à boire en des étables. En
allons-nous, mon ami, en allons-nous!

Cap jeta sur le marbre de la table une suffisante
pièce de cent sous, et nous partîmes vers le prochain
mastroquet, où nous nous délectâmes à la joie d'une
chopine de vin blanc, un peu de gomme et un
demi-siphon!

CONTE DE NOËL

Ce matin-là, il n'y eut qu'un cri dans tout le
paradis :

– Le bon Dieu est mal luné aujourd'hui. Malheur
à celui qui contrarierait ses desseins!

L'impression générale était juste : le Créateur
n'était pas à prendre avec des pincettes.

A l'archange qui vint se mettre à sa disposition
pour le service de la journée, il répondit sèche-
ment :

– Zut! fichez-moi la paix!

Puis, Il passa nerveusement Sa main dans sa
barbe blanche, s'affaissa – plutôt qu'Il ne s'assit –
sur Son trône d'or, frappa la nue d'un pied rageur et
s'écria :

– Ah! j'en ai assez de tous ces humains ridicules
et de leur sempiternel Noël, et de leurs sales gosses
avec leurs sales godillots dans la cheminée. Cette
année, ils auront... la peau!

Il fallait que le Père Éternel fût fort en colère pour
employer cette triviale expression, Lui d'ordinaire
si bien élevé.

– Envoyez-moi le bonhomme Noël, tout de suite! ajouta-t-Il.

Et comme personne ne bougeait :

– Eh bien! vous autres, ajouta Dieu, qu'est-ce

que vous attendez? Vous, Paddy, vieux poivrot, allez me quérir le bonhomme Noël!

(Celui que le Tout-Puissant appelle familièrement *Paddy* n'est autre que saint Patrick, le patron des Irlandais.)

Et l'on entendit à la cantonade :

— Allo! Santa Claus! Come along, old chappie!

Le bon Dieu redoubla de fureur :

— Ce pochard de Paddy se croit encore à Dublin, sans doute! Il ne doit cependant pas ignorer que j'ai interdit l'usage de la langue anglaise dans le séjour des Bienheureux!

Le bonhomme Noël se présenta :

— Ah! te voilà, toi!

— Mais oui, Seigneur!

— Eh bien! tu me feras le plaisir, cette nuit, de ne pas bouger du ciel...

— Cette nuit, Seigneur? Mais Notre-Seigneur n'y pense pas!... C'est cette nuit... Noël!

— Précisément! précisément! fit Dieu en imitant, à s'y méprendre, l'accent de Raoul Ponchon.

— Et moi qui ai fait toutes mes petites provisions!...

— Le royaume des Cieux est assez riche pour n'être point à la merci même de ses plus vieux clients. Et puis... pour ce que ça nous rapporte!

— Le fait est!

— Ces gens-là n'ont pas même la reconnaissance du polichinelle... Je fais un pari qu'il y aura plus de monde, cette nuit, au *Chat Noir* qu'à Notre-Dame-de-Lorette. Veux-tu parier?

— Mon Dieu, Vous ne m'en voudrez pas, mais parier avec Vous, la Source de tous les Tuyaux, serait faire métier de dupe.

— Tu as raison, sourit le Seigneur.

— Alors, c'est sérieux? insista le bonhomme Noël.

— Tout ce qu'il y a de plus sérieux. Tu feras porter tes provisions de joujoux aux enfants des

Limbes. En voilà qui sont autrement intéressants que les fils des Hommes. Pauvres gosses!

Un visible mécontentement se peignait sur la physionomie des anges, des saints et autres habitants du céleste séjour.

Dieu s'en aperçut.

— Ah! on se permet de ronchonner! Eh bien! mon petit père Noël, je vais corser mon programme! Tu vas descendre sur terre cette nuit, et non seulement tu ne leur ficheras rien dans leurs ripatons, mais encore tu leur barboteras lesdits ripatons, et je me gaudis d'avance au spectacle de tous ces imbéciles contemplant demain matin leurs âtres veufs de chaussures.

— Mais... les pauvres? Les pauvres aussi? Il me faudra enlever les pauvres petits souliers des pauvres petits pauvres?

— Ah! ne pleurniche pas, toi! *les pauvres petits pauvres!* Ah! ils sont chouettes, les pauvres petits pauvres! Voulez-vous savoir mon avis sur les victimes de l'Humanité terrestre? Eh bien! ils me dégoûtent encore plus que les riches!... Quoi! voilà des milliers et des milliers de robustes prolétaires qui, depuis des siècles, se laissent exploiter docilement par une minorité de fripouilles féodales, capitalistes ou pioupioutesques! Et c'est à moi qu'ils s'en prennent de leurs détresses! Je vais vous le dire franchement : Si j'avais été le petit Henry, ce n'est pas au café Terminus que j'aurais jeté ma bombe, mais chez un mastroquet du faubourg Antoine!

Dans un coin, saint Louis et sainte Elisabeth de Hongrie se regardaient, atterrés de ces propos :

— Et penser, remarqua saint Louis, qu'il n'y a pas deux mille ans, Il disait : *Obéissez aux Rois de la terre!* Où allons-nous, grand Dieu! où allons-nous? Le voilà qui tourne à l'anarchie!

Le Grand Architecte de l'Univers avait parlé d'un ton si sec que le bonhomme Noël se le tint pour dit.

Dans la nuit qui suivit, il visita toutes les cheminées du globe et recueillit soigneusement les petites chaussures qui les garnissaient.

Vous pensez bien qu'il ne songea même pas à remonter au ciel cette vertigineuse collection. Il la céda, pour une petite somme destinée à grossir le denier de Saint-Pierre, à des messieurs fort aimables, et voilà comment a pu s'ouvrir, hier, à des prix qui défient toute concurrence, 739, rue du Temple, la splendide maison :

AU BONHOMME NOËL

Spécialité de chaussures d'occasion en tous genres pour bébés, garçonnets et fillettes.

Nous engageons vivement nos lecteurs à visiter ces vastes magasins, dont les intelligents directeurs, MM. Meyer et Lévy, ont su faire une des attractions de Paris.

DÉBUT DE M. FOC
DANS LA PRESSE QUOTIDIENNE

Je reçois d'un jeune homme qui signe « Foc » et qui – si mes pronostics sont exacts – doit être l'un des patrons de la célèbre maison Lou, Foc et Cie, une sorte de petit conte fort instructif et pas plus bête que les histoires à dormir debout qui relèvent de ma coutumière industrie.

Alors, moi malin, que fais-je? Je publie le petit conte du jeune Foc et, pendant ce temps-là, je vais fumer une cigarette sur le balcon.

La parole est à vous, jeune homme :

I

Hercule Cassoulade, voyez-vous, c'était un mâle.

Il avait deux mètres dix environ, du sommet du crâne à la plante des pieds, et ses tripes étaient les plus vastes du monde. Il disait en parlant du Pont-Neuf :

— Il est gentil, mais a l'air bien délicat.

D'une gaieté charmante, avec cela, et si bon enfant que la vue seule d'un malade suffisait à le faire rire.

Or, un jour, chose incroyable, cet homme de bronze prit froid et se mit à tousser, cependant qu'on entendait doucement retentir dans ses larges narines poilues les motifs principaux des *Murmures de la Forêt*, de Wagner, arrangés pour coryza seul.

Comme une femme, comme un veau, comme un simple mortel, Cassoulade était enrhumé !

II

Il montra quelque impatience, cria :

— Ça commence à m'embêter; je suis bon type, mais je n'aime pas qu'on se foute de moi !

Même, ayant publié ce manifeste, il gifla sans exception tous ceux qui avaient l'air de rigoler, se prit aux cheveux avec son chapeau, et, rapide, s'en alla par les grouillantes rues.

Examinant les portes, farouche, le géant marchait... Enfin, vers le soir, il put lire au-dessous d'une sonnette ces mots gravés dans le plus rare porphyre :

Docteur médecin
3 h. à 6 h.

Après avoir lacéré des paillassons, enfoncé des portes, étranglé de vagues huissiers, il pénétra comme un obus dans le cabinet d'un prince de la science.

III

Le prince était un vieux petit monsieur pâle et grêle et de qui les traits arborèrent à l'entrée tumultueuse d'Hercule l'expression polie mais réservée de l'antilope des Cordillères quand les hasards de la promenade la mettent subitement en présence de la panthère noire du Bengale.

Il tenta même de s'enfuir ; mais Cassoulade le rattrapa d'une main et, de l'autre, tint le crachoir, à peu près dans le sens que voici :

– Je suis un mâle ; il me faut un remède sérieux, un remède comme pour cinq chevaux ! D'ailleurs, c'est bien simple : si vos médicaments ne me font pas d'effet, je vous casse la gueule.

A cet ultimatum très net, Cassoulade crut devoir ajouter la suivante proclamation :

– Je suis bon type, mais je ne veux pas qu'on se foute de moi !

Le docteur, après avoir ausculté son terrible client, fit entendre ces humbles mots :

– Allez à Arcachon et baladez-vous sous les sapins. La senteur balsamique des sapins est tout ce qu'il y a de meilleur pour l'affection dont vous souffrez.

Il dit et, faisant un bond, se barricada dans sa chambre, sans réclamer ses honoraires.

– Aller à Arcachon, réfléchit Hercule, quand il fut dehors, ça me coûtera très cher, et puis il me faudra changer de café, ce qui est toujours malsain... Mais, j'y pense, s'écria-t-il plaisamment en imitant le rire bête d'Archimède, il y a des sapins à Paris – pourquoi ne pas en profiter?

Et il s'en fut sur la place du Théâtre-Français, sapinière redoutable, bois sacré tout le jour retentissant de cris d'écrasés et d'un horrible mélange de songe d'Athalie et d'imprécations de *Camille.*

Tranquillement, loin de tout refuge, il se coucha sur la chaussée et, pendant une heure, d'innombrables fiacres se livrèrent sur son ventre au noble jeu des Montagnes russes.

– Mais je ne me sens pas mieux! cria bientôt Cassoulade, que la colère commençait à gagner; les sapins ne me font rien du tout, c'est un remède de fillette!

Prophète, il dit encore :

– Ça finira mal pour le docteur : je suis bon type, mais je n'aime pas qu'on se foute de moi!

Et il se retournait, afin de gifler, sans exception, toutes les personnes qui auraient pu avoir l'air de rigoler, quand l'omnibus des Batignolles survint et l'aplatit de telle sorte qu'il n'y eut plus qu'à réunir dans une bière les morceaux épars du colosse, et à mettre le tout dans la terre glaise, à Ménilmontant *(bis)*. . . . .

... Hercule Cassoulade patienta quelques jours, mais quand il vit que, décidément, l'odeur résineuse du sapin ne guérissait pas son rhume, il se fâcha assez sérieusement.

– Mais je ne me sens pas mieux, hurla-t-il, le sapin ne me fait rien du tout, c'est un remède de...

L'indignation l'étouffait. Il brisa le cercueil, brisa la pierre et se rendit chez son médecin.

Ce qui se passa dans cette interview, nul ne pourra jamais le dire.

Tout ce qu'il est permis d'affirmer, c'est qu'on ne trouva plus désormais aucunes traces de l'illustre savant, ni dans ses bottines, ni, chose plus extraordinaire encore, dans le Bottin!

Hercule Cassoulade vécut jusqu'à l'âge de cent trente ans. Parfois, dans un cercle de voisins respectueux, il aimait à conter l'anecdote :

– Parfaitement... Il m'avait ordonné un remède de fillette, à moi! un mâle! un homme de bronze!... C'était une cure de je ne sais plus quoi... de pin... de sapin... Enfin, un remède de gosse. Ça n'a rien fait.

Avec l'accent froid et terrible du Destin, il ajoutait :

– Le charlatan me l'a payé. Je suis bon type, mais je n'aime pas qu'on se foute de moi!

Et d'un regard sévère, il fixait tous ses auditeurs, y compris les femmes et les enfants, prêt à gifler, sans exception, tous ceux qui eussent pu, par hasard, avoir l'air de rigoler.

FOC.

Et voilà!

Merci, petit Foc, vous êtes bien gentil, et votre histoire est très drôle.

Je vous en laisse toute la gloire, mais vous me permettrez bien que j'en touche le montant, froidement.

Et puis, envoyez-moi votre nom et votre adresse. Vous me ferez plaisir *(sans blague)*.

PHILOLOGIE

Mon jeune et intelligent directeur me remet, ou plutôt me fait remettre par un de ses grooms – car nous sommes en froid depuis quelque temps (histoire de femmes) – la lettre suivante que je publie presque intégralement, non pas tant pour l'intérêt qu'elle comporte que pour la petite peine qu'elle m'évite d'imaginer et d'écrire une vague futilité analogue ou autre.

Tout ce qui touche à la langue française, d'ailleurs, ne me saurait demeurer indifférent. Mes lecteurs, mes bons petits lecteurs chéris, le savent bien, car pas un jour ne se passe sans que je sois consulté sur quelque philologique embarras, ou invité à consacrer de ma haute sanction telle nouvelle formule.

D'autres se montreraient orgueilleux d'une semblable renommée; moi, je n'en suis pas plus fier!

Une lettre très gentille, entre autres, reçue dernièrement, me disait en substance :

« Un syndicat d'idolâtres de votre incomparable talent et de votre parfaite tenue dans la vie me charge de vous aviser qu'il a définitivement adopté, comme courtoise formule épistolaire, le *inoxydablement* que vous venez de lancer avec votre indiscutable autorité.

» Mais croyez-vous point, cher Monsieur, que l'orthographe en serait pas mieux ainsi : *inoccidablement*, témoignant que les sentiments qu'on nourrit pour son correspondant sont altérables par rien du tout, même le trépas? »

Nous sommes d'accord, Syndicat d'idolâtres, nous sommes d'accord.

Et puis, voici la lettre annoncée plus haut :

« *A Monsieur Fernand Xau, Directeur du journal* le Journal, *106, rue de Richelieu.*

» Monsieur,

» Depuis plus de deux ans que, chaque matin, je lis le *Journal,* j'admire... etc., etc.

48

(Ici quelques mots aimables pour plusieurs colla-borateurs non dénués, en effet, de talent.)

» ... Mais ce que je prise par-dessus tout, ce sont les chroniques si fines, si ingénieuses, si larges, si substantielles de ce remarquable vieillard *(sic)* qui signe Alphonse Allais.

» Je n'ai pas l'honneur de le connaître, je n'ai même jamais vu sa photographie, mais le respect que j'éprouve pour son noble caractère et pour la façon si docte, si magistrale, si définitive avec laquelle il dénoue le nœud gordien des plus grosses difficultés de la langue française, m'ont amené à lui demander, par votre intermédiaire, son avis sur une question qui nous passionne, quelques amis et moi.

» M. Allais a su conquérir, dans les milieux universitaires, une vive autorité pour la lueur qu'il jeta jadis sur le genre du mot *tac,* masculin ou féminin selon le cas *(l'attaque du moulin, le tic-tac du moulin, la tactique Dumoulin).*

» Il s'agit aujourd'hui des différentes orthographes du mot *sang,* qui ondoient suivant la qualité, la couleur, la température, etc., etc.

» Quand, par exemple, vous parlez, dans *le Journal,* de ce jeune esthète que vous appelez, je crois, Sarcisque Francey ou Sancisque Frarcey (ou un nom dans ce genre-là), vous dites : « Ce petit jeune homme détient le record du bon *sens.* »

» Mais dès qu'il est question du chasseur Mirman, vous écrivez : « Le député de Reims se fait beaucoup de mauvais *sang.* »

» Donc, *s, e, n, s,* quand c'est bon; *s, a, n, g,* quand c'est mauvais.

» De même, l'orthographe de ce mot varie avec la couleur :

» Quoique le sang soit habituellement rouge, vous écrivez « *faire semblant* » *s, e, m,* et « *sambleu!* » *s, a, m.*

» Expliquez cela, s. v. p.!

» Ce n'est pas tout :

» Pourquoi écrivez-vous : « *M. Barthou perdit son sang-froid* » *s, a, n, g,* et « *Don Quichotte perdit son Sancho* » *s, a, n?*

» Je m'arrête, monsieur le directeur, car, à insister dans cette voie, on se ferait tourner les sangs.

» Peut-être M. Alphonse Allais trouvera-t-il que je n'ai pas le sens commun?

» Dans cette espérance, veuillez, monsieur le directeur, etc., etc.

» Votre bien dévoué,

« JEAN DES ROGNURES. »

La question est, en effet, étrangement complexe; je la transmets à mon conseil d'études (section des lettres).

Et je me rappelle l'amusante boutade de mon pauvre vieil ami Hippolyte Briollet :

On dit « Francfort-sur-le-Mein » et « avoir le cœur sur la main ». Comment voulez-vous que les étrangers s'y reconnaissent?

Moi aussi, je me demande comment les étrangers peuvent s'y reconnaître.

FRAGMENT DE LETTRE
DE M. FRANC-NOHAIN

TENDANT À DÉMONTRER
QU'ON NE S'EMBÊTE PAS PLUS EN PROVINCE
QU'À PARIS

Beaucoup de Parisiens, et pas mal de Parisiennes, éprouvent une vive tendance à s'imaginer que le bout du monde consiste en Neuilly l'hiver et en Trouville l'été.

Il y a là un gros malentendu contre lequel tous les bons esprits devraient s'appliquer à réagir.

Les départements français, ô gens de Paris, existent ailleurs que dans les géographies. Ils sont peuplés d'habitants en tout semblables à vous, d'habitants qui participent à la vie de la France et qui contribuent, par leurs efforts, par leurs arts, par leur fortune, à la prospérité et à la grandeur de notre cher pays.

Mais je n'insiste pas. Ça me ficherait en colère, comme dit Sarcey, et, malade comme je suis, la moindre émotion peut me tuer.

Je préfère découper, dans une lettre que je viens de recevoir, le passage suivant. Lisez-le attentivement, Mesdames et Messieurs, et vous vous rendrez bien compte que Paris ne détient pas le record des suprêmes rigolades :

. . . .

« Je parierais, mon cher Allais, que vous, si Parisien, vous ne connaissez pas un petit jeu ravissant qui passionne, depuis cet hiver, notre société élégante de Saint-Jean-d'Angély. C'est la jolie madame Marouillet qui nous l'a appris, cette madame Marouillet dont je vous parlai tant de fois, la femme du docteur Marouillet, le distingué président de l'*Académie morale et technique d'Aunis et Saintonge*.

« Vous savez qu'il y a thé chez les Marouillet tous les vendredis : une habitude de Paris qui s'est merveilleusement implantée dans notre province; nous sommes là un petit clan de fonctionnaires qui ne demandons qu'à nous amuser, et qui y réussissons parfaitement, je vous assure, depuis que les Marouillet ont donné l'élan; tout blasé que vous êtes, je doute fort que vous ne prissiez plaisir à une partie de bête hombrée avec mademoiselle Charras, que nous appelons, par analogie, la « Superbe », et avec madame Legrice-Morand; et si vous entendiez cette dernière chanter : « *Salut! petite maison verte!* » la nouvelle romance du commandant Thomeret, vous comprendriez vite le peu de regrets que nous éprouvons pour vos divettes.

« Mais ce qui vous ravirait plus encore, ou je

vous connais mal, c'est le petit jeu de madame Marouillet.

« Tout le monde s'assied en cercle, coude à coude ; chacun tient l'index droit levé ; la main gauche est à demi fermée, le bout du pouce effleurant l'extrémité du médium, de façon à former comme un petit puits, l'orifice en l'air. Celui qui dirige le jeu commande : *Chacun son trou!* ou *Trou commun!* ou *Trou du voisin!* et aussitôt chaque joueur abat l'index au milieu du cercle quand on a commandé trou commun, ou l'insinue dans le petit puits que le voisin forme de sa main gauche, ou dans son propre petit puits. Vous ne sauriez imaginer rien de plus distrayant, pour peu qu'on mette de l'entrain et de la vivacité dans les commandements ; et je vous garantis que quand c'est madame Marouillet qui commande, ou encore le petit d'Angoulins, pour pouvoir les suivre, et, au milieu de l'entrecroisement des mains, ne pas s'embrouiller dans les différents trous, il faut une attention et une dextérité pas banales.

« D'ailleurs, quand on se trompe, c'est peut-être encore plus amusant, car alors ce sont des contestations sans fin et drôles au possible :

« – Trou commun, monsieur Burisson ; vous faites trou du voisin, un gage ! – Pas du tout, chacun son trou ! – Non, trou commun ! – Trou du voisin ! – Trou de l'air ! ajoute toujours M. Burisson, qui a le génie de l'à-propos et du calembour. Ce M. Burisson est impayable ; entre nous, je le soupçonne souvent de se tromper exprès et d'être légèrement *fumiste,* comme vous dites sur le boulevard ; ce qui est certain, c'est qu'il nous fera mourir.

. . . .

« Trou commun, mon cher Allais, et mille choses autour.

« FRANC-NOHAIN. »

52

Franc-Nohain n'est pas le vrai nom du signataire de cette lettre.

Trésorier général dans un des plus fertiles départements de notre chère France sud-occidentale, ce sympathique fonctionnaire se double d'un poète amorphe d'une rare envergure.

Son petit volume, qui vient de paraître : *Inattentions et sollicitudes,* est dans toutes les mains.

UN EXCELLENT HOMME DISTRAIT

Dans l'hôtel, fort confortable d'ailleurs, où je vis depuis plus d'un mois, s'épanouit – si j'en excepte une rare pincée de braves gens très gentils – toute une potée de muffs ineffables et de bourgeois sans bornes.

Oh! ces têtes! Oh! ces conversations! Leur idéal d'art se satisfait aux tableaux du fécal Bonnat et de Bouguereau, spécialiste en baudruches rosâtres.

Leur soif de justice sociale s'étanche aux idées (!) de Deschanel ou de Leroy-Beaulieu, si tant est qu'ils connaissent seulement de nom ces veules sociologues comiques à force d'inconscience.

Et dévots, avec ça! Dévots d'un cagotisme à faire vomir Huysmans!

Ah! les salauds! Et la veine qu'ils ont qu'*on* ne soit pas méchant!

– Vous me croirez si vous voulez, disait ce matin une abominable vieille chipie à son voisin de table, mais à Paris, dans les quartiers ouvriers, il n'est pas rare de trouver des écailles d'huîtres dans les tas d'ordures *(sic)*!

Et le voisin de table, un hobereau fatigué par toutes sortes de débauches occultes, se refusait à accepter une telle monstruosité :

– Des huîtres! râlait-il. Des huîtres! Et ces gens-là se plaignent!

53

Pauvre petite douzaine de portugaises à douze sous, pensiez-vous jamais indigner tant le monde orléaniste, clérical et bien pensant de la Côte d'Azur!

Une rare pincée de braves gens très gentils, ai-je dit en commençant.

Heureusement!

Et, parmi eux, un ménage, un vieux ménage composé, comme cela arrive souvent, dans les vieux ménages, d'une vieille dame et d'un vieux monsieur.

La vieille dame, toute de bonne grâce et de malice spirituelle; le vieux monsieur, comme flottant sans trêve en quelque nuage de candeur effarée.

La dame ressemble à toutes les vieilles grand-mères.

Le monsieur rappelle le portrait de Darwin, de ce grand Darwin dont un curé de notre hôtel disait, l'autre jour:

– C'est encore comme cet ignoble *Darwin*, etc.!

Et rien de touchant comme la continuelle attention dont lady Darwin (car c'est ainsi que nous la baptisâmes) entoure son vieux naturaliste.

Lui, le bonhomme, il est toujours *sorti*, et quand on l'interpelle directement, il met un petit temps à descendre de sa chimère. Hein?... quoi?... qu'est-ce qu'il y a?...

Selon les circonstances, il s'effare des normes les plus admises, pour, la minute d'après, demeurer tout quiet devant le moins prévu des cataclysmes.

Dernièrement, sa femme, au moment du déjeuner, lui mit dans son verre un bouquet de violettes. Le bonhomme, sans se déconcerter pour si peu, jugea seulement que *ça n'était pas bien commode pour boire.*

Comme sa femme insistait sur le symbole:

– Tu ne me demandes pas à cause de quoi ces fleurs?

– A cause de quoi?

– Eh bien!... notre trentième anniversaire?

– Quel anniversaire?

– De notre mariage, parbleu!

– Ah! vraiment! Ah! vraiment! C'est très curieux.

Et, devant nos sourires sympathiques, la dame nous mit au courant de la nature de son mari.

Le meilleur homme de la création, mais aussi le plus distrait.

– Imaginez-vous, conta-t-elle en souriant, que le jour de notre mariage, il fit répéter six fois à M. le maire la question classique : *Consentez-vous de prendre pour épouse, etc.*? A la fin, il s'écria : Oh! je vous demande pardon, monsieur le maire, je pensais à autre chose! »

Au cours de la nuit de noces, il pria sa femme d'allumer la bougie.

– Pourquoi? demandait la jeune femme.

– Je ne peux pas me souvenir de votre physionomie.

A part ça, d'une exquise bonté, d'une tendresse folle. Une âme pétrie de concorde et d'harmonie.

La vieille dame concluait en riant :

– C'est à ce point, que je n'ai jamais essayé de faire des œufs brouillés à la maison!

– ?????

– D'un mot, il les aurait réconciliés.

UN HONNÊTE HOMME

DANS TOUTE LA FORCE DU MOT

Je vais raconter les faits simplement; la moralité s'en dégagera d'elle-même.

C'était pas plus tard qu'hier (je ne suis pas, moi, comme mon vieil ami Odon G. de M. dont les plus récentes anecdotes remontent à la fin du treizième siècle).

C'était pas plus tard qu'hier.

J'avais passé toute la journée au polygone de Fontainebleau où j'assistais aux expériences du nouveau canon de siège en osier, beaucoup plus léger que celui employé jusqu'à présent en bronze ou en acier et tout aussi *profitable,* comme dirait mon vieux camarade le général Poilu de Sainte-Bellone.

(Ajoutons incidemment que j'ai rencontré dans les rues de Fontainebleau mon jeune ami Max Lebaudy, très gentil en tringlot et prenant gaiement son parti de sa nouvelle position. Il voulait me retenir à dîner, mais impossible, préalablement engagé que j'étais au mess de MM. les canonniers de l'Ecole. Ce sera pour une autre fois).

Après avoir absorbé, en gaie compagnie, quelques verres de l'excellente bière des barons de Tucher, j'envahis le train qui, partant à 10 h 5 de Fontaine-bleau, devait me déposer à Paris à 11 h 24.

(Je précise pour faire plaisir à M. Dopffer.)

Dans le compartiment où m'amena le destin se trouvaient, déjà installés, un monsieur et un petit garçon.

Le monsieur n'avait rien d'extraordinaire, le petit garçon non plus (un tic de famille, probablement).

Malgré ma haute situation dans la presse quotidienne, je consentis tout de même à engager la conversation avec ces êtres dénués d'intérêt.

Le monsieur et aussi le petit garçon son fils arrivaient de Valence d'où ils étaient partis à cinq heures du matin, et c'est bien long, disait le monsieur de Valence, toute une journée passée en chemin de fer.

– Pourquoi, dis-je, n'avez-vous pas pris l'express, puisque vous voyagez en première?

– Ah! voilà!

Je dus me contenter de cette sommaire explication. D'ailleurs, la chose m'était bien équivalente.

Le monsieur me demanda ce qu'on disait à Paris des nouveaux scandales.

Je fis ce que je fais toujours en pareil cas (c'est idiot, mais rien ne me réjouis tant!).

Je lui fournis une quantité énorme de tuyaux, la plupart contraires à la stricte vérité et même à la simple raison, d'autres rigoureusement exacts, d'autres enfin légèrement panachés.

Je lui appris l'arrestation imminente de MM. Théodore de Wyzewa et Anatole France, très compromis dans cette regrettable affaire de bidons qui cause un réel chagrin aux vrais amis de la Presse.

Le *great event* de la saison, c'était la réouverture du théâtre du Chat-Noir. La petite salle de la rue Victor-Massé, ajoutai-je dans un style de courriériste théâtral, ne désemplit pas, et c'est justice, car on y trouve accouplés la rigolade énorme et le frisson du Grand Art (si tu n'es pas content, mon vieux Gentilhomme-Cabaretier!).

L'homme de Valence (la belle Valence!) m'écoutait ravi, mais un peu préoccupé de je ne savais quoi.

A chaque instant, il croyait devoir consulter sa montre.

A onze heures cinq juste, il se leva, et comme accomplissant l'opération la plus coutumière du monde, il tira la sonnette d'alarme.

Je le répète, *il tira la sonnette d'alarme*.

Je me fis ce raisonnement :

– Cet homme est devenu soudain fou, il va se livrer aux plus dangereuses excentricités; mais comme il est très aimable, il tient à m'éviter la peine de tirer moi-même la sonnette d'alarme.

Cependant, ralentissait sa marche le train et se montrait à la portière la tête effarée du conducteur.

– Quoi! quoi! qu'y a-t-il?

– Oh! répondit en souriant le monsieur de Valence, tranquillisez-vous, mon ami! Il ne se passe rien de nature à altérer la sécurité des voyageurs. Il ne s'agit, en ce moment, que des intérêts de la Compagnie.

– Les intérêts...

– Les intérêts de la Compagnie, parfaitement!

» Ce petit garçon qui est avec moi, mon fils en un mot, est né le 7 décembre 1887, à onze heures cinq du soir. Il vient donc d'entrer à cette minute dans sa septième année. Or, il est monté dans le train avec un ticket de demi-place; il doit donc à votre administration la petite différence qui résulte de cet état de choses. Veuillez me donner acte de ma déclaration et m'indiquer le léger supplément à verser en vos mains.

. . . .

J'ai tenu à signaler au public cet acte de probité qui nous consolera de bien des défaillances actuelles.

Combien d'entre vous, lecteurs et lectrices, vous trouvant dans cette situation, n'auriez rien dit et ne vous croiriez point coupables!

Le sens moral fiche le camp à grands pas, décidément.

DES GENS POLIS

Un des phénomènes sociaux qui me consternent le plus par les temps troublés que nous traversons, c'est la disparition de ces belles manières qui firent longtemps à la Francre une réputation méritée.

Hélas! en fait de talons rouges, il ne reste plus que ceux des garçons d'abattoir! (Ça, j'ai la prétention que ce soit un mot, et un joli).

Aussi fus-je délicieusement surpris, hier, me trouvant au Havre et lisant la chronique des tribunaux du *Petit Havre*, de découvrir une cause où les prévenus donnèrent à la magistrature et à la gendarmerie de notre pays l'exemple rare de la tenue parfaite et du mot choisi.

Ceux de mes lecteurs qui sont bien élevés (et ils le sont tous) seront enchantés de constater que la tradition des bonnes manières n'est pas tout à fait défunte en France.

Je ne change pas un mot au compte rendu si édifiant du *Petit Havre* :

TRIBUNAL CORRECTIONNEL DU HAVRE

Présidence de M. Delalande, juge.
Audience du 2 janvier 1895.

POLITESSE FRANÇAISE

« Nous avons la prétention d'être le peuple le plus courtois de la terre, et, certes, nous ne l'avons pas usurpé, étant donné qu'on retrouve la politesse jusque dans la bouche des locataires de madame Juliette Pineau.

» On aurait tort de supposer qu'il y a de notre part, dans cette déclaration, une ombre de mépris pour l'excellente madame Pineau ; mais celle-ci est directrice d'un humble garni et ce n'est point de sa faute si, de temps à autre, quelques-uns de ses pensionnaires passent de leurs chambres à celle de la correctionnelle.

» C'est, aujourd'hui, le cas de Jeanne Lefustec, âgée de dix-sept ans, et d'Alphonse Landon, son camarade de chambrée, qu'elle affectionne bien tendrement, qu'elle défend avant elle-même avec beaucoup d'énergie.

» Que leur reproche-t-on ?

» 1° D'avoir, ensemble et de concert, – pour parler de langage juridique, – soustrait un oreiller à leur logeuse ;

» 2° De ne posséder, ni l'un ni l'autre, aucun moyen avouable d'existence ;

» 3° Jeanne, seule, d'avoir retourné les poches

d'un marin, avec lequel elle avait trompé son cher Alphonse.

» Monde bien vulgaire, direz-vous. D'accord; mais ce qui l'a relevé aux yeux de tous, c'est cette politesse exquise dont nous vous parlions tout à l'heure.

» — Me permettrez-vous, monsieur le président, déclare mademoiselle Jeanne, de vous établir la parfaite innocence de monsieur mon amant dans l'affaire du vol? Il était parti chez madame sa mère pour lui présenter ses vœux de nouvelle année, tandis que je causais, au coin du quai, avec un monsieur de la douane, qui faisait le quart.

» — Je ne sais pas au juste, messieurs, réplique le prévenu, si c'est monsieur le douanier qui faisait le quart; mais je puis vous assurer que mademoiselle ma maîtresse et moi sommes innocents. Notre chambre fermait très mal, et un inconnu aura chipé l'oreiller pendant que nous étions absents.

» Faute de preuves contraires, les inculpés gagnent cette première manche.

» Mademoiselle Jeanne se défend, avec non moins de correction, d'avoir plumé un matelot.

» — Je vous avoue, dit-elle, qu'il m'est arrivé de trahir la foi jurée. J'ai un faible pour ces messieurs de la flotte; mais, loin de les dépouiller, je me fais un cas de conscience de ne pas même les écorcher. D'ailleurs, si un membre de la marine française m'accuse, montrez-le-moi.

» — Vous savez bien qu'il est en mer?...

» — Alors n'en parlons plus, monsieur le président...

» De fait, on n'en parle plus.

» Malheureusement pour ce couple plein d'urbanité, il reste à dire un mot de son état social.

» Le propre de cet état est de ne pas exister. Des renseignements très précis prouvent que mademoiselle Jeanne tient un commerce de faveurs pour lequel on ne délivre aucune patente, et que son excellent ami avait une large part dans les bénéfices.

» Aussi, est-ce bien en vain, cette fois, qu'ils se congratulent :

» – Monsieur mon amant exerce la profession de journalier.

» – Mademoiselle ma maîtresse vivait des ressources de mon travail.

» Discours inutiles : tous deux vont vivre aux frais de l'État pendant un mois.

» Ils prennent, du reste, la chose de la meilleure grâce du monde et saluent le tribunal; puis, s'inclinant devant le gendarme qui se dispose à les emmener, lui disent en souriant :

» – Après vous, monsieur le gendarme!

» Mais Pandore de répondre sur un ton qui n'admet pas de réplique :

» – Je n'en ferai rien!

» P.L. »

Si je n'avais l'horreur des plaisanteries faciles, j'ajouterais que la demoiselle Jeanne Lefustec est trop au lit pour être honnête. Mais je n'en ferai rien, considérant qu'on ne doit jamais insulter une femme qui tombe, même avec une fleur.

LE CAPTAIN CAP

DEVANT L'ÉTAT CIVIL D'UN ORANG-OUTANG

En arrivant à Nice, le Captain Cap et moi, deux affiches murales se disputèrent la gloire d'attirer notre attention.

(*La phrase que je viens d'écrire est d'une syntaxe plutôt discutable. On ne dirait vraiment pas que j'ai fait mes humanités.*)

Celle de ces deux affiches qui me charma, moi, en voici la teneur :

Jamais, comme en ce moment, je ne sentis l'horreur de toute absence, sur mes abatis, de cors, durillons, œils-de-perdrix et autres stratagèmes.

Avoir sous la main un artiste qui, non content d'être sérieux, tient en même temps à être le *seul* sérieux d'une importante bourgade comme Nice, et ne trouver point matière à l'utiliser! regrettable, ah! que!...

Cap me proposa bien un truc qu'il tenait d'une vieille coutume en usage chez les femmes de saurat-on jamais quel archipel polynésien, lesquelles femmes font consister tout leur charmes à détenir le plus grand nombre possible de durillons sur les parties du corps les moins indiquées pour cette fin.

Je ne crus point devoir accepter, pour ce que ce jeu n'en valait point la chandelle, et nous passâmes à un autre genre de sport.

Celle des affiches murales que préféra Cap, annonçait à Urbi, Orbi and C°, que tout individu, titulaire d'une petite somme variant entre vingt-cinq centimes et un franc, pouvait s'offrir le spectacle d'un orang-outang, autrement dit, messieurs et dames, le véritable homme des bois, le SEUL (tel mon pédicure du début) ayant paru en France depuis les laps les plus reculés.

Une gravure complétait ce texte, une gravure figurant le buste du quadrumane, et autour de cette gravure, ainsi qu'une inscription de médaille, s'étalaient ces mots, circulairement :

Je m'appelle Auguste : 10 000 francs
à qui prouvera le contraire!

Dix mille francs à qui prouvera le contraire!
Le contraire de quoi? Que le monstre en question

fût un véritable orang-outang, un authentique homme des bois, ou simplement qu'il s'appelât, de son vrai nom, Auguste?

Pour l'âme limpide de Cap, nul doute ne savait exister.

Il s'agissait de démontrer que ce singe ridicule ne s'appelait pas Auguste, de toucher les 500 louis et d'aller faire sauter la banque à Monte-Carlo!

Ah! mon Dieu, ça n'était pas bien compliqué!

Et Cap ne cessait de me répéter:

– Je ne sais pas, mais quelque chose me dit que cet orang ne s'appelle pas Auguste.

– Dam!

– Pourquoi *dam?* Ce sale gorille n'a pas une tête à s'appeler Auguste.

– Dam!

– Allais, si vous répétez encore une seule fois ce mot *dam,* je vous f... un coup d'aviron sur la g...!

Tout ce qu'on voudra sur la g..., hormis un aviron! Telle est ma devise.

Je n'insistai point et nous parlâmes d'autre chose.

Le soir même, Cap filait sur Antibes, regagnant son yacht, *le Roi des Madrépores* et je demeurai une grande quinzaine sans le revoir.

Un matin, je fus réveillé par des grands éclats de voix dans mon antichambre: le clairon triomphal du Captain ébranlait mes parois.

– Ah! ah! proclamait Cap, je les ai, les preuves, je les tiens!

– Les preuves de quoi? m'écriai-je en ma couche.

– Je savais bien que ce sale chimpanzé ne s'appelait pas Auguste!

– Ah!

– Je viens de recevoir une dépêche de Bornéo, sa ville natale. Non seulement il ne s'appelle pas Auguste, mais encore il s'appelle Charles!

– Diable, c'est grave!... Et dites-moi, mon cher Cap, pensez-vous alors que Charles, l'orang de

63

Nice, soit parent de Charles Laurent, de Paris?

– Dans votre conduite, mon cher Alphonse, le ridicule le dispute à l'odieux... J'ai reçu de notre consul à Bornéo toutes les pièces établissant, incontestablement, que le grand singe du Pont-Vieux s'appelle Charles. Vite, levez-vous et allons chez un avoué. A nous les 10 000 francs!

Mon notaire de Nice, M. Pineau, qui passe à juste titre pour l'un des plus éminents jurisconsultes des Alpes-Maritimes, nous donna l'adresse d'un excellent avoué, et notre papier-timbré fut rédigé en moins de temps qu'il n'en faut pour l'écrire.

Mais, hélas! la petite fête foraine du Pont-Vieux était terminée.

Le faux Auguste, sa baraque, son barnum, tout déménagé à San-Remo, sur la terre d'Italie; et l'on n'ignore point que la loi italienne est formelle à cet égard: interdiction absolue de rechercher l'état civil de tout singe haut de 70 centimètres et plus.

VÉRITABLE RÉVOLUTION

DANS LA MOUSQUETERIE FRANÇAISE

A Nice, cet hiver, j'ai fait connaissance d'un ingénieux et téméraire lieutenant de chasseurs alpins qui s'appelait Elie Coïdal.

J'eus même l'occasion de parler de lui naguère au sujet de sa géniale bicyclette de montagne (dis-moi, lecteur, dis-moi, t'en souviens-tu?).

En se quittant, on s'était juré de s'écrire; c'est lui qui a tenu parole.

«Camp de Châlons, 19 avril.

» Mon cher Allais,

» Hélas! oui, mon pauvre vieux, cette lettre est datée du *Camp de Châlons*! Un port de mer dont tu ne peux pas te faire une idée, même approchante. Comme c'est loin, Nice et Monte-Carlo, et Beaulieu! (Te rappelles-tu notre déjeuner à Beaulieu et la fureur de la dame quand, le soir, tu lui racontas qu'on avait déjeuné vis-à-vis de la Grande Bleue? Elle la cherchait au Casino, cette Grande Bleue, pour lui crêper le chignon!)

» A parler sérieusement, je te dirai que je suis détaché jusqu'au 15 juillet à l'école de tir, ce qui ne comporte rien de spécialement récréatif.

» Loin des plaisirs mondains et frivoles, je me retrempe à l'étude des questions techniques susceptibles de rendre service à la France.

» Je ne me suis pas endormi sur les lauriers de ma bicyclette de montagne – j'ai travaillé le fusil et j'ai la prétention d'être arrivé à ce qu'on appelle *quelque chose*.

» Un article publié au commencement de ce mois dans les journaux, parlait louangeusement d'une nouvelle balle évidée de calibre cinq millimètres.

» Si la réduction du calibre produit des résultats si merveilleux, pourquoi ne pas arriver carrément au calibre de un millimètre?

» Un millimètre! vous récriez-vous. Une aiguille, alors?

» Parfaitement, une aiguille!

» Et comme toute aiguille qui se respecte a un chas [1] et que tout chas est fait pour être enfilé,

---

1. Beaucoup de personnes, dévorées par le Démon de l'Analogie, disent le *chat* d'une aiguille. Ces personnes ont tort : on doit écrire le *chas*.

Bescherelle, que je viens de consulter pour illuminer ma religion, ajoute une notice rétrospective et suggestive éminemment :

« *Se disait autrefois de la fente entre deux poutres. On dit maintenant* TRAVÉE. »

Travée... j'aurais beaucoup de peine à me faire à ce mot-là.

j'enfile dans le chas de mon aiguille un solide fil de 3 kilomètres de long, de telle sorte que mon aiguille traversant 15 ou 20 hommes, ces 15 ou 20 hommes se trouvent enfilés du même coup.

» Le chas de mon aiguille – j'oubliais ce détail – est placé au milieu (c'est le cas, d'ailleurs, de beaucoup de chas), de façon qu'après avoir traversé son dernier homme, l'aiguille se place d'elle-même en travers.

» Remarquez que le tireur conserve toujours le bon bout du fil.

» Et alors, en quelques secondes, les compagnies, les bataillons, les régiments ennemis se trouvent enfilés, ficelés, empaquetés, tout prêts à être envoyés vers des lieux de déportation.

» Le voilà bien, le fusil à aiguille, le voilà bien!

. . . .

(Suivent quelques détails personnels non destinés à la publicité et des formules de courtoise sympathie qui n'apprendraient rien au lecteur.)

. . . .

» ÉLIE COÏDAL. »

Et dire que les Comités n'auront qu'un cri pour repousser l'idée, pourtant si simple et si définitive, de mon ami le lieutenant Elie Coïdal!

Et savez-vous pourquoi?

Tout simplement parce que le lieutenant Elie Coïdal n'est pas de l'artillerie.

Il est défendu, paraît-il, à un chasseur alpin d'avoir du génie.

Voilà où nous en sommes après vingt-cinq ans de République!

TROIS RECORDS

A l'heure qu'il est, dans la vie, n'importe lequel, mais détenir un record : tout est là.

Il n'existe pas une âme vraiment digne de ce nom qui ne soit hantée par cette moderne convoitise.

J'ai renoncé à compter les lettres quotidiennes où d'aimables correspondants me prient de faire part aux masses de tel ou tel record qu'ils ont la prétention de détenir.

Dans l'impossibilité de publier toute cette correspondance, j'ai procédé par voie de tirage au sort et les records que je vais avoir l'honneur, messieurs et mesdames, de vous présenter, sont :

1º Le record du *gnon;*

2º Le record du temps pour la descente de l'escalier de six étages;

Et 3º le record de la serviabilité.

M. M. C..., mon aimable correspondant pour le record du *gnon,* s'exprime ainsi :

« Pour un cycliste, savoir se tenir sur sa machine est d'une bien petite importance; mais savoir en tomber en possède une plus grande. Les gens intelligents le comprendront sans peine.

»... Grâce à un entraînement consciencieux et journalier, j'ai obtenu les résultats suivants, sur piste :

» Pour la minute, 18 chutes 3/8; pour l'heure, 1 097 chutes; 69 pour le mètre et 7 830 pour le kilomètre.

»... Mon procédé : j'ai commencé par me garnir le corps de coussins formés de vieux pneumatiques, dont j'ai graduellement diminué l'épaisseur. Peu à peu je les regonflai en remplaçant l'air par des billes de bicyclettes.

» Aujourd'hui, je suis très en forme, et je suis tombé, hier, sur une pile de bouteilles que j'ai littéralement broyées sans me causer la moindre égratignure... Ma machine : une simple roue de voiture à bras, avec guidon à contrepoids pour accélérer la chute. Axe fixe. Jamais d'huile. »

Suivent quelques détails qui pourraient fatiguer le lecteur peu habitué aux spéculations techniques.

Mon aimable correspondant se met à la disposition de n'importe quel quiconque pour tel match relatif au *gnon* que cet individu lui proposerait.

Le record du temps pour la descente de l'escalier de six étages serait détenu, si les faits sont exacts, par un autre aimable correspondant qui signe Gigomar. (Un pseudonyme, peut-être, qui cache une de nos personnalités les plus en vue.)

Laissons la parole à l'aimable correspondant n° 2 :

« ... Par goût autant que par hygiène, mon cher maître, je fais du pédestrianisme à outrance. Le Juif-Errant, dont vous faites votre Dieu, n'est auprès de moi qu'un grave cul-de-plomb.

» Pas de sport sérieux, n'est-ce pas ? sans entraîneurs. Or, mes minces ressources m'interdisent de rémunérer de tels tiers.

» Aussi, qu'ai-je imaginé ? Ne cherchez pas. J'ai imaginé de prendre comme entraîneur le premier venu, le dernier venu, n'importe qui, vous, le général Brugère, l'abbé Lemire, Carolus Duran, je m'en fiche.

» J'emboîte le pas de l'être choisi, et je m'en vais.

» L'être choisi s'aperçoit tout de suite du manège. Il accélère son allure. Moi la mienne. Et nous voilà partis, menant un train du diable.

» Des fois, je tombe sur un individu mal indiqué pour cette solidarité. Des cannes se brisent sur ma physionomie, de lourdes mains s'appesantissent sur mon faciès. Plus souvent qu'à mon tour, je rentre chez moi titulaire d'un visage qui n'est plus qu'une bouillie sanguinolente.

» Qu'importe ?

» Mais me voilà bien loin de mon record... J'y reviens.

» Hier, l'idée me vint de prendre, au lieu d'un entraîneur, une entraîneuse.

» Justement, une jolie petite blonde!

» Et allez donc!

» Malheureusement, je m'emballai dans le *rush* final, j'enfilai les six étages derrière ma petite blonde en moins de temps qu'il n'en faut pour l'écrire, et je tombai sur le mari de la petite blonde.

» Ou plutôt, ce fut le mari de la petite blonde qui tomba sur moi.

» Par un hasard providentiel, je consultai ma montre à ce moment précis : il était 5 h 17 mn 34 s.

» Quand j'arrivai au bas de l'escalier, la curiosité me poussa à me rendre compte de la nouvelle heure qu'il pouvait bien être. Voici exactement : 5 h 17 mn 41 s.

» Une simple soustraction m'avisa que j'avais dévoré les six étages de la petite blonde en sept secondes, soit un peu plus d'une seconde par étage. »

Suivent quelques considérations oiseuses de mon aimable correspondant.

Le troisième record échappe au domaine sportif pour tomber dans l'apanage psychique.

— Tiens, Cap, la bonne mine que vous avez!

— Ah! voilà. J'ai totalement renoncé aux *american drinks.*

— Captain Cap, vous ne parlez pas sérieusement.

— Mon vieux camarade, l'alcool, savez-vous comment je l'appelle?

— En appelant le garçon.

— Non. Je l'appelle du *coffin varnish,* du vernis à cercueil, comme vous dites, vous autres Européens.

— Vous me déterminez du froid dans le dos, Cap.

– Maintenant je ne bois plus qu'une délicieuse bière de Nuremberg que les barons de Tucher fabriquent spécialement pour moi.

En prononçant le nom des barons de Tucher, Cap semblait accumuler sur son chapeau de globe-trotter tous les panaches des féodalités mortes.

– Et ce breuvage, continua le Captain, possède, sans préjudice pour ses autres qualités, la vertu de me rendre un être bon, sensible, délicat et tout de mansuétude... Ainsi, hier, savez-vous ce que j'ai fait?

– Dites-le moi et je le saurai.

– Dans les jardins du Trocadéro, j'ai rencontré un ver de terre amoureux d'une étoile; je l'ai grimpé tout en haut de la Tour Eiffel et je l'ai confortablement installé sur la hampe du drapeau pour

Le rapprocher un peu de l'objet de sa flamme.

– Tous mes compliments, Cap; vous êtes un homme de tant de cœur!

– Ce n'est pas moi qu'il faut féliciter, mais bien ces bons barons.

– Alors, Cap, clamons éperdus : *Vivent les barons de Tucher!*

LA VENGEANCE DE MAGNUM

(PANTOMIMETTE POUR LE NOUVEAU CIRQUE)

PERSONNAGES

MAGNUM, jeune chien tout petit, tout petit, mais excessivement roublard et teigne.

BLACK, gros terre-neuve entre deux âges, pas très malin, mais excellent bougre.

ROSE SWEET, acariâtre et sèche vieille lady, propriétaire d'un petit cottage à louer (to let).

I. Dans un moment d'oubli, le jeune chien Magnum souille la porte du cottage de Rose Sweet.

II. Cette dernière, qui précisément revient du marché, châtie le petit coupable d'une main osseuse et excessive.

III. Magnum s'éloigne la chair meurtrie et l'amour-propre en feu. Son état d'âme consiste à se dire : « Quelle mauvaise blague pourrais-je bien faire à ce chameau-là ? »

IV. Soudain, il frappe son petit crâne de sa petite patte et pousse un joyeux petit aboi qui correspond assez exactement à l'*eurêka* des anciens Grecs.

V. Et puis le voilà parti à toute volée dans une direction qu'il sait !

VI. Bientôt, il revient accompagné de Black, un gros terre-neuve blanc de ses amis.

VII. En route, Magnum explique, non sans peine, à Black, son rôle dans son entreprise.

VIII. Docilement, Black se place près de la porte du cottage, tenant haut sa bonne tête de bon chien-chien.

IX. Le petit Magnum, la joie préventive aux prunelles, saute sur le corps de Black, puis, de là, sur sa tête.

X. Ainsi parvenu à la hauteur convenable, il appuie le bout de sa mignonne patte sur le bouton électrique de la porte du cottage.

XI. Driling, driling, driling, driling, driling, driling...

XII. Les derniers *driling* vibrent encore qu'un changement à vue s'est opéré avec la rapidité de l'éclair lancé d'une main sûre.

XIII. Magnum saute à terre et va se coucher sur le trottoir, à trois ou quatre brasses en amont du cottage.

XIV. Même jeu pour Black. Seulement, lui, c'est en aval.

XV. Cependant, Rose Sweet, en espoir de possibles locataires, accourt vite, essuyant à son tablier ses mains souillées de pelures de pommes de terre, et toute à l'infructueuse tentative d'arborer sur sa morose et naturellement agressive face l'exquis sourire du bon *wellcome*.

XVI. Personne à la porte du cottage! Personne dans l'avenue! A l'horizon, pas d'ombre d'un naughty *little boy!* Alors quoi?

XVII. D'êtres vivants, seulement ces deux chiens qui se chauffent au soleil. Pas eux qui ont sonné, bien sûr! Pas ce gros terre-neuve, pas ce minuscule roquet, non! Alors quoi?

XVIII. Rose Sweet referme la porte de son cottage et rentre chez elle, attribuant son dérangement à quelque phénomène de berlue auditive.

XIX. Pas plus tôt Rose Sweet rentrée, les deux chiens recommencent le petit stratagème indiqué dans les numéros, VIII, IX, X, XI, XII, XIII et XIV.

XX. Rose Sweet renouvelle le manège soigneusement décrit dans les numéros XV, XVI et XVII.

XXI. Mais l'hypothèse du phénomène berlue auditive ne lui suffit plus.

XXII. Des *phantasms,* peut-être! Effroi indescriptible de l'haïssable mégère!

XXIII. Oui, c'est bien cela, des *phantasms!* Des âmes d'anciens locataires tourmentés par elle, la viennent tourmenter à son tour.

XXIV, XXV, etc., etc. N. Ce petit jeu continue, jusqu'à ce que le spectateur donne des marques évidentes de lassitude.

N + 1. Complètement affolée, Rose Sweet se pend, dans son jardin, à la branche d'un poirier de Bon-Chrétien.

N + 2. Et cette Rose Sweet était une si hargneuse vieille lady, et si désobligeante qu'il n'y a personne à son enterrement...

N + 3. ... Sauf Magnum et Black, qui rigolent comme des baleines de pépin, par une pluie d'orage.

LE PETIT LOUP ET LE GROS CANARD

IDYLLE

Voilà environ quinze jours – comme le temps passe, tout de même! qui est-ce qui dirait qu'il y a déjà quinze jours? – j'eus l'occasion de passer une nuit à l'hôtel Terminus de Marseille.

Je serais désolé que les excellents tenanciers de cette maison perçussent, à travers les paroles que je vais dire, la moindre attitude agressive ou simplement querelleuse; mais je dois déclarer qu'en ce Terminus les appartements sont séparés les uns des autres par une substance qui trouverait beaucoup mieux son emploi dans la confection d'un parfait téléphone que dans celle d'une raisonnable cloison. J'ai vu, dans ma longue carrière d'ingénieur acousticien, bien des matières excellentes conductrices du son, mais jamais je n'en rencontrerai une seule comparable, même de loin, à celle dont sont pétris les murs de l'hôtel Terminus à Marseille.

Des fois, c'est gênant.

Des fois, c'est rigolo.

Cette fois, ce fut rigolo.

Ce fut rigolo, parce que la chambre voisine de la nôtre était occupée par un loup et un canard.

Ne frottez pas vos yeux, vous avez bien entendu: la chambre voisine de la nôtre était occupée par un loup et par un canard.

Un loup et un canard dans une chambre d'hôtel! Pourquoi pas? Tout arrive, même à Marseille.

En dépit des pronostics et des quasi-certitudes que n'eussent pas manqué de tirer les esprits clairvoyants, le loup ne dévora point le canard, si ce n'est de caresses.

– De caresses! vous récriez-vous. Des caresses entre canard et loup!

– Des caresses, parfaitement!

Le loup aimait le canard, et le canard aimait le loup.

Monstrueux! dites-vous. Pourquoi cela?

Avez-vous donc jamais vu, dans les foires, le produit incestueux de la carpe et du lapin?

Et puis, quelque chose contribuait à rendre moins anti-nature les tendresses entre le carnassier et le volatile : leur dimension réciproque.

Le loup était un loup de petite taille et le canard un canard de forte stature.

Ou du moins, je me plus à les considérer ainsi d'après leur conversation.

Le loup appelait le canard : *Mon gros canard,* cependant que le canard interpellait le loup : *Mon petit loup.*

Tout compte fait – et surtout pour faire cesser toute plaisanterie qui a trop longtemps duré – nos voisins n'étaient, zoologiquement parlant, ni un loup, ni un canard.

Ils étaient évidemment des amoureux et sans doute des néo-conjoints.

Bientôt, je m'endormis au roucoulement de cette pseudo-ménagerie disparate et, au petit jour, je fus éveillé par des *mon petit loup* et des *mon gros canard* sans fin.

– Ils doivent être gentils, ces petits-là! pensai-je.

Et des jours s'écoulèrent.

... Samedi dernier, nous nous trouvions à Nice, dans un restaurant :

A une table tout près de la nôtre vinrent s'asseoir un monsieur et une dame qui ne suscitèrent point, tout d'abord, notre intérêt.

Mais quand nous entendîmes :

– Encore un peu de langouste, mon petit loup?

– Volontiers, mon gros canard!

Vous concevez d'ici notre joie!

Avoir sous la main un petit loup et un gros canard qu'on avait considérés jusqu'alors comme l'apanage exclusif de la chimère! Pouvoir les contempler, les frôler peut-être!

Et nous contemplâmes!

Un penseur doublé d'un écrivain a exprimé un jour cette subtile idée que la réalité ne vaudra jamais le rêve.

Comme il avait raison, ce penseur doublé d'un écrivain!

Ah! il était chouette, le gros canard!

Ah! elle était chouette, le petit loup!

Son nez, au gros canard, était la proie d'un turbulent eczéma. Ses deux douzaines de cheveux demeurés fidèles se tournaient, se contournaient et se recontournaient sur son crâne pour donner, à une portée de fusil, l'illusion d'un système pileux follement développé.

Quant au petit loup, elle donnait plutôt l'illusion d'une femelle de kangourou dont on aurait craint, tout le temps, que les gros yeux tombassent dans la mayonnaise de sa langouste.

Et ce qu'ils disaient!

Le gros canard parlait de l'année véritablement rigoureuse, et que ça ferait de la misère, et que la misère est mauvaise conseillère aux pauvres gens, et qu'*on avait pourtant pas besoin de ça, en France!*

Et le petit loup concluait :

– Il faudra, cette année, que les riches soient assez raisonnables pour faire un peu la charité!

Le gros canard sembla touché jusqu'aux larmes des sentiments si pitoyables de son petit loup chéri, dont les yeux persistèrent à me donner des inquiétudes par leur tendance à choir dans les assiettes.

UNE DES BEAUTÉS

DE L'ADMINISTRATION FRANÇAISE

Un de mes bons amis de Rouen, garçon d'infiniment de cœur et de beaucoup de talent, M. Raoul

Oger, pour ne citer que ses initiales, a conçu depuis longtemps, à l'égard des Ponts et chaussées, une haine que la cognée du pardon ne saura jamais abattre.

Rien ne m'ôtera de l'idée qu'il n'y ait sous cette implacabilité quelque inavouée histoire de femme. Mais n'insistons pas : nous pourrions désobliger du même coup mon ami Oger et un ingénieur peut-être honorable.

Bornons-nous à enregistrer, du haut de notre tribune, l'histoire que me confie le jeune littérateur rouennais.

J'aurais volontiers reproduit littéralement sa lettre (ce qui eût merveilleusement convenu à mon genre d'activité); mais, par malheur, Oger a cru devoir mêler à son récit le nom d'une des plus honorables familles d'Elbeuf. Et je n'étonnerai personne en proclamant mon culte pour les familles d'Elbeuf, même les plus dévoyées.

Or, donc, Raoul Oger se promenait récemment sur la route nationale n° 25 (il précise), du Havre à Lille, quand il rencontra, un peu après Montivilliers, un bonhomme assis sur le bord de la route, devant un tas de cailloux.

Ce bonhomme était coiffé d'un chapeau cerclé d'une bande d'étoffe noire sur laquelle, en lettres d'or, se détachait ce mot : *Cantonnier*.

Et cette inscription n'était point mensongère : le bonhomme en question constituait, en effet, cet humble rouage de l'administration des Ponts et chaussées qu'on appelle *cantonnier*.

Et ce cantonnier exécutait un travail bizarre.

Il faisait passer dans un anneau circulaire en fer chacun des cailloux qui composaient le tas devant lequel il était assis.

Selon : 1° que le caillou passait dans l'anneau trop facilement; 2° qu'il ne passait pas du tout; 3° qu'il passait à peu près juste, le cantonnier le mettait en un tas différent.

Et ces trois tas pouvaient se définir ainsi :

Le tas des petits cailloux,
Le tas des moyens cailloux,
Le tas des gros cailloux.

Fortement intrigué par cette sélection, Oger, qui aime bien à se rendre compte, engagea la conversation avec l'humble rouage administratif :

– Une belle journée aujourd'hui, hein, cantonnier ?

– Oui... On en a vu de pires, mais on en a vu de plus belles.

Cette cordialité encouragea Oger.

– Quelle drôle de besogne vous faites là !... C'est bien utile ?

– Oh ! utile, ça, je m'en f... ! Quand je fais ça, je ne fais pas autre chose... C'est le principal !

– Évidemment.

– Moi, je fais ce que ces messieurs me disent de faire et je me f... du reste !

– Et vous avez bien raison ! Mais qui ça... ces messieurs ?

– Eh ben ! ces messieurs des *pontéchaussées,* parbleu !

– Et pourquoi ce triage ?

– Ah ! voilà. Mon anneau – car c'est un anneau que vous voyez là – a six centimètres de diamètre. Il me sert à enlever de mon tas les trop petits cailloux et les trop gros... Les trop petits, c'est du *déchet,* on les f... de côté... Les trop gros, on les f... de côté aussi, pour les recasser. On ne garde que ceux qui ont de six à huit centimètres.

– Et ceux-là, qu'en fait-on ?

– On les f... sur la route, ceux-là.

– Pour quoi faire ?

– Pour la farcir, donc !

– Et quand ils sont sur la route ?

– Quand ils sont sur la route, on amène un énorme rouleau qui pèse je ne sais combien de mille kilos, et on le fait passer dessus. Et ça écrase mes cailloux comme des miettes !

Devant cette déclaration inattendue, mon ami Oger demeura, paraît-il, sans voix.

Au bout de quelques minutes, il recouvrait l'usage de cet organe pour s'écrier.

– Mais alors, vos ingénieurs sont bêtes comme des bégonias!

– Oui, monsieur, comme des bégonias! Et aussi laids que des bégonias! et aussi prétentieux!

Trier soigneusement des cailloux, les séparer des trop petits et des trop gros, pour, finalement, les réduire en miettes, non, tout ça n'était pas fait pour réconcilier Oger avec cette administration des Ponts et chaussées que l'Europe ne nous envie que bien relativement.

Et pendant que mon ami Raoul Oger tenait dans ses mains son crâne prêt à éclater, le cantonnier, froidement et avec une conscience digne de l'antique, persistait à faire passer ses cailloux dans son anneau de six centimètres.

LA VRAIE MAÎTRESSE LÉGITIME

Sur un éclat de rire approbateur de son mari (ou de son amant? j'ignorais encore), la jeune femme reprit, avec une assurance non dénuée de culot, le récit de leur aventure :

– D'abord, moi, quand j'étais jeune fille, il y a une phrase qui revenait souvent dans la conversation des personnes graves et qui m'intriguait beaucoup. Les personnes graves répétaient à mi-voix et avec des petits airs pudiques et idiots : « On ne doit jamais se conduire avec sa femme comme on se conduit avec sa maîtresse. » Dans mon vif désir de m'instruire, je m'informais : « Comment se conduit-on avec sa femme? Comment se conduit-on avec sa maîtresse? » Et il fallait voir la tête ahurie des bonnes femmes! Au fond, je crois qu'elles n'avaient, sur ce sujet, que des notions très superficielles. Alors, elles me faisaient des réponses flasques et mucilagineuses : « Eh bien! mon enfant, voici : les messieurs tiennent, devant leurs maîtresses, des propos qu'ils ne doivent pas tenir devant leur femme... Les messieurs vont avec leurs maîtresses dans les endroits où ils ne doivent pas amener leur femme », etc., etc... J'avais beaucoup de peine à me payer de ces raisons, et un jour je faillis flanquer une attaque d'apoplexie à une grosse dame pudibonde, en lui demandant froidement : « Est-ce que les messieurs embrassent leurs maîtresses d'une certaine façon qu'ils ne doivent pas employer avec leur femme? » A part moi, je me disais confidentiellement : « Toi, ma petite amie, quand tu seras mariée, tu prieras ton mari de te traiter en femme légitime d'abord, et puis ensuite en maîtresse », me réservant, bien entendu, de choisir le mode de traitement qui conviendrait le mieux à mon tempérament.

— Vous parliez, approuvai-je chaudement, en femme libre et débarrassée de tout préjugé mondain.

— Oh! vous savez, les préjugés mondains! étant toute petite, je m'asseyais déjà dessus.

— Mais continuez, je vous prie, madame, le récit de ce qui vous advint par la suite.

— Malgré ma détestable réputation dans le monde, je me mariai tout de même et j'épousai Fernand, ce mauvais sujet-là. N'est-ce pas, Fernand, que tu es un mauvais sujet?

— Détestable, mon petit rat, et combien répréhensible! Quand je rentre en moi-même, je prends des bottes d'égoutier.

— Et moi, trois épaisseurs de scaphandre.

Quelques baisers s'échangèrent alors pour démontrer que ce dégoût (évidemment joué) de leur *moi* n'était pas mutuel. Et la jeune femme poursuivit :

— Vous vous imaginez peut-être qu'une fois mariée, le *monde* allait nous ficher la paix avec les différents procédés qu'on emploie à l'égard des maîtresses et des légitimes? Ah ben, ouiche! Au contraire, cela ne fit que redoubler. On aurait juré que mes parents et ceux de Fernand s'étaient donné le mot pour nous raser de leurs jérémiades bourgeoises. A les entendre, on ne pouvait s'embrasser un peu qu'après avoir poussé le verrou de sûreté. Heureusement que Fernand et moi nous ne sommes pas des types à nous laisser racler les côtelettes longtemps et impunément.

– Racler les côtelettes?

– Oui, raser... quoi! Nous nous rebiffâmes avec une sombre énergie et une peu commune trivialité d'expressions. Un jour, dans un grand dîner, chez les parents de Fernand, je me lève au dessert et je vais embrasser mon petit mari. Tête de ma belle-mère! Alors, moi, devant tout le monde : « Vous avez donc peur que la police ne vienne fermer votre boîte! » Il faut vous dire que le père de Fernand est président du tribunal civil de B... Et tout le temps comme ça! Mais le pire, et ce qui nous a tout à fait fâchés avec nos familles respectives, c'est la blague que nous fîmes, l'été dernier, à nos deux vénérables familles... Quand j'y pense, j'en suis encore malade!

– Je ne demande qu'à gagner votre maladie!

– Oh! vous allez voir, ça n'est pas bien méchant... à raconter... Mais quand on a vu la tête des gens!... Nous avions loué à Hennequeville un délicieux petit pavillon normand, couvert de chaume.

– *Chaume, sweet, chaume!*

– Très drôle, *chaume, sweet, chaume!* Un pavillon normand que Fernand eut l'idée baroque de baptiser *Bombay Cottage*.

Mes parents vinrent passer une quinzaine chez nous, et les parents de Fernand une autre quinzaine. Ils étaient enchantés de notre installation : *Bombay Cottage* par-ci, *Bombey Cottage* par-là! Or, ce ne fut qu'à la fin de la saison qu'ils s'aperçurent du déplorable et charmant calembour, appellation de notre *home : Bombay Cottage... bon bécotage!...* Ces pauvres gens, du coup, se crurent déshonorés, rompirent définitivement, et nous coupèrent les vivres, ou tout au moins, ce qu'ils purent nous en couper. Alors, que fîmes-nous, Fernand et moi?... Ça, si vous le devinez, vous serez un rude malin!

– Je ne suis pas un rude malin.

– Eh bien, purement et simplement, Fernand et moi, nous demandâmes le divorce et nous l'obtînmes! De sorte que nous ne sommes plus mari et femme, mais amant et maîtresse... Alors, personne n'a plus rien à nous dire. Nous rigolons comme des vieilles baleines, et pas plus tard que la semaine dernière, nous nous sommes fait fiche à la porte de trois hôtels de Cannes. Ohé! ohé!

– Et comptez-vous quelquefois vous remariez?

– Oh! pas avant qu'on soit devenus des vieux types ridicules!... Pas, mon petit Fernand?

Et Fernand, secouant la cendre de sa pipe, acquiesça.

OHÉ! OHÉ!

Un de mes jeunes lecteurs du Tarn – très gentil garçon, si j'en crois la graphologie – me soumet une idée des plus ingénieuses, patriarcalement simple, mais encore fallait-il la trouver. L'éternelle histoire de Christophe Colomb!

· Je vais résumer, avec ma maîtrise habituelle, la lettre de mon brave ami du Tarn :

Le flamboiement inaccoutumé de Mars – uniquement dû, d'ailleurs, à la générale adoption du bec Auer [1] par les habitants de cette planète – a remis sur le tapis de l'actualité la toujours intéressante question des communications interastrales.

1. Cette dernière invention a singulièrement réhabilité M. Auer du consternant système de chopine qui porte son nom et qui vous procure une tant lugubre ivresse.

Si véritablement des mondes animés grouillent au sein des astres environnants, comment faire signe que la terre, notre petite terre chérie, est peuplée d'êtres intelligents (je parle de mes lecteurs), fort capables d'entrer en communication avec eux?

Mon pauvre ami Charles Cros avait été très préoccupé de cette question et il publia un petit mémoire fort curieux en lequel il proposait un système de signaux lumineux, commençant sur un rythme très simple pour arriver à des rythmes plus compliqués, mais très susceptibles d'êtres perçus et compris par des bonshommes cérébralement analogues à nous.

Tout cela est fort joli; mais pour faire d'utiles signaux à des gens, encore faut-il que ces gens vous contemplent.

Si M. Bill-Sharp ou le Captain Cap passent sur l'autre trottoir du boulevard et que vous désiriez échanger avec eux quelques propos piquants, vous attirerez leur attention; comment?

Avec un beau geste? Oui, s'ils vous regardent; mais, sinon?

En les appelant?

Voilà ce que je voulais vous faire dire!... En les appelant.

Si les Martiens ou les Sélénites nous tournent le dos en ce moment, il faut crier très fort pour qu'ils se retournent.

Vous voyez d'ici le projet.

Mobilisez, pendant une heure, toute l'espèce humaine, tous les animaux, toutes les cloches, tous les pistolets, fusils, canons, toutes les assemblées délibérantes, tous les orchestres, depuis celui de Lamoureux jusqu'à la Musique Municipale de Honfleur et la fanfare de la reine de Madagascar, etc., etc., etc., tous les pianos même!

A la même heure (au même *instant* plutôt, car l'heure est relative), tout ce monde, bêtes et gens, se mettrait à gueuler comme des sourds, les cloches du monde entier entreraient en branle, les pistolets, fusils, canons, tonneraient, etc., etc.

Même les plus menus bruits *(Vive Casimir-Perier* par exemple) ne seraient point négligés.

Ce joli petit chambard durerait une heure durant.

Après quoi, chacun n'aurait pas volé d'aller se coucher sur les deux oreilles, si par hasard elles se trouvaient encore à leur place.

On n'aurait plus qu'à attendre.

Mars étant séparé de la Terre par une distance de... lieues, le son parcourant... mètres à la seconde, les Martiens entendraient donc notre concert au bout de... heures... minutes... secondes.

(Ombre de l'amiral Mouchez, si vous êtes contente de la statue que vous dresse au Havre mon ami Dubois, remplissez ces blancs!)

Si, au bout du double de ce temps, on n'entendait aucune clameur astrale, c'est que les Martiens sont sourds, tels des pots, ou qu'ils se fichent de nous comme de leur premier bock (de bière de Mars).

Et alors ce serait à vous décourager de l'astronomie.

Ohé! ohé!

LE CLOU DE L'EXPOSITION DE 1900

(PROJET CAP)

– Dites-moi, Captain, êtes-vous au courant des différents projets déposés en vue de l'Exposition de 1900?

– Je les connais depuis longtemps. Tous font preuve d'une imagination assez misérable, sauf pourtant, celui de mon ami Otto, qui consiste en une immense escarpolette balançant des familles entières du Trocadéro à l'École militaire. Ça, ça n'est pas banal!

— En effet!... Et vous, Captain, prendrez-vous pas part à ce pacifique tournoi?

— J'y compte bien... Pour le moment, j'ai deux entreprises, une petite et une grande.

— La petite d'abord?

— Oh! rien. Un nouveau pneu à musique.

— Tiens, tiens!

— Oui, une série de petits accordéons que j'introduis dans l'intérieur du pneu, et qui font une musique fort divertissante, ma foi.

— Mais ce sera toujours le même air?

— Pas du tout! Au moyen d'un mécanisme ingénieux et grâce à un simple déclic, le veloceman pourra changer d'air à son gré.

— Mes félicitations, Captain, pour cette à la fois simple et charmante idée. Voilà des pneux [1] qui seront plus gais que les *pneux Mony,* une bien détestable marque, principalement la nuit, sur route, par les temps humides.

D'habitude, le Captain Cap se refuse à goûter les plaisanteries qui résident seulement en un jeu de mots. Cette fois, il ne broncha pas et même il ajouta :

— Tenez, un bon et solide pneu, c'est le pneu gordien. On n'en vient à bout qu'à coups de sabre.

Après avoir souri, comme il convenait, de chacun notre plaisanterie, nous revînmes à des sujets plus austères.

— Et votre grande idée, Cap?

— Ah voilà!

Je dus insister.

— Ma grande idée, oui, vous avez raison, c'est une grande idée, car c'est la solution de la navigation aérienne, tout bêtement!

— Un ballon dirigeable?

— Pauvre enfant!

---

1. J'écris *pneux* et non *pneus* ainsi que le font la plupart des bécanographes. Les mots en *eu* prennent un *x* au pluriel. Je ne vois pas pourquoi on ferait exception pour pneu.

– Un aérostat avec force motrice tournant des ailes?

– Idiot!

– Soyez poli, Captain!

– Idiot, vous dis-je!... Avez-vous jamais vu des nuées de sauterelles?

– Jamais!

– Eh bien, mon appareil, c'est une nuée de sauterelles, dix millions de sauterelles que j'enferme dans un immense sac de gaze (de la gaze verte, bien entendu, pour ne pas fatiguer la vue de mes sauterelles).

– Bonne précaution!

– Ce sac de gaze est maintenu par une gigantesque armature en bambou, à laquelle Comiot est en train de travailler.

– Excellent constructeur, ce Comiot!

– Et non seulement il y a des sauterelles dans mon sac, mais aussi des puces, parce que les puces ont la singulière propriété d'aviver fortement l'activité des sauterelles. Le saviez-vous?

– J'ignorais ce détail.

– Chaque sauterelle représente environ, et sans se fatiguer, un excédent de force ascensionnelle de un gramme. Dix millions de sauterelles représentent donc une force utilisable de dix mille kilos. Hein?

– Épatant!... Mais une simple objection, Captain?

– Allez-y.

– Comment dirigez-vous tout ce petit monde-là, quand vous voulez aller au Nord et que les sauterelles se sentent un goût prononcé plutôt pour le Sud?

– Rien de plus simple! Les sauterelles ont l'horreur du sulfure de carbone. Alors, au moyen d'un vaporisateur *ad hoc,* j'empoisonne l'atmosphère de la direction adverse à celle que je souhaite. Veux-je me diriger vers l'Est? je pulvérise cette puanteur sur le côté Ouest du sac, et si vous les voyiez se tirer des ailes!...

– Et quand vous voulez vous arrêter?

– Des courroies, à ma volonté, compriment la gaze et paralysent graduellement les efforts de mes insectes.

– Tous mes compliments, Captain; votre idée est géniale.

– Ah! voilà, c'est que je ne suis pas sorti de Polytechnique, moi!

COMMENTAIRES INACRIMONIEUX

SUR UNE INSTRUCTION
DU GÉNÉRAL POILLOÜE DE SAINTE-BELLONE

Si l'heure sonne, à jamais bénie, de la revanche; si, quelque jour, ceux de France volent vers l'Est à l'espoir de reconquérir les chères sœurs perdues (N'y pensons jamais, parlons-en toujours! a dit Gambetta!), si... (pour la suite, voir les œuvres de Déroulède, première manière).

Si donc – pour me résumer – on déclare un jour la guerre à une grande nation voisine, qu'il me paraît superflu de désigner plus clairement, certes – oh! que certes! – je ferai mon devoir de patrouillotte, mais je demanderai à le faire au sein du douzième corps d'armée, commandé par mon vieux camarade le général Poilloüe de Saint-Mars, un vaillant guerrier, qui joint à sa loyale épée un joli bout de plume.

Un de mes lecteurs m'adresse un journal de Limoges où s'étale une merveilleuse instruction de ce général en chef sur le tir.

Rien ne saurait m'étonner du général de Saint-Mars. Est-ce pas lui qui l'année dernière commençait une circulaire par cette phrase prestigieuse et non dénuée d'imprévu :

Certes, en temps de guerre, le pied du fantassin aurait une importance capitale, etc... (sic).

86

Mais revenons à l'instruction du même sur le tir, car elle est fertile en perles de tous orients.

Le début n'en est pas vilain :

Le cycle de l'instruction du tir va se fermer; c'est le moment d'examiner ce qui a été fait en 1894, afin de profiter en 1895 de notre expérience de l'année écoulée.

Le fait est qu'on ne saurait choisir un moment plus propice.

Sautons quelques lignes à pieds joints et arrivons à une phrase d'une mansuétude plutôt relative, mais d'images étrangement fortes :

Le tissu des trajectoires couvrira le champ de bataille d'une nappe de fer et de plomb qui pourra devenir infranchissable en pays découvert, mais qui restera toujours déchirée et trouée par les accidents du sol naturel et du sol remué par l'outil.

Ça, c'est embêtant, de songer que des gens à l'abri pourront peut-être ne pas être tués tous, tous, tous! C'est embêtant, réellement embêtant!

Il n'y pas que les fantassins qui seront embêtés de ne pas tuer tout le monde. Les cavaliers et les artilleurs aussi rencontreront des occasions de déboire :

Le cavalier et l'artilleur dominent les plaines, mais ne sont qu'au second rang (ô honte! ô désespoir!) *dans les régions mouvementées* (sic) *où le premier perd sa vitesse, le second ses vues, sa puissance destructive au loin, et où tous les deux deviennent alors inaptes à bénéficier* (bénéficier!) *du terrrain.*

Le couplet qui suit flatte assez mon esthétique de contribuable :

...Vous aurez alors assuré la sécurité de la patrie sur une base inébranlable, en dépensant seulement vos trésors d'intelligence et de bonne volonté, ce qui sera plus économique pour la France et moins banal que les demandes de crédits.

Un truc, ensuite, pour diminuer le poids des corps :

Votre fusil est excellent et d'une puissance terrible. Si vous le trouvez un peu lourd, allégez-le en le faisant manier constamment et dans tous les exercices par son détenteur.

Archimède n'aurait pas *eurêké* ça.

Si l'instruction du général de Saint-Mars est rigoureusement suivie, les recrues ne s'embêteront pas, cet hiver, au tir réduit. Voyez plutôt :

Mettez tous vos soins à embellir et à perfectionner vos stands de tir réduit et toute votre ingéniosité à en faire un exercice attrayant pour les soldats.

Un bar servi par des dames, entre autres, et un lapin qu'on gagnerait chaque fois qu'on met dans le mille!

Plus pittoresque encore :

Ce n'est pas seulement les tireurs académiques debout, à genoux, couchés, qu'il s'agit de former, non; ce qu'il nous faut, c'est le TIREUR PANTHÈRE, *courant, bondissant, rampant, et cependant restant toujours maître-expert de cette trajectoire qui, dans ses mains habiles, est comme une lance de toutes les dimensions jusqu'à 3 000 mètres, dont il dirige à son gré les coups irrésistibles.*

Le *Tireur Panthère*, hein! Quel numéro, mon vieux Charles D..., pour les Folies-Bergère!

Passons encore et arrivons au couplet final, digne des autres :

En résumé, je demande à l'infanterie du 12e corps d'armée de concentrer tous ses efforts et tous ses moyens pour donner son maximum d'effet au fusil, ce sceptre de la reine des batailles, et dans ce but, je fais appel à toutes les initiatives et à toutes les bonnes volontés.

Le *fusil, ce sceptre de la reine des batailles!* Voilà un mot de la fin comme je voudrais en avoir tout le temps!

ESSAI SUR MON AMI GEORGE AURIOL

Je suis allé, hier, visiter l'Exposition des Femmes peintres et sculpteurs.

(Ouverte du 19 février au 18 mars, de 10 h à 5 h Palais des Champs-Élysées, pavillon Nord-Est, porte n° 5.)

Et je me suis rappelé, souriant, une petite aventure qui nous y advint, à George Auriol et à moi, voilà deux ou trois ans.

Ceux de nos abonnés (ou acheteurs au numéro) de l'étranger, qui voudraient se faire une idée exacte de M. George Auriol (je ne parle pas, bien entendu, des Parisiens et de beaucoup de provinciaux pour qui la physionomie du jeune et éminent japonisant est devenue, en quelque sorte, classique), n'ont qu'à se représenter M. le comte de Douville-Maillefeu, ou plutôt ce qu'il était, M. le comte de Douville-Maillefeu, il y a trente-cinq ans.

La ressemblance ne s'arrête pas à une simple analogie physique : un observateur digne de ce nom pourrait constater, chez ces deux hommes, le même enjouement, une équivalente exaspérabilité.

Pas plus de rancune chez l'un que chez l'autre : le dos tourné, ils n'y pensent plus.

Lecteur lointain, si jamais tu rencontres Auriol, n'oppose aucun barrage au torrent de ses assertions, si chimériques qu'elles te semblent; tu serais traité, sur l'heure, à toi seul, de *tas de m...!* ou de *espèce de t...!* grossièretés purement décoratives, ne signifiant aucunement que tu vis de libéralités féminines ou que tu entretiens avec les gens de ton propre sexe des relations coupables.

Laisse passer l'orage et, bientôt, Auriol te reconnaîtra, de la meilleure grâce du monde, un gentleman tout à fait incapable de la plus mince turpitude.

Pour ce qui est de l'enjouement, Auriol rendrait

des milliards de points à des cages entières de ouistitis en goguette.

Pas fier pour un sou, Auriol n'admet l'existence d'aucune barrière sociale, mondaine ou autre, et vous l'étonnez prodigieusement avec vos *ça ne se fait pas,* quand il aborde un gros monsieur riche (complètement inconnu de lui et fumant un gros cigare) avec ces mots :

— Vous n'auriez pas son frère?

Neuf fois sur dix, d'ailleurs, le gros monsieur riche, un peu interloqué, tire de sa poche un pur havane, l'offre à Auriol qui l'allume en disant, connaisseur : fameux!

Le passe-temps favori de George Auriol, dans la rue, consiste, lorsqu'il passe devant des épiceries, à plonger sa main dans des sacs contenant des lentilles ou tel autre légume sec.

C'est, dès lors, une série sans trêve de petits bombardements sur le chapeau des passants ou la glace des magasins.

Quand, par malheur, une boutique de verrerie (cristaux et porcelaines) se trouve sur l'itinéraire de George Auriol, à un moment où George Auriol détient encore un fort contingent de lentilles, George Auriol n'hésite pas : d'un seul coup, d'un seul, comme dit Coppée, George Auriol projette violemment toute sa provision sur la partie la mieux garnie du magasin.

Si vous n'avez pas, personnellement, passé par ce joyeux tumulte, impossible de vous faire la moindre idée du fracas, total résultant des chocs de chaque haricot avec chaque cristal. Extrêmement impressionnant!

Vous voyez donc qu'on peut passer des matinées entières, et même des après-midi, avec George Auriol, sans s'embêter une seconde.

En sa compagnie, les aventures se succèdent, ne ressemblant pas aux précédentes et ne faisant nullement prévoir les suivantes.

C'est ainsi qu'un jour, nous fûmes abordés,

Auriol et moi, par deux jeunes filles pas jolies, peut-être même pas gentilles, mais drôles! Deux drôles de jeune filles, quoi!

Elles vinrent droit à nous, et sur un ton de gai reproche :

– Vous savez, messieurs, que vous avez été très bêtes, l'autre jour! Ce que papa nous a enlevées, quand on a été rentré à la maison!

D'abord nous pensâmes que les jeunes filles nous *prenaient pour un autre* et nous ripostâmes par des réponses vagues et peu compromettantes. L'une d'elles nous demanda :

– On vous reverra un de ces jours?

– Oh! certainement!

– Surtout pas de blagues, si papa est là!

Et les drôles de fillettes nous quittèrent sur un vigoureux *shake-hand*.

Certainement, nous les avions vues quelque part, mais où?

Quelques jours plus tard, le mystère se dissipa.

Après déjeuner, Auriol avait eu une idée...

– Si nous allions revoir l'Exposition des Femmes peintres et sculpteurs!

– Comme tu voudras.

Et nous voilà partis, Auriol et moi.

Tous les deux, nous aimons beaucoup cette exposition, moins pour l'exposition elle-même (bien qu'il s'y rencontre des œuvres de réelle valeur, les aquarelles de madame Cécile Chennevière, entre autres) que pour le public qu'on y coudoie.

Des grosses dames très comiques, avec, bravement, au point culminant de leur mamelle gauche, le ruban violet d'officier d'académie.

Aussi d'autres dames moins *fortes* et moins palmées, mais, tout de même, dignes d'intérêt.

Et puis surtout, un flot de drôles de jeunes filles, souvent jolies, parfois étrangement perverses en leur candeur jouée, toujours amusantes à voir passer, à entendre papoter.

Dès notre première visite, Auriol s'était mis au ton de l'endroit.

Il consultait le livret et s'écriait, en imitant les petites mines des dames présentes :

– Ah! voici l'aquarelle de Valentine! Tiens, l'éventail de Jane!... Mais, ma chère, cette petite Lucie est très en progrès!... Pas mal du tout, ces chrysanthèmes!

Or, un jour, qu'il s'était écrié :

– Délicieux, ces pastels de Josiane! Délicieux!

Le papa de Josiane était là, tout près, avec Josiane elle-même, et le papa de Josiane avait demandé à sa fille comment ce monsieur la connaissait assez intimement pour l'appeler par son petit nom.

Pour comble de malheur, tout à côté des pastels de Josiane, s'accrochait une petite nature morte de Germaine, et Auriol, avec l'inconscience du jeune âge, avait poussé cette exclamation :

– Bravo, ma petite Germaine, très réussi, ton veau froid! Réellement, on dirait du veau!

Tu l'as deviné, subtil lecteur, les jeunes filles rencontrées, les drôles de jeunes filles, c'était Josiane, c'était Germaine.

Qu'ajouterai-je?

Nous revîmes ces pittoresques personnes plusieurs fois, et, – vous me croirez si vous voulez –, elles ne devinrent jamais nos maîtresses.

UNE INDUSTRIE INTÉRESSANTE

D'un seul coup, Cap lampa le large verre de *manitoba* qu'on venait de lui servir, et me dit :

– Alors, ça vous embête tant que ça, la pénible incertitude où vous pataugez!

– Quelle pénible incertitude, dites-moi, Captain?

– De savoir au juste où vont les vieilles lunes?

– Moi!... Je vous assure bien, Cap, que les vieilles lunes sont parfaitement libres d'aller où bon leur semble, et que jamais je n'irai les y quérir!

Comme si son oreille eût été de granit, Cap persista :

– Et aussi les neiges d'antan, mon pauvre ami! L'angoisse vous étreint de leurs destinées!

– Ainsi que le poison d'une pomme, je me soucie des neiges d'antan... Ah! certes, Cap, je suis torturé par une hantise, mais d'un ordre plus humain, celle-là, et j'en meurs!

Je croyais que Cap allait s'intéresser à ma peine et m'interroger. Ah! que non point!

– Et aussi les vieux confetti, n'est-ce pas? continua-t-il immuable.

Cette fois, je changeai mes batteries d'épaule, et, pour déconcerter son parti pris, je feignis de m'intéresser prodigieusement au sort des vieux confetti.

– Ah? les vieux confetti? m'écriai-je, les yeux blancs. Où vont les vieux confetti?

Cap tenait son homme.

– Je vais vous le dire, moi, où vont les vieux confetti.

Et pour donner un peu de cœur au ventre de Cap, je priai le garçon de nous remettre deux excellents *manitoba*.

– Les vieux confetti? Il n'y a pas de vieux confetti, ou plutôt, il n'y en aura plus.

– Allons donc! Et comment ce phénomène?

– A cause de la *Nouvelle Société centrale de lavage des confetti parisiens,* dont je préside le conseil d'administration.

– Vous m'en direz tant!

– Rien de plus curieux que le fonctionnement de cette industrie. Je sors de l'usine et j'en suis émerveillé.

– Des détails, je vous prie, Cap!

– Voici, en trois mots : Le lendemain du mardi

gras et autres jours fous, des employés à nous, munis d'un matériel *ad hoc,* ramassent tous les confetti gisant sur le sol parisien et les rapportent au siège social, 237, rue Mazagran.

– Bon.

– On les soumet à une opération préalable qui s'appelle le *triage,* et qui consiste à séparer les confetti secs des confetti mouillés. Les premiers passent au ventilateur, qui les débarrasse de la poussière ambiante : c'est le *dépoussiérage.*

– Je l'aurais parié!

– Ceux-là, il n'y a plus qu'à leur faire subir le *défroissage,* opération qui consiste...

– A les défroisser.

– Précisément! au moyen d'un petit fer à repasser élevé à une certaine température... Restent les confetti mouillés. On les mène, au moyen de larges trémies épicycloïdales, dans de vastes étuves où ils se dessèchent.

– C'est ce que vous appelez le *desséchage,* hein?

– Précisément! Une fois desséchés, les confetti sont violemment projetés dans une boîte dont la forme rappelle un peu celle d'un parallélépipède. Cette boîte est munie d'une petite fente imperceptible de laquelle s'échappe – un à un – chacun des petits disques de papier. A la sortie, le confetti est saisi par une minuscule pince à articulation et soumis à l'action d'une mignonne brosse électrique et vibratile. C'est ce que nous appelons...

– Le *brossage.*

– Précisément!... Une autre sélection s'impose. Parmi les confetti ainsi brossés, il s'en trouve quelques-uns maculés de matières grasses, phénomène provenant de leur contact avec les ordures ménagères. Ces derniers sont soigneusement séparés des autres.

– C'est ce que vous appelez le *séparage.*

– Précisément!... Les confetti gras sont trempés dans une solution de carbonate de potasse qui saponifie les matières grasses et les rend solubles. Il ne reste plus qu'à les laver à grande eau pour les débarrasser de toute réaction alcaline. Nous obtenons ce résulat au moyen du...

– *Lavage à grande eau.*

– Précisément!... Alors, on les remet à l'étuve, on les repasse au fer chaud...

– Et voilà!

– Vous croyez que c'est tout?

– Dame!

– Eh bien! vous vous trompez. L'opération est à peine commencée.

Une nuance d'effroi se peignit dans mes yeux. Le moment sonnait, d'ailleurs, de quelque solide *coktail.*

– Vous n'ignorez pas, reprit Cap, combien il est pénible de recevoir des confetti dans la bouche ou dans l'œil?

– Croyez-moi, j'ai passé par là.

– Désormais, ce martyre sera des plus salutaires. Les confetti, au moyen d'une imbibition dans des liquides de composition variable, acquièrent des densités différentes. Les plus lourds se dirigent vers la bouche, les plus légers dans l'œil (ce calcul fut, entre parenthèses, d'une détermination assez délicate).

– Nulle peine à le croire.

– Les confetti destinés à la bouche sont imprégnés de principes balsamiques infiniment favorables au bon fonctionnement des voies respiratoires.

– Laissez-moi parier que les confetti destinés aux yeux sont chargés d'éléments tout pleins de sollicitude pour les organes de la vue.

– Ah! on ne peut rien vous cacher, à vous!

– A la vôtre, mon cher Cap!

– Dieu vous garde, mon vieil Allais.

LARMES

Un homme, jeune encore, qui cache sous le prestigieux pseudonyme de *Balthazar* une des personnalités les plus en vue des hautes études françaises, veut bien m'adresser, en m'en faisant hommage, un très substantiel et très élégant travail qu'il vient de terminer sur ce sujet : *les Larmes*.

Publier cet opuscule entier serait sortir du léger cadre de mes badinages. Je me contenterai donc de le résumer, en tâchant de lui conserver sa rare saveur et sa hautaine originalité.

M. Balthazar – conservons-lui ce nom, puisque cela semble lui faire plaisir – eut un professeur de philosophie dont la devise favorite était : *L'essentiel est de se poser beaucoup de questions*. Et il s'en posait, le digne homme, paraît-il, des myriades! Seulement, il ne se préoccupait jamais d'en résoudre une seule.

C'est ainsi qu'un jour il dit à ses élèves :

– L'un de vous, en avalant les siennes, s'est-il parfois demandé *pourquoi les larmes sont salées?*

Et sur cette cordiale parole, la classe se trouvant terminée, le digne professeur prit congé de ses élèves.

Le jeune Balthazar se piqua au jeu et fit le serment de venir à bout de cette thèse, coûtât que coûtât.

Il éplucha des bibliothèques entières, la *Physiologie psychologique* de Wundt, les *Leçons d'Hydraulique* de Puiseux, les exquises *Perles et larmes* du poète norvégien Bjoernson, et constata que le problème n'y était point abordé, même de loin.

Des esprits superficiels répondraient : « Eh! parbleu! les larmes sont salées parce qu'elles contiennent une forte proportion de chlorures alcalins. »

Nous le savons aussi bien que vous, esprits superficiels! Mais la question ne gît pas là. Nous nous demandons pourquoi la Providence intima aux larmes d'avoir le goût salé plutôt que tout autre goût.

M. Balthazar employa la méthode indirecte et se dit :

– Les larmes devaient avoir un goût ou ne pas en avoir.

Démontrons d'abord qu'elles devaient avoir un goût, et ensuite que tout autre goût salé aurait présenté des inconvénients dans lesquels le ridicule l'aurait disputé à l'odieux.

1° *Les larmes doivent avoir un goût.* – A n'en pas douter. S'imagine-t-on, par exemple, une mère versant des larmes insipides sur le cadavre de son enfant?

Non, mille fois non, n'est-ce pas? Eh bien, alors? (C.Q.F.D.)

2° *Les larmes ne sauraient avoir un autre goût que le goût salé.* – Vous représentez-vous, entre autres, des larmes *acides*? Les quelques personnes de la société dont une maîtresse grincheuse aurait aspergé le visage de vitriol, d'acide azotique ou même chlorhydrique connaissent les inconvénients résultant du contact trop direct de ces substances avec les tissus si délicats de l'appareil ophtalmique.

Les larmes ne sauraient être *amères*. Nos grands classiques ont tiré un immense parti des *larmes amères*. Or, cette amertume est, ici, purement métaphorique. Si nos pleurs étaient *véritablement* amers, il n'y aurait plus de métaphore et nos romanciers auraient ainsi une image de moins à leur arc. Qui sait même si notre grand Ohnet ne doit pas ses meilleures pages et les plus poignantes à ces trouvailles qu'un long usage n'a pu défraîchir? La Providence, raisonnablement, pouvait-elle consentir à en priver la langue française?

Les larmes ne sauraient être *sucrées*. Car les enfants se pleureraient tout le temps dans la bouche. Au lieu de donner un sou au petit Émile pour s'acheter du sucre d'orge, on lui ficherait une claque, et ce serait une économie. Oui, mais où serait la sanction paternelle?

M. Balthazar poursuit son travail dans cet esprit d'une impitoyable logique. Il démontre péremptoirement que les larmes ne sauraient avoir le goût de fromage, ni de groseille, ni de haricot de mouton, ni de tabac à priser, etc., etc...

Sa conclusion est certainement une des plus belles pages qu'on ait écrites en français depuis ces vingt dernières années.

LES VÉGÉTAUX BALADEURS

Il me faut encore revenir une fois sur cette étrange question des plantes qui marchent, question magistralement soulevée par notre ami Octave Mirbeau et brillamment poursuivie par celui qui écrit ces lignes.

Les chroniques que j'ai consacrées à ce phénomène et à la xylose de la *gueule-de-loup* m'ont valu un monstrueux courrier.

C'est à qui me signalera, dans cet ordre d'idées, des observations plus ou moins bizarres.

Impossible, à moins de transformer ce volume en un massif in-folio, de parler de chacune de ces communications.

Mais, dans le tas, deux épîtres m'ont paru dignes d'une sérieuse publicité.

La première émane d'un savant autrichien, le docteur Margulier *(Vien IV, Technikerstrass, 5),* qui veut bien apporter sa contribution à ce chapitre de botanique.

« Je ne connaissais pas, dit en substance le docteur Margulier, le *cucumis fugax* signalé par M. Mirbeau et par vous, mais le fait n'a rien qui puisse me surprendre, moi qui ai vu, dans les Indes, des forêts entières se déplacer à raison de trois ou quatre cents pieds par jour.

» Les forêts en question sont composées de l'espèce d'arbre appelé *pandanus furcatus*, remarquable par la rapidité extraordinaire du développement de ses tiges.

» Cet arbre se déplace au moyen de ses racines aériennes.

» Quand le sol où se trouve le *pandanus furcatus* est épuisé, l'arbre laisse dépérir son tronc, après avoir jeté des racines aériennes dont une, à son tour, sert à la plante comme nouveau tronc.

» Par ce procédé qui se répète à plusieurs reprises, l'arbre est en état de marcher à son gré, dans une direction quelconque.

» Les Hindous racontent même que ces arbres commencent à marcher dans le cas où l'on a abattu quelques-uns d'eux, comme si, poussés par l'instinct de conservation, ils voulaient échapper au danger. »

Le fait que me signale le docteur Margulier ne relève pas, comme on pourrait le croire, du domaine de la fantaisie.

Le professeur Baillon, de la Faculté de Médecine, avec lequel je déjeunais ce matin, m'en a affirmé la parfaite réalité.

Autre communication, pour laquelle le professeur Baillon n'a pas cru devoir se porter garant.

Mon correspondant a fait ses expériences à Londres, qu'il habite en ce moment, 15, Onslow Place S. W., dans un petit parc attenant à sa maison d'habitation.

Il a arrosé ses plantes avec des liquides de composition animale, soit du sang des bêtes, soit de l'eau dans laquelle on a fait bouillir des matières zoïques. (Et dans ce dernier cas, on a une occasion véritablement précieuse d'employer le mot *bouillon de culture*.)

Un *drosera* (plante carnivore, comme chacun sait) fut arrosé avec du sang d'antilope. Après huit jours de ce traitement, le *drosera* filait un beau soir avec la rapidité du zèbre lancé d'une main sûre.

Une autre plante, arrosée avec de la soupe à la tortue *(turtle soup)*, se mit à se promener dans le jardin, mais plus lentement, comme de juste.

Quant au court-bouillon, dans lequel on avait fait cuire des écrevisses, rien ne fut plus comique, dit mon correspondant – et je n'ai aucune peine à le croire – que de contempler les arbustes soumis à cet arrosage se mettre à marcher à reculons.

Mon correspondant ajoute d'ailleurs qu'il met la dernière main à un livre où sont consignées, tout au long, ces curieuses observations.

Cet ouvrage paraîtra prochainement chez Charpentier et Fasquelle et sera intitulé : *les Horticoles.*

L'AUTO-BALLON

Ce pauvre Captain Cap commençait à me raser étrangement, avec ses aérostats, ses machines volantes, planantes et autres, qui m'indiffèrent également.

J'allais prendre congé sur un quelconque motif, quand un gentleman d'aspect robuste, et qui avait semblé prendre un vif intérêt aux grandes idées de Cap, se leva, s'approcha, nous tendant le plus correctement du globe sa carte, une très chic carte de chez Stern, sur laquelle on pouvait lire ces mots :

SIR A. KASHTEY

Winnipeg.

Nous aimons beaucoup le Canada, Cap et moi, et la rencontre d'un Canadien, même d'un Canadien anglais, nous transporte toujours de joie.

Aussi accueillîmes-nous le nouveau venu d'une mine accorte.

Quand nous eûmes échangé les préliminaires de la courtoisie courante :

– C'est que, continua sir A. Kashtey, l'aérostation, ça me connaît un peu!... J'en ai fait jadis dans des conditions peut-être uniques au monde!

Je vis Cap lever d'imperceptibles épaules... *Conditions uniques au monde!...* Téméraire étranger, va!

Sans se laisser démonter, Kashtey ajouta :

– Le particulier de mon ascension, c'est que le ballon c'était moi-même.

Du coup, Cap fut visiblement gêné. Sa mémoire, consultée à la hâte, ne recelait nul analogue souvenir, et son imagination, pourtant si fertile, nulle idée ingénieuse.

Sir A. Kashtey, après avoir eu la politesse de faire remplir nos verres, dit encore :

– Il y a une dizaine d'années de cela... Je commandais le brick *King of Feet,* chargé d'acide sulfurique, à destination d'Hochelaga. Une nuit, à l'embouchure du Saint-Laurent, nous fûmes coupés en deux, net, par un grand steamer de la *Dark-Blue Moon Line,* et nous coulâmes à pic, corps et biens.

– Triste!

– Assez triste, en effet! Moi j'étais chaussé de mes grosses bottes de mer en peau de loup-phoque, imperméables si vous voulez, mais peu indiquées pour battre le record des grands nageurs. Je fus néanmoins assez heureux pour flotter quelques instants sur une pâle épave. A la fin, engourdi par le froid, je fis comme mon bateau et mes petits camarades : je coulai. Mais... écoutez-moi bien, je n'avais pas perdu une goutte de mon sang-froid, et mon programme était tout tracé dans ma tête.

– Vous êtes vraiment un homme de sang-froid, vous!

– J'en avais énormément dans cette circonstance : la chose se passait fin décembre.

– Très drôle, sir!

– Du talon de ma botte, je détachai de la coque de mon brick un bout de fer qu'après avoir émietté dans mes mains d'athlète, j'avalai d'un coup. Doué, à cette époque, d'une vigueur peu commune, j'empoignai une des touries naufragées d'acide sulfurique et j'en avalai quelques gorgées.

– Tout ça, au fond de la mer?

– Oui, monsieur, tout ça au fond de la mer! On ne choisit pas toujours son laboratoire... Ce qui se passa, vous le devinez, n'est-ce pas?

– Nous le devinons; mais expliquez-le tout de même, pour ceux de nos lecteurs qui ne connaissent M. Berthelot que de nom.

– Vous avez raison! Chaque fois qu'on met en contact du fer, de l'eau et un acide, il se dégage de l'hydrogène... Je n'eus qu'à clore hermétiquement mes orifices naturels, et en particulier ma bouche; au bout de quelques secondes, gonflé du précieux gaz, je regagnais la surface des flots. Mais voilà!... Comme dans la complainte de la famille Fenayrou, j'avais mal calculé la poussée des gaz. Ne me contentant pas de flotter, je m'élevai dans les airs, balancé par une assez forte brise Est qui me poussa en amont de la rivière. Ce sport, nouveau pour moi, d'abord me ravit, puis bientôt me monotona.

» Au petit jour, j'entrouvris légèrement un coin des lèvres, comme un monsieur qui sourit. Un peu d'hydrogène s'évada; me rapprochant peu à peu de mon poids normal, bientôt, je mis pied à terre, en un joli petit pays qui s'appelle Tadousac et qui est situé à l'embouchure du Saguenay. Connaissez-vous Tadousac?

– Si je connais Tadousac! Et la jolie petite vieille église! (la première que les Français construisirent au Canada). Et les jeunes filles de Tadousac qui vendent des photographies dans la vieille petite église au profit de la construction d'une nouvelle basilique!

(Et même, si ces lignes viennent à tomber sous les yeux des jeunes filles de Tadousac, qu'elles sachent bien que messieurs P. F., E. D., B. de C., A. A. ont gardé d'elles un souvenir imprescriptible.)

Sitôt fermée ma parenthèse, le gentleman de Winnipeg termina son récit avec une aisance presque injurieuse pour ce pauvre Cap :

– Dès que j'eus mis pied à terre, j'exhalai le petit restant d'hydrogène qui me restait dans le coffre, et je gagnai la saumonnerie de Tadousac en chantant à pleine voix cette vieille romance française que j'aime tant :

> *Laissez les roses aux rosiers,*
> *Laissez les éléphants au lord-maire.*

UNE PINCÉE D'AVENTURES RÉCENTES

Est-ce que – là, franchement! – ça ne vous ennuierait pas trop que je vous conte mon après-midi de dimanche dernier?

Au contraire! vous récriez-vous gentiment.

Je ne vois, dans votre charmante protestation, qu'une aimable courtoisie; je semble la tenir pour argent comptant... et je marche.

Le matin, j'avais reçu un mot d'une préalable petite bonne amie à moi, désormais en province, épisodiquement à Paris, et pour laquelle je conservais je ne sais quelle tendresse inaltérable. (*Inaltérable* est excessif, on le verra tout à l'heure[1].)

« Forcée de partir lundi au lieu de mardi, si tu veux nous voir, viens dimanche après-midi, foire au pain d'épices. Y serai avec ma sœur. Bien le divin tonnerre si on ne se rencontre pas! »

Étrange rendez-vous, manquai-je pas d'observer; mais je suis fait à ces façons, toujours d'imprévu.

Je déjeunai chez Léon Gandillot.

[1]. Comme c'est loin, tout ça!

(Tous les dimanches que je suis à Paris, je prends mon repas du dimanche matin chez le jeune et déjà célèbre auteur dramatique.)

Je sortis de chez cet homme de théâtre sur le coup de deux heures.

Rue des Martyrs, pas un sapin!

Faubourg Montmartre, pas un sapin!

Aux boulevards, pas un sapin!

Ah! c'était gai!

Et l'Heure, qui n'a pas besoin de voiture pour marcher, elle, s'avançait à grands pas.

Quand je dis *pas un sapin,* entendons-nous. Il en passait des tas, mais tous lotis de leurs voyageurs. Alors, c'est comme s'il n'en eût point passé?

Soudain...

Un peu avant la Porte-Saint-Denis, stoppa un fiacre découvert qui se dégorgea de son client.

Le jaguar le plus déterminé de la jungle ne se fût point approché en moins de temps (qu'il n'en faut pour l'écrire) que je ne le fis.

Trop tard, hélas!

Une vieille petite bonne femme, pleine de respectabilité et sur la robe de soie de laquelle s'allongeait une chaîne d'or du bon vieux temps, indiquait déjà sa destination au cocher.

J'entendis qu'elle allait boulevard de Charonne.

Justement, ma direction!

— Pardon, madame, fis-je, la face emmiellée de mon plus lâche sourire, est-ce que...

Et je lui expliquai la situation.

— Mais, comment donc! acquiesça l'exquise créature.

Je m'installai.

La petite vieille était loquace.

Elle allait voir sa fille et son gendre, récemment installés dans une des meilleures maisons du boulevard de Charonne, maison dans laquelle ils avaient fichtre bien fait trente mille francs de frais.

Nous étions arrivés.

Je voulus payer, ainsi qu'il sied au paladin français.

Mais la petite vieille s'y refusa avec une obstination comique et des raisonnements que je ne m'expliquais point.

Ma foi, n'est-ce pas?

Et elle entra dans la maison de sa fille et de son gendre.

Une grande stupeur m'envahit, dès lors.

Cette maison, c'était une maison – quels termes emploierais-je, grand Dieu! – c'était une maison de *rapid flirt,* comme on dit à Francisco.

Je n'en dirai point le numéro, parce que ce serait de cette publicité gratuite dont l'abus déterminerait la mort des quotidiens; mais je puis vous affirmer que c'était un rude numéro. J'en ai encore plein les yeux!

Cinq minutes et je me trouvai place du Trône.

Bientôt, je rencontrai ma jeune amie, qui descendait, toute rose, des Montagnes-Russes.

Nous n'avions pas cheminé plus d'un hectomètre qu'elle me déclarait que *si j'étais venu là pour la raser avec mes observations idiotes, je pouvais parfaitement retourner à l'endroit d'où je venais. Et puis, voilà!*

Ce à quoi je répondis, sans plus tarder, qu'*elle avait toujours été et qu'elle ne serait jamais qu'une petite grue; que, d'ailleurs, j'avais depuis longtemps copieusement soupé de sa fiole. Et puis, voilà!*

Et nous nous quittâmes sur un froid coup de chapeau de moi, accueilli par un formidable haussement d'épaules de sa part.

Pas plus de voitures pour s'en aller que je n'en avais trouvé pour venir.

Au reste, un peu énervé et ne sachant que faire de ma vesprée, je n'étais pas fâché de marcher un peu.

Je dégringolai à pied le boulevard Voltaire, le joyeux et bien parisien boulevard Voltaire.

Arrivé place de la République, j'aperçus un de ces

grands omnibus qui vous mènent de certains points déterminés à la gare Saint-Lazare, ou de la gare Saint-Lazare à ces mêmes points déterminés.

Jamais je ne m'étais servi de ce mode de locomotion.

Il y avait donc là une occasion unique de débuter dans la carrière, puisque je devais dîner le soir à Maisons-Laffitte.

Je m'installai sur l'impériale.

Mais voilà-t-il pas... Tais-toi, ma rancune.

Voilà-t-il pas que, boulevard des Italiens, j'aperçus des gens que j'avais intérêt à rencontrer.

J'émis la peu farouche prétention de descendre.

— Pardon, fit le conducteur, vous n'avez pas le droit de descendre avant la gare Saint-Lazare.

— Je n'ai pas le droit de descendre? Je n'ai pas le droit de descendre où je veux?

— Non, monsieur.

— Eh bien! nous allons voir ça!

J'allais employer la violence quand je fus séduit par l'étrangeté de la situation.

Un citoyen français, libre, innocent, ayant payé sa place, n'aurait pas le droit de descendre d'une voiture *publique,* à tel moment qu'il lui plairait!

— Non, monsieur.

Tous les voyageurs me donnaient tort et semblaient prendre en pitié ma déplorable ignorance.

Un vieux monsieur, officier de la Légion d'honneur, me demanda :

— Vous êtes étranger, sans doute?

— Mon Dieu, monsieur, je suis étranger sans l'être, étant né dans le Calvados de parents français.

Le vieux monsieur mit une infinie bienveillance à m'expliquer le monopole de la Compagnie des Omnibus et une foule de patati et de patata, le tout dans une langue et avec des idées d'esclave qui accepte le monopole du même dos que les nègres de la Jamaïque acceptent les coups de matraque.

Comme, après tout, je m'en fichais, je pris mon

parti de l'aventure, décidé à m'amuser de la fiole de ce vieillard décoré mais servile.

– Moi, monsieur, m'écriai-je, je suis un homme libre, et je ne me laisse pas épater par l'œil des barbares!

Il ne comprenait pas bien.

Je repris :

– Alors, vous, monsieur, vous êtes de ceux qui sanctionnent le monopole par la voie de la séquestration ambulante?... Car, je suis séquestré! Ambulatoirement, j'en conviens, mais enfin, je suis séquestré!

Je ne sais ce qui se passa dans la tête de mon bonhomme, à ce moment. Il se leva, fit signe au conducteur de me laisser descendre, ajoutant :

– Je prends ça sur moi.

C'était peut-être une grosse légume.

UNE VRAIE POIRE

Tout à coup, ce gros petit bonhomme joufflu qui n'avait pas desserré les lèvres depuis une heure qu'il était devant moi, poursuivit ainsi, à voix haute, son *histoire* commencée, sans doute, intérieurement :

– Vous comprenez bien que ça ne pouvait pas durer comme ça plus longtemps!

Et comme il me regardait, je crus qu'il était de la plus élémentaire courtoisie de sembler m'intéresser :

– Ça ne pouvait pas durer plus longtemps comme ça? m'enquis-je non sans sollicitude.

– Non, mille fois non! Et à ma place vous en eussiez fait tout autant.

– Je ne sais pas trop! fis-je par esprit de taquinerie et aussi pour pousser mon interlocuteur à de plus précises confidences.

– Vous auriez agi, riposta le gros petit bonhomme joufflu, comme vous auriez cru devoir agir, et moi j'ai agi comme j'ai cru devoir agir. Et la preuve que j'eus raison d'agir ainsi, c'est que je m'en trouve admirablement, de cette détermination, aussi bien au point de vue physique qu'au point de vue moral... Tenez, je suis, à l'heure qu'il est, un gros petit bonhomme joufflu, n'est-ce pas?... Eh bien! l'année dernière, à la même époque, j'étais un mince petit bonhomme sec.

— Et au moral, donnez aussi une comparaison.

— Mon âme, l'année dernière, ma pauvre âme, n'était pas à prendre avec des pincettes... Aujourd'hui, on en mangerait sur la tête d'un teigneux.

— Alors, vous avez bien fait d'agir ainsi.

— Je suis heureux d'avoir l'approbation d'un homme d'esprit comme vous.

(Devant cette petite déclaration flatteuse, mais si juste, je crus un instant que le petit gros homme joufflu était au courant de ma personnalité. Légère erreur, vite reconnue.)

J'avais fini par m'intéresser aux événements passés sous silence par mon voisin. Tel le lecteur tant passionné par un feuilleton de rencontre qu'il en recherche le début sans tarder.

Mon bonhomme ne se fit pas autrement tirer l'oreille et tomba bientôt dans mon habile panneau (Pleyel).

— Dès mon arrivée à Paris, dit-il, lesté d'un joli petit patrimoine assez rondelet, je fus tout de suite remarquable par le grand nombre de mes amis et de mes maîtresses... Avez-vous jamais vu une pelletée de neige fondre sous le soleil de messidor?

— Je n'oserais l'affirmer.

— C'est fâcheux, car vous auriez ainsi une idée de la rapidité avec laquelle se volatilisèrent mes ors et mes argents au double feu de l'amour et de l'amitié. Un beau jour, mon notaire, qui est un réputé farceur, m'écrivit que j'avais encore, au sein de sa caisse, une belle pièce de 72 francs et quelque chose;

le tout à ma disposition... Voyez-vous ma tête d'ici?

– Comme si j'y étais!

– Eh bien! vous vous trompez du tout au tout, car en post-scriptum, mon joyeux tabellion m'annonçait que ma vieille horreur de tante Blanche venait de claquer m'instituant son seul héritier, pour embêter les autres. Joie de mes amis! Délire de mes maîtresses! Cette joie, ce délire me parurent provenir de mobiles louches. Était-ce bien pour moi que ces gens se réjouissaient? Serait-ce pas uniquement pour eux? Un léger examen me confirma dans la probabilité numéro deux. Et c'est alors que je pris la virile attitude dont il a été question plus haut.

– Ah! nous y voilà!

– Je fis mon compte. J'avais vingt-sept amis et dix-huit maîtresses, tous, en apparence, plus charmants, plus dévoués, plus désintéressés les uns que les autres. Dès que j'entrais quelque part : « Tiens! voilà Émile! Viens, que je t'embrasse, mon petit Mimile! Bonjour, Émile! » Et c'étaient des poignées de main, et des bécots, comme s'il en pleuvait! Je m'amusai à établir le prix de revient de ces marques d'affection : une poignée de main me revenait, l'une dans l'autre, à 2 fr. 75; un bécot, à 11 fr. 30. Ça n'a l'air de rien; mais à la fin de l'année, avec ce train de maison, on n'a même plus de quoi donner 3 francs à son facteur... Enrayons! fis-je d'une voix forte. Et à partir de ce moment, tous les jours que Dieu fit (et il en fait, le bougre! comme dit Narcisse Lebeau), je *saquai* tantôt un ami, tantôt une maîtresse.

– Et allez donc!

– Oh! je n'agissais pas à l'aveuglette. Je m'étais mis en tête de ne conserver de cette tourbe qu'un ami et qu'une amie, le meilleur et la meilleure; j'employai le procédé dit *sélection par élimination.* Vous saisissez?

– Comme un huissier.

– Chaque jour, c'était le plus fripouille de mes

109

camarades ou la plus rosse de mes bonnes amies que j'exécutais froidement... Si bien qu'au bout de quarante-trois jours je n'avais plus à mon actif qu'un bonhomme et qu'une bonne femme, mais, ces deux-là, la crème des crèmes! Un garçon fidèle, incapable d'une trahison, m'adorant, et toujours prêt à se fiche à l'eau pour moi! Une fille exquise, folle de moi, ignorante des questions d'argent : en un mot, m'aimant pour moi-même!

– Deux perles, quoi!

– Deux perles du plus pur orient! Alors je les pris avec moi, et nous vivons, tous les trois, dans ma petite propriété, comme de véritables coqs en plâtre.

– Mais au moins, votre ami s'entend-il bien avec votre petite camarade?

– Dans la perfection!... Encore pas plus tard qu'hier, je les ai trouvés couchés ensemble.

UN PEU DE MÉCANIQUE

Ah! on ne s'embête pas à l'Académie des sciences!

Je vous donne en mille à quoi ces bougres-là passent leur temps, au lieu de travailler!

D'ailleurs, lisez vous-mêmes.

J'aime autant ça, parce que vous me traiteriez encore de blagueur.

L'extrait suivant est soigneusement découpé dans le *Journal officiel* du 25 octobre, et je n'y change pas un traître mot :

ACADÉMIE DES SCIENCES

Présidence de M. Marey, vice-président

Séance du 22 octobre.

« M. Marey place sous les yeux de l'Académie une série d'images chronophotographiques (soixante à la minute) représentant les diverses positions que prend un chat lorsque, placé sur le dos, on le laisse tomber d'une hauteur de 1 m 50 sur le sol. Le chat se retourne pendant la chute et retombe sur ses quatre pattes. Comment s'effectue cette rotation? Au point de vue mécanique, quand un corps inerte tombe et qu'aucune force extérieure n'agit, il est impossible qu'il change d'orientation en route. Et cependant, un chat retombe sur ses pattes. Il est vrai que ce n'est pas un corps inerte. Cependant, M. Marey soumet le cas à ses confrères de la section de mécanique.

» M. le Commandant Guyon explique la rotation du chat par un changement du moment d'inertie dû au déplacement des membres pendant la chute.

» M. Bertrand dit : C'est peut-être cela parce que l'animal n'est pas un corps inerte, mais c'est à revoir.

» M. Marcel Deprez : il y a impossibilité mécanique à ce mouvement spontané; un corps qui tombe ne peut se retourner en chemin sans une force adjuvante. Peut-être l'intestin du chat en se déplaçant joue-t-il un rôle.

» MM. Lœwy, Maurice Lévy, Bertrand, sont d'avis que c'est le chat lui-même qui prend un point d'appui sur la main qui le lâche dans l'espace et imprime à son corps un mouvement de rotation. Il y a en jeu une force initiale.

» M. Marey : On n'en aperçoit pas trace sur les figures. Au premier temps de la chute, les positions du chat n'indiquent aucun commencement de rotation.

» M. Marcel Deprez en revient au déplacement des intestins qui crée une variation du moment d'inertie. «Est-ce que vous savez ce qui se passe dans l'intérieur de l'animal?» dit-il à M. Marey.

» On rit, et il est entendu que le problème vaut la peine d'être élucidé. Pour se mettre en garde contre une impulsion primitive du chat contre la main de l'opérateur, on prie M. Marey de recommencer l'étude chronophotographique en supprimant l'intermédiaire des mains. On attachera le chat à une ficelle que l'on coupera. Et l'on verra bien s'il retombe sur ses pattes. »

. . . .

Eh bien! et la Société protectrice des animaux!

Je n'assistais pas à cette séance, et je le regrette, car ce devait être follement cocasse de contempler tous ces vieux types se demandant gravement comment les chats font pour retomber sur leurs pattes, quand on les laisse choir de 1 m 50.

Puisque nous nous occupons de mécanique, je me permettrai de soumettre à M. Marey et autres savants une question qui relève de leur compétence.

Nos lecteurs – surtout ceux qui se trouvaient dans le train – doivent se souvenir de l'effroyable catastrophe d'Appilly.

On apprit, non sans stupeur, que l'accident était dû à une économie peut-être excessive de personnel.

Un seul, en effet, et unique pauvre bonhomme devait accomplir le total fourbi de la station.

Un seul!

Beaucoup de personnes, et vous les premiers, aviez pensé que le record de l'économie était détenu par la Compagnie du Nord.

Eh bien, pas du tout!

Il y a une gare du réseau de l'Ouest où on n'occupe même pas un homme, mais trois quarts d'homme.

Trois quarts d'homme! Vous avez bien lu.

Et n'allez pas croire à une blague plus ou moins drôle de votre serviteur. Je tiens à la disposition des incrédules (surtout si elles sont très gentilles) la pièce comptable qui m'a révélé cette vive parcimonie.

Le fait se passe à la gare de Touffreville-Criel.

La feuille qu'un de mes lecteurs m'a envoyée avec une lettre trop aimable, est intitulée :

ÉTAT DE SITUATION DU PERSONNEL

(Journée du 25 octobre à 9 h au 26 octobre à 9 h.)

Et dans une des colonnes, on lit :

MANUTENTION ET MANŒUVRES

Nombre d'hommes occupés 3/4
Dépense totale 283

283 pour 3/4 d'homme, cela fait, si je sais encore compter, pour un homme tout entier, 3 fr. 50, somme probablement trop énorme pour la caisse de la Compagnie de l'Ouest.

Quand l'Académie des sciences en aura fini avec la palpitante question du chat qui tombe (oh! n'insultez jamais un chat qui tombe!), je lui serai vivement reconnaissant d'étudier ce problème :

Quand travaillent les 3/4 d'un homme, que fait l'autre 1/4 pendant ce temps-là?

Et d'après de telles révélations, vous verrez qu'il se trouvera encore des gens pour défendre les monopoles!

PAUVRE GARÇON

OU LA VIE PAS DRÔLE

– Y a qu'à moi que ça arrive, ces machines-là!

Mon respect bien connu pour la vérité m'oblige à confirmer l'exactitude du dire de mon ami.

Véritablement, il n'y a qu'à lui que ça arrive, ces machines-là!

Des catastrophes? Non, pas des catastrophes; mais un bombardement sans cesse ni trêve de petites mistoufles comiques, pittoresques et jusqu'alors invues.

113

Il a fini par en prendre son parti, le pauvre mésaventurier, et lui-même nous conte ses plus récentes histoires avec un bon sourire ahuri, mais résigné.

— Y a qu'à moi que ça arrive, ces machines-là! conclut-il sagement.

Ça m'est toujours une bonne fortune de le rencontrer, certain que ma soif de nouveau trouvera son compte — un peu cruel, peut-être — au récit d'infortunes inédites.

— Quoi de nouveau, mon vieux? fais-je hypocritement. Toujours content?

— Content?... Tu te moques de moi, dis? Content?... Enfin, *je me fais une raison*! Et toi?

— Parfaitement heureux, merci, plus heureux même que je mérite.

— Ça ne se mérite pas, le bonheur... malheureusement!... Car ça commencerait bien à être mon tour.

— Encore embêté?

— Bien sûr!... Imagine-toi que j'ai couché au poste, lundi dernier.

— Couché au poste, toi! le plus tranquille des hommes!

— Parfaitement! Moi, le plus tranquille des hommes!... J'ai couché au poste!

— Et pour quelle cause?

— Pour cause de soûlographie.

— Pour cause de soûlographie, toi! Le plus sobre des hommes!

— Parfaitement! Moi, le plus sobre des hommes! Couché au poste!... Pour cause de soûlographie!

— Mais, enfin...

— Oh! ça n'est pas bien compliqué, va!... Lundi dernier, je rencontre rue Royale, vers six heures, Cap (Martin), le cousin du Captain. Il me fait entrer à *l'Irish Bar*, et commande un *gin-soda*. Moi, qui ai la profonde horreur de toutes ces saloperies anglo-saxonnes, je demande un simple vermout-cassis... Une heure après, j'étais couché, ivre-mort, au poste de l'Opéra.

– Ivre-mort? Avec un vermout-cassis?

– Parfaitement!... Y a qu'à moi que ça arrive, ces machines-là! Voici ce qui c'était passé : Tu sais que chez Reynolds, on sert le gin dans de grandes carafes qu'on pose devant le client... Moi, prenant ça pour de l'eau, j'ai gorgé mon vermout de ce spiritueux.

– Tu ne t'es pas aperçu en buvant?

– Si... Je me disais : Voilà un vermout-cassis qui a un drôle de goût!... Ça doit être un vermout-cassis américain!... Tu vois ça d'ici!... En sortant, je me suis mis à sauter sur les bancs du boulevard, à embrasser les bonnes femmes dans les kiosques à journaux, et à raconter aux sergots que j'avais connu Félix Faure à la tête d'une maison mal famée de Châtellerault! Tu devines bien qu'à ce train je n'ai pas moisi à l'air libre!

– Mon pauvre vieux!

– Y a qu'à moi que ça arrive, ces machines-là!... Et la semaine dernière, donc!

– Quoi encore?

– Je me commande un complet chez un petit tailleur qu'on m'avait recommandé... Un complet à carreaux épatant! J'étrenne mon costume par une pluie torrentielle, sans parapluie, bien entendu (y a qu'à moi que ça arrive, ces machines-là!). Bon! je vais me sécher à la Bibliothèque nationale, près d'un poêle. Voilà-t-il pas que mon complet, en séchant, se rétrécit, se rétrécit, au point que je semblais m'être vêtu avec le costume volé d'un petit garçon d'une douzaine d'années!

– Ça, ça peut arriver à tout le monde.

– Oui, mais ce qui ne peut arriver qu'à moi, c'est le raisonnement que m'a tenu le tailleur quand je suis allé lui faire des reproches. Comme cet industriel le prenait de haut, assurant que les *water-proofs* n'étaient pas sa spécialité et que, moi, je lui disais simplement et souriant : « Pardon, monsieur, votre marchandise a perdu, sous l'averse, environ vingt pour cent de sa superficie, il serait de toute justice que vous tinssiez compte de cet incontestable déchet », il me répondit, avec un toupet d'enfer : « Pardon, monsieur, si ma marchandise, au lieu de rétrécir, s'était allongée et élargie, seriez-vous venu de votre plein gré m'apporter une somme proportionnelle et supplémentaire ? » Qu'est-ce que tu veux objecter à ça ?

– Rien, mon pauvre ami.

– Je te le disais bien, mon vieux, y a qu'à moi que ça arrive, ces machines-là !

– Et du côté du cœur, au moins, es-tu heureux ?

– Ah ! oui, parlons-en, il est chouette, mon cœur !... Jeudi dernier, je vais dîner dans la famille Crauck, et je tombe éperdument amoureux d'Odile, l'aînée des jeunes filles...

– Je la connais, la petite Crauck (Odile), charmante !

– Éperdument amoureux ! Le lendemain, je la rencontre dans une soirée, et je lui annonce ma visite pour le lendemain. Elle semble un peu étonnée et me demande la cause de cette démarche... Tu sais comme on est bête quand on est très amoureux ?

– Je sais.

– Alors, je lui dis : « Mademoiselle, c'est que j'ai laissé quelque chose chez vous. – Quoi donc ? demande-t-elle – Mon cœur !... » Ça n'était pas, évidemment, très spirituel, mais quand on est sincère...

– Et que t'a-t-elle répondu ?

– Jamais tu ne t'en douterais, et si froidement : « Monsieur, a-t-elle dit, je n'ai pas trouvé l'objet dont vous parlez, mais ce soir, en rentrant, je dirai à la bonne de regarder... *Il est peut-être dans les balayures* ! »

– Mon pauvre garçon !

– Y a qu'à moi que ça arrive ces machines-là !

HOMMAGE A UN GÉNÉRAL FRANÇAIS

Je viens de recevoir le *Temps,* un numéro du *Temps,* vieux pour vous, ô Parisiens altérés d'actualité, mais frais encore pour le relégué que je suis en une sorte de Thébaïde lointaine et méridionale.

Vais-je lire le *Temps?*

Ma foi, non! Pourquoi lirais-je le *Temps?*

Et je jette sur les massives colonnes de cet organe crépusculaire un regard distrait.

Mais soudain mon œil s'allume et voilà qu'une vive liesse embrase mon vieux cœur.

C'est que j'ai aperçu le nom prestigieux de notre brave général Poilloüe de Saint-Mars, commandant en chef le 12e corps, à Limoges.

Il s'agit cette fois d'une circulaire de ce guerrier pittoresque sur les droits et les devoirs des gardes d'écurie.

Je commence par déclarer, très sérieusement, et sans permettre à personne d'en douter, que j'adore le général Poilloüe de Saint-Mars. Il est un des rares généraux français qui mêlent profondément aux choses du service un tout paternel souci d'humanité.

On peut dire de lui que c'est un littérateur rigolo, mais on ne saura jamais prétendre qu'il ne soit pas un brave homme.

Et puis, *littérateur rigolo,* pourquoi?

Allons, mettons qu'il soit un poète bien personnel, et nous serons dans le vrai.

Est-ce pas d'un poète exquis, ce mot : LA GUÉRITE, CET ÉCRIN DE LA SENTINELLE!

Sa sollicitude pour ses troupes amène, parfois, des épisodes réjouissants, témoin cette histoire que me contait, récemment, un officier du XIIe corps.

L'année dernière, le général Poilloüe, entre mille autres circulaires, en consacrait une aux droits et aux devoirs des *Plantons aux cuisines.*

Les plantons devaient s'occuper de ceci et de cela;

117

mais, par contre, ils avaient droit à ceci et à cela. Principalement, le cuisinier en pied devait remettre au planton, à chaque repas, une large tartine de mœlle.

Or, il arriva qu'un planton éprouvait pour la mœlle une aversion insurmontable. Mais, fort de la circulaire du général en chef, le cuisinier força l'infortuné à ingurgiter l'horrible corps gras.

Voyez-vous d'ici la scène racontée par Courteline?

Cette fois, comme je l'ai dit, il s'agit des gardes d'écurie.

Je ne puis publier intégralement cette page magistrale, mais je vais en détacher les deux phrases types, celle du brave homme et celle du poète pittoresque.

Celle du brave homme :

« *Les écuries doivent être aménagées pour le plus grand bien-être des chevaux, mais avant tout, il faut organiser dans ces écuries l'installation confortable des soldats chargés de les surveiller et dont l'existence est plus précieuse que celle de tous les animaux réunis.* »

Bravo, mon général, et très chic!

Combien différent ce langage de celui que tint (*historique*) un colonel de chasseurs, lors des dernières manœuvres :

Un médecin du régiment avait obtenu une permission de quarante-huit heures. Fort de cet exemple, un vétérinaire demanda audit colonel la même faveur qu'on lui refusa avec un entrain non dissimulé.

Et sur l'insistance du vétérinaire :

– Pardon, riposta le colonel, un médecin, ça, on peut toujours s'en passer; tandis qu'un vétérinaire!...

Pour clore cette série d'exercices, lisons, relisons, méditons, et apprenons par cœur cette phrase, dans la même circulaire du général Poilloüe qui fera tressaillir d'aise en sa tombe notre vieux Buffon :

« *Les chevaux sont intelligents et observateurs.
Quand ils voient leurs gardes d'écurie déguenillés et
grelottants, ils savent que les coups vont pleuvoir sur
leur dos et que leurs pauvres couvertures vont leur
être dérobées par ceux-là mêmes qui ont mission de
les soigner. Ils sont craintifs, ne se reposent pas,
dépérissent et maudissent avec raison le numéro de
leur régiment.* »

Ah! si l'esprit militaire disparaît, même de l'âme
des chevaux!

Pauvre France!

L'ANTIFILTRE DU CAPTAIN CAP

OU
UN NOUVEAU MOYEN DE TRAITER LES MICROBES
COMME ILS LE MÉRITENT

– Y aurait-il indiscrétion, mon cher Cap, à vous
demander en quoi consiste le paquet que vous tenez
sous le bras?

– Nullement, cher ami, nullement.

Et avec une complaisance digne des temps cheva-
leresques, Cap déballa son petit paquet et m'en
présenta le contenu, un objet cylindrique, composé
de cristal et de nickel, recélant quelques détails
assez ténébreux.

– Que pensez-vous que ce soit? interrogea Cap.

– Ça, c'est un filtre dans le genre du filtre
Pasteur.

– Bravo! s'écria Cap, vous avez deviné! vous
avez parfaitement deviné, à part ce léger détail,
toutefois, qu'au lieu d'être un filtre, cet objet est un
antifiltre.

Une vive stupeur muette se peignit sur ma face,
et c'est à grand'peine que je pus articuler :

– Un antifiltre, Cap! Un antifiltre!

– Oui, répondit froidement le Captain, un anti-filtre.

– Qu'ès aco?

– Oh! mon Dieu, c'est bien simple! Grâce à cet appareil, vous pouvez immédiatement muer l'onde la plus pure en un liquide jaunâtre et saturé de microbes. Vous voyez d'ici les avantages de mon ustensile?

– Je les vois, Cap, mais je ne les distingue pas bien.

– Enfant que vous êtes! Vous croyez à l'antisep-sie?

– Dame!

– Et à l'aseptie?

– Dame aussi!

– Pauvre niais! Vous êtes de la force du major Heitner, lequel ne considère potable que l'eau d'abord transformée en glace, puis longuement bouillie dans une marmite autoclave, cela dans l'espoir que tous les microbes disponibles seront morts d'un chaud et froid.

– D'un froid et chaud, vous voulez plutôt dire, Captain?

– Tiens, c'est vrai, je n'y avais point songé. Ce major Heitner est encore plus inconséquent que je ne croyais.

Et pour chasser la mauvaise impression de l'in-conséquence excessive du major, nous pénétrâmes, Cap et moi, dans un de ces petits *americans bars,* qui sont le plus bel ornement de la baie de Ville-franche.

Cap reprit :

– La guerre stupide que l'homme fait aux micro-bes va, d'ici peu de temps, coûter cher à l'humanité.

– Dieu nous garde, Cap!

– On tue les microbes, c'est vrai, mais on ne les tue pas tous! Et comment appelez-vous ceux qui résistent?

– Je ne les appelle pas, Cap; ils viennent bien tout seuls.

– Ah! vous ne les appelez pas? Eh bien moi, je les appelle de *rudes lapins!* Ceux-là sortent de leurs épreuves plus vigoureux qu'avant et terriblement trempés pour la lutte. Dans la bataille pour la vie, les individus qui ne succombent pas gagnent un entraînement et une vigueur qu'ils transmettent à leur espèce. Gare à nous, bientôt!

– A genoux, Cap, et prions!

– Laissons la prière aux enfants et aux femmes. Nous autres, hommes, colletons-nous avec la vérité. Voici ma théorie relative aux microbes : au lieu de combattre ces petits êtres, endormons-les dans l'oisiveté et le bien-être. Offrons-leur des milieux de culture favorables et charmants. Que notre corps devienne la Capoue de ces Annibaux microscopiques.

– Très drôle ça, Cap, les *Annibaux microscopiques!*

– Alors, qu'arrivera-t-il? Les microbes s'habitueront à cette fausse sécurité. Ils pulluleront à l'envi; mais plus ils seront nombreux, moins ils seront dangereux. Bientôt, ils tomberont en pleine dégénérescence...

– Et Max Nordau fera un livre sur eux. Ce sera très rigolo.

– Hein! Que dites-vous de ma théorie?

– Épatante, Cap! Paix à tous les microbes de bonne volonté! Et, pour commencer la mise en pratique de votre idée, les microbes aiment-ils l'*irish whiskey cocktail?*

– Ils l'adorent, Alphonse, n'en doutez point!

– Alors, garçon, deux *irish whiskey cocktails!* Et préparez-nous-les, *carefully,* vous savez?

– Et *largefully,* ajouta le Captain Cap avec son bon sourire.

Si, vraiment, les microbes adorent les boissons américaines, ce fut une bonne journée pour eux.

PATRIOTISME ÉCONOMIQUE

Lettre à Paul Déroulède

Mon cher Paul,

Vous permettez, n'est-ce pas, que je vous appelle *Mon cher Paul,* bien que je n'aie jamais eu l'honneur de vous être présenté, pas plus que vous n'eûtes l'avantage de faire ma connaissance?

Je vous ai rencontré plusieurs fois, drapé d'espérance (laissez-moi poétiser ainsi votre longue redingote verte). Les pans de cette redingote claquaient au vent, tel un drapeau, et vous me plûtes.

Et puis, qu'importent les présentations? Entre certaines natures, on se comprend tout de suite; on essuie une larme furtive, on réprime un geste d'espérance et on s'appelle *Mon cher Paul.*

Comme vous, mon cher Paul, je n'ai rien oublié. Comme vous, je ronge le frein de l'espoir.

J'ai les yeux constamment tournés vers l'Est, au point que cela est très ennuyeux quand je dîne en ville.

Si la maîtresse de maison n'a pas eu la bonne idée de me donner une place exposée à l'Est, je me sens extrêmement gêné.

Passe encore si la place est au Nord ou au Midi; j'en suis quitte pour diriger mes yeux à droite ou à gauche.

Mais quand on me place en plein Ouest, me voilà contraint de regarder derrière moi, comme si mes voisins me dégoûtaient!

Ah! c'est une virile attitude que d'avoir les yeux tournés vers l'Est, mais c'est bien gênant, des fois!

Enfin, et pour que vous n'ayez aucun doute à mon égard, j'ajouterai que, selon les prescription du grand Patriote, je n'EN parle jamais, mais j'Y pense toujours.

Cela posé, entrons dans le vif de la question.

Vous devez bien comprendre, mon cher Paul, qu'avec le caractère ci-dessus décrit, j'ai la plus vive impatience de voir Français et Allemands se ruer, s'étriper, s'égueuler comme il sied à la dignité nationale de deux grands peuples voisins.

Il n'y a qu'une chose qui m'embête dans la guerre, c'est sa cherté vraiment incroyable.

On n'a pas idée des milliards dépensés depuis vingt-cinq ans, à nourrir, à armer, à équiper les militaires, à construire des casernes, à blinder des forts, à brûler des poudres avec ou sans fumée.

Tenez, moi qui vous parle, j'ai vu dernièrement, à Toulon, un canon de marine dont chaque coup représente la modique somme de 1.800 fr. (*dix-huit cents francs*). Il faut que le peuple français soit un miché bougrement sérieux pour se payer de pareils coups.

Vous l'avouerai-je, mon cher Paul, ces dépenses me déchirent le cœur.

Pauvre France, j'aimerais tant la voir riche et victorieuse à la fois!

Et l'idée m'est venue d'utiliser la science moderne pour faire la guerre dans des conditions plus économiques.

Pourquoi employer la poudre sans fumée qui coûte un prix fou, quand on a le microbe pour rien?

Intelligent comme je vous sais, vous avez déjà compris.

On licencierait l'armée, on ferait des casinos dans les casernes, on vendrait les canons à la ferraille. On liquiderait, quoi!

Au lieu de tout cet attirail coûteux, et tumultueux, on s'installerait discrètement de petits laboratoires, où l'on cultiverait les microbes les plus virulents, les plus pathogènes, dans des milieux appropriés.

A nous les bacilles virgule, à nous les microbes point d'exclamation, sans oublier les spirilles de la fièvre récurrente!

Et allez donc!... Le jour où l'Allemagne nous embêtera, au lieu de lui déclarer la guerre, on lui déclarera le choléra, ou la variole, ou toutes ces maladies à la fois.

Le ministère de la guerre sera remplacé, bien entendu, par le ministère des maladies infectieuses.

Comme ce sera simple! Des gens sûrs se répandront sur tous les points de la nation abhorrée et distribueront, aux meilleurs endroits, le contenu de leurs tubes.

Ce procédé, mon cher Paul, a l'avantage de s'adresser à toutes les classes de la société, à tous les âges, à tous les sexes.

L'ancienne guerre était une bonne chose, mais un peu spéciale, malheureusement : car on n'avait l'occasion que de tuer des hommes de vingt à quarante-cinq ans.

Les gens à qui cela suffit sont de bien étranges patriotes.

Moi, je hais les Allemands; mais je les hais tous, tous, tous!

Je hais la petite Bavaroise de huit mois et demi, le centenaire Poméranien, la vieille dame de Francfort-sur-le-Mein et le galopin de Kœnigsberg.

Avec mon système, tous y passeront. Quel rêve!

Voyez-vous enfin les chères sœurs reconquises?

Peut-être que, grâce à mes microbes, les chères sœurs seront dénudées de leurs habitants?

Quimporte! Le résultat important sera obtenu : On n'EN parlera jamais et on n'Y pensera plus!

Enchanté, mon cher Paul, d'avoir fait votre connaissance, et bien du mieux chez vous.

POSITION INGÉNIEUSE

Que le correspondant dont je publie ici la lettre ne s'y trompe pas une minute! Je sais parfaitement quelle personnalité cache sa modeste signature.

Mais aussi, qu'il se rassure! je ne la dévoilerai point, cette personnalité.

Détenteur d'une haute situation dans l'État (on peut dire, sans crainte d'être taxé d'exagération, qu'il est chef de service), mon correspondant ne relève pas, comme on dit, du domaine de la petite bière.

Sa lettre est l'aimable délassement d'un esprit d'élite et digne, en tous points, du poste important qu'on lui a confié.

Le sort que je fais à sa fantaisie pourra peut-être la déterminer à – si la conversation vient à tomber là-dessus – m'offrir un bureau de tabac ou deux.

Ce que j'en dis, c'est pour les amis, car je ne fume pas, et, ne répondant jamais aux lettres que je reçois, les timbres-poste m'indiffèrent.

« Monsieur le rédacteur,

» Vous êtes certainement un des hommes les plus remarquables de ce temps. Vos articles sont des lumières.

» C'est ce qui m'incite à vous soumettre une idée qui m'est venue et dont je souhaiterais que vous vous fissiez l'ardent zélateur.

» N'êtes-vous pas frappé comme moi – oui, n'est-ce pas? – du profond discrédit dans lequel est tombée la croix de commandeur de la Légion d'honneur?

» Ce discrédit, je voudrais le voir disparaître.

» Comment? En attachant à cette haute distinction une faveur qui la rendrait plus désirable.

» Je voudrais qu'une loi intervînt aux termes de laquelle tout haut dignitaire de la Légion d'honneur ne pourrait plus jamais être cocu.

» Entendons-nous, les femmes de ces dignitaires pourraient continuer de brancher l'os frontal de leur époux; *mais cela ne compterait pas.*

» Qui pourrait faire obstacle à ma proposition?

Assurément pas les femmes de ces derniers. Elles recouvreraient ainsi plus de liberté pour donner cours aux élans de leur cœur et faire un plus grand nombre d'heureux. Quant aux maris, puisque la loi les déclarerait indemnes, ils auraient la double satisfaction de faire plaisir à leurs femmes, et de trouver là, avec un surcroît d'honneur, un surcroît de profits.

» Car d'où leur viendrait, je vous prie, le scrupule qui arrête encore un petit nombre d'entre eux à tirer des charmes de leurs épouses de nouvelles ressources, toujours les bienvenues dans tous les ménages, quels qu'ils soient?

» Comme la question économique prime tout aujourd'hui, j'ai tenu à prendre l'avis des deux représentants les plus autorisés des écoles actuellement aux prises.

» M. Leroy-Beaulieu craint qu'une pareille loi ne nous attire encore des représailles de l'étranger.

» M. Doumergue, à qui j'ai confié les craintes de son éminent adversaire, m'a répondu textuellement :

» Les représailles de l'étranger? Je m'en f...! Mais, comme dans tout pays civilisé il faut, pour la bonne tenue des statistiques, qu'il y ait une moyenne de cocus déterminée, assez imposante pour que nous ne soyons pas dans une situation inférieure vis-à-vis des autres nations, je vous conseillerais de compléter votre proposition en disant que, pour parfaire les manquants, le titre de cocu serait attribué d'office à tous les membres de l'Académie des sciences morales et politiques, et, si cela ne suffit pas, à tous les membres de la Société d'économie politique. »

» Comme j'ai infiniment plus de confiance dans le porte-parole de M. Méline que dans le représentant des vieilles doctrines économiques, j'incline à croire que M. Leroy-Beaulieu est hanté de craintes déraisonnablement chimériques.

» Ce qui me courbe à cette conclusion, c'est que

126

toutes les hautes personnalités politiques et sociales consultées par moi approuvent chaudement ma proposition. Le moindre avantage qu'elles y trouvent, c'est d'augmenter les joies du foyer et le bien-être national, ce à quoi tous les bons esprits doivent tendre et s'employer.

» Mais voilà! Tant vaut l'homme qui lance une idée, tant vaut cette idée; et, dans toute la presse, je ne vois que vous de capable de donner à la mienne assez de relief et d'autorité pour l'imposer à l'attention d'un Parlement qui a tant de votes inutiles à se faire pardonner.

» Veuillez agréer, Monsieur et cher Maître, l'expression de mes sentiments les plus cordialement formulés.

» FÉLIX. »

Et voilà!

Merci, mon vieux Félix, et à la revoyure!

(Plaisanterie d'un ordre plutôt intime, étant donné le rang social de mon correspondant.)

SIX HISTOIRES DANS LE MÊME CORNET

OU
TOUJOURS LE SOURIRE SUR LES LÈVRES

Mœurs américaines.

Dans le parc de *Rouse's point*. Le soir, assez tard. On entend au loin les accords entraînants de *Washington Post*.

(Washington Post est une *new dance* qui fera fureur à Paris cet hiver, vous pouvez m'en croire. Pour s'en procurer la musique avec les instructions, s'adresser à mon vieux camarade Whaley Royce, 158, Yonge street, Toronto. Les personnes qui

voudraient éviter les frais de poste, toujours coûteux, peuvent aller se procurer elles-mêmes ce morceau. En ce cas, ne pas quitter Toronto sans jeter un coup d'œil sur les chutes du Niagara, un assez curieux phénomène naturel situé non loin de là.)

Fermons la parenthèse.

— Et vous, miss, vous ne dansez pas, ce soir?

— Non, pas ce soir.

— Pourquoi cela, miss?

— Parce que j'ai des chaussettes et pas de pantalon.

— Quelle blague!

— Voyez plutôt, répondit-elle en souriant.

Toulouse-Lautrec, le jeune peintre bien connu, a prêté un pantalon à M. Pascalis, le monarchiste célèbre, momentanément gêné.

Bien que le sol fût totalement anhydre et Phœbus aveuglant, Pascalis a relevé le bas du pantalon.

— Pourquoi? fis-je.

— Pour qu'on ne s'aperçoive pas qu'il est trop court, répondit-il en souriant.

Sa femme est gentille comme tout et, pourtant, il la trompe avec une grande bringue d'Anglaise, miss Aline, pas jolie pour un sou, mais dont le nom seul indique assez l'irréductible tendance à la luxure et à la sensualité.

(Miss Aline pourrait arborer la devise de sa vieille homonyme romaine, *Lassata non satiata,* en supprimant, toutefois, *lassata,* car, au contraire, *ça* la repose, elle.)

Il a pu découcher, l'autre jour (*l'autre nuit* serait plus exact, mais le temps me manque pour rectifier.)

Sous le fallacieux prétexte qu'il est vélocipédiste territorial, il a prétendu devoir assister à une manœuvre de nuit du côté de Vaujours, blague infecte dans laquelle sa pauvre petite femme a coupé comme dans du beurre.

Inutile de révéler en quoi consistèrent ces manœuvres de nuit dont la rue Bernoulli fut le théâtre. (Elle en a vu bien d'autres, la rue Bernoulli.)

Et, au retour, la petite femme :

– Ça s'est bien passé?

– On ne peut mieux.

– Ton pneu ne s'est pas dégonflé?

– Si, huit fois! répondit-il en souriant.

*

Lune de miel.

– Dis-moi, ma chérie, à quel moment t'es-tu aperçue, pour la première fois, que tu m'aimais?

– C'est quand je me suis sentie toute chagrine chaque fois qu'on te traitait d'idiot devant moi, répondit-elle en souriant.

*

Autre lune de miel.

Lui, ardent et tendre.

Elle, bébête.

ELLE. – Alors, c'est bien vrai? Son petit Jujules aime bien sa petite Nini?

– LUI. – Mais oui, je t'aime bien!

– Beaucoup, beaucoup?

– Beaucoup, beaucoup!

– Encore plus beaucoup que ça?

– Encore plus beaucoup que ça!

– Alors, comme quoi qu'il l'aime, sa petite Nini?

– Comme un carme! répondit-il en souriant.

Parisienne à bord.

Après un flirt assez écourté, elle a consenti à le venir voir en sa cabine,

— Tiens, vous ne tirez pas le rideau sur votre hublot?

— A quoi bon! Ce hublot donne sur la mer immense. Nous sommes à pas mal de milles de la plus prochaine terre. Dieu seul nous voit et ce ne serait pas un pauvre petit rideau qui arrêterait le regard du Tout-Puissant.

Après cette tirade, il enlaça la jeune personne. Mais elle:

— Non, je vous en prie, tirez le rideau.

— Pourquoi?

— Quelquefois qu'il passerait des canotiers! répondit-elle en souriant.

LE FERRAGE DES CHEVAUX

DANS LES PAMPAS D'AUSTRALIE
(Si tant est qu'il soit des pampas en Australie)

— Et vous, Cap, qu'est-ce que vous pensez de tout ça?

— Tout ça... quoi?

— Tout ça, tout ça...

— Ah oui, tout ça! Eh bien, je ne pense qu'une chose, une seule!

— Laquelle?

— Oh! rien.

Le dialogue dura longtemps sur ce ton. Moi, je me sentais un peu déprimé, cependant que le d'habitude vaillant Captain Cap était totalement aboli.

Cap bâilla, s'étira comme un grand chat fatigué,

et je devinai tout de suite ce qu'il allait me proposer : l'inévitable *corpse reviver* en quelque bar saxon du voisinage. Je répondis par ces deux monosyllabes froidement émises :

– Non, Cap!

Cap aurait reçu sur la tête tout le Mont-Valérien lancé d'une main sûre, qu'il ne se serait pas plus formellement écroulé.

– Comment, bégaya-t-il, avez-vous dit?

– J'ai dit : *Non, Cap.*

– Alors, je ne comprends plus.

– C'est pourtant bien simple, Cap. Désormais, la débauche, sous quelque forme qu'elle se présente, me cause une indicible horreur. J'ai trouvé mon chemin de Damas. Plus d'excès! A nous, la norme! Vivons à même la nature! Or, la nature ne comporte ni breuvages fermentés, ni spiritueux. Si on n'avait pas inventé l'alcool, mon cher Captain, on n'aurait pas été contraint d'imaginer la douche.

Ce pauvre Cap m'affligeait positivement. Ces propos le déconcertaient tant, émis par moi!

De désespoir, il crut à une plaisanterie.

– Non, Cap, vraiment! insistai-je de pied ferme. Pauvre Cap!

Je perçus qu'il éprouva la sensation *froide et noire* que lui échappait un camarade.

Rassurez-vous, Cap! Si vous évade le camarade, l'ami vous demeure et pour jamais, car, *moi,* j'ai su voir derrière la soi-disant inextricable barrière de votre extériorisation le cœur d'or pur qui frissonne en vous.

Et, timidement, Cap reprit :

– Vous n'avez rien à faire cet après-midi?

– Rien jusqu'à six heures.

– Qu'est-ce que vous diriez qu'on aille faire un tour jusqu'au tourne-bride de la Celle-Saint-Cloud?

– Pourquoi non?

Cap et moi, nous avons tout un passé dans ce tourne-bride.

Que de fois le petit vin clair et tout léger qu'on y dégustait trancha drôlement et gaiement sur les redoutables *American drinks* de la veille!

Comme c'est loin, tout ça! et à jamais parti! Et tant mieux!

Il régnait tout le froid sec désirable pour une excursion dans les environs Ouest de Paris.

Notre petit tricycle à pétrole de la maison X... (*case à louer*) roulait crânement sur la route.

Nous avions à peine franchi les fortifications qu'au cours de je ne sais quelle causerie, le Captain Cap crut devoir comparer son gosier à une râpe, à une râpe digne de ce nom.

J'eus pitié.

Le caboulot où nous stoppâmes s'avoisinait d'une ferrante maréchalerie.

Des odeurs de corne brûlée nous venaient aux narines, et nos tympans s'affligeaient des trop proches et trop vacarmeuses enclumes.

Il y avait trop longtemps que Cap n'avait piétiné l'Europe. Je le laissai dire:

— Il faut vraiment venir dans ce sale pays pour voir ferrer les chevaux aussi ridiculement.

— Vous connaissez d'autres moyens, vous, Cap?

— D'autres moyens?... Mille autres moyens, plus expéditifs, plus pratiques et plus élégants.

— Entre autres?

— Entre autres, celui-ci, couramment employé dans les prairies du centre d'Australie, quand il s'agit de ferrer des chevaux sauvages, des chevaux tellement sauvages qu'il est impossible de les approcher.

— Vous avez vu ferrer des chevaux à distance?

— Mais, mon pauvre ami, c'est là un jeu d'enfant.

— Je ne suis pas curieux, mais...

— Rien de moins compliqué pourtant. Les maréchaux-ferrants de ce pays se servent d'un petit canon à tir rapide (assez semblable au canon Canet dont on devrait bien armer plus vite notre flotte, entre parenthèses). Au lieu d'un obus, ces armes sont chargées de fers à cheval garnis de leurs clous. Avec un peu d'entraînement, quelque application, un coup d'œil sûr, c'est simple comme bonjour. Vous attendez que le cheval galope dans votre axe et vous montre les talons, si j'ose m'exprimer ainsi... A ce moment, pan, pan, pan, pan! vous tirez vos quatre coups, si j'ose encore m'exprimer ainsi, et voilà votre *mustang* ferré. Alors, il est tellement épaté, ce pauvre animal, qu'il se laisse approcher aussi facilement que le ferait un gigot de mouton aux haricots.

. . . .

Pauvre Cap! Dire que je ne le verrai plus qu'à des intervalles séculaires!

A MONSIEUR OUSQUÉMONT-HYATT

A GAND

Votre lettre, cher monsieur, m'a touché aux larmes, dirais-je, si je ne craignais de me faire railler par mes sceptiques lecteurs et mes gausseuses lectrices.

Et puis, je mentirais en parlant de mes larmes. Votre lettre m'a fait plaisir, bien plaisir, et c'est encore très gentil.

Vous avez la bonté de vous informer de mes travaux, de mes amours, de mes espoirs.

Les Confessions d'un enfant du cycle vont-elles bientôt paraître? demandez-vous.

Et ma fameuse *Légende des cycles,* à quand sa mise en vente? Entre parenthèses, j'ai ajouté à cette publication le sous-titre suivant, à la portée des plus humbles méninges : *ou le Vélo à travers les âges.*

Car le vélo, cher monsieur, n'est pas d'invention aussi récente que vous semblez le croire.

Des morceaux de silex me tombèrent sous la main dernièrement qui sont les fragments de vélocipèdes préhistoriques.

Sans remonter si haut, le *tandem,* ce fameux *tandem* dont vous faites votre Dieu, était une machine courante (*courante* est le mot) à l'époque de la vieille Rome.

Une des marques les plus appréciées alors était le *Quousque tandem* dont se servait, à l'exclusion de tout autre, l'équipe des frères Catilina.

Quand Cicéron (voyez la première *Catilinaire*) avait parlé du *Quousque tandem aux Catilina,* il avait tout dit.

Et il ajoutait, ce Marcus Tullius, *abutere patientia nostra,* ce qui signifiait : Est-ce que l'équipe des frères Catilina ne nous fichera pas bientôt la paix avec leur dangereux *Quousque tandem?*

Allusion transparente au *recordium* Roma-Tusculum établi, la veille, par les frères Catilina, *recordium* fertile en accidents de toute sorte : écrasement d'un *puer* en train d'abiger *muscas,* le cheval effrayé d'un vieux *magister equitum,* fraîchement débarqué des guerres puniques, etc., etc.

(De ces frères Catilina, l'histoire a conservé le nom d'un seul, Lucien, que les courtisanes appelaient familièrement *Lulu.*)

Cicéron, d'ailleurs, se couvrit de ridicule dans cette affaire. Il y mêla des noms qui n'avaient rien à y voir. *O Tempora! O Mores!*

Le marquis de Morès – est-il nécessaire de l'ajouter? – ne connaissait même pas Catilina de vue.

Le plus comique, c'est que Cicéron invectivait ainsi le *Quousque tandem* des frères Catilina... en hémicycle, lequel, ainsi que l'indique son nom, était une sorte de vélocipède composé de la moitié d'une roue. (Comme ça devait être commode de rouler là-dessus!)

Je travaille également à la reconstitution du

célèbre *Podâsocus Akilleus*, d'Homère, et je compte bien démontrer que si cet *Akilleus* était, à ce point, *podâsocus*, c'est qu'il avait une bonne bécane entre les jambes.

De là, je remonterai aux ailes, dont la mythologie grecque affublait les pieds de Mercure.

Ce sera un jeu d'enfant pour moi d'établir que ces ailes sont la représentation symbolique de la *pédale*.

Rude tâche, monsieur, que de dissiper ces brumes!

J'y travaille sans relâche, ne m'interrompant que pour prier.

Au revoir, cher Ousquémont-Hyatt, et bon appétit.

Si vous avez l'heur de rencontrer, par les rues de Gand, notre excellent Maurice Maeterlinck, décochez-lui, de ma part, mille marques d'estime et de cordialité.

LES ARBRES QUI ONT PEUR
DES MOUTONS

Du ponant, du couchant, du septentrion, du midi, du zénith et du nadir m'adviennent mille sanglants reproches pour le lâche abandon que j'ai commis envers la question si poignante de ces pèlerins passionnés que sont les végétaux.

Certes, quand Mirbeau écrivit l'histoire de son *Concombre fugitif,* il n'espérait point faire couler tant d'encre, susciter d'indomptables correspondances, inquiéter tant d'âmes frétillantes.

Et de toutes parts me pleuvent des communications touchant la sensibilité, l'ambulativité des plantes et la part réellement psychique qu'elles prennent à la vie.

Dans le lot des aimables lecteurs (et aussi lectrices) qui s'intéressent à la question, se trouvent d'agréables fantaisistes, d'effrénés convaincus et d'autres plus difficiles à classer.

Un lieutenant d'infanterie qui signe Guy de Surlaligne (très probablement un pseudonyme) m'affirme que dans les environs de sa garnison, à Tulle, pousse une espèce de violette, à laquelle on peut, sans sourciller, attribuer le record de la modestie.

« Vous cueillez, assure ce militaire, un bouquet de violettes, vous le posez sur une feuille de papier blanc, et vous vous reculez en fixant indiscrètement les pauvres fleurettes.

» Aussitôt, et de lui-même, le bouquet s'enroule dans le papier blanc, comme ferait un mort dans son linceul, et aussi rapidement (car on sait que les morts vont vite).

» Si vous avez laissé quelques épingles à la portée du bouquet, ces menus ustensiles se trouvent immédiatement attirés et fichés dans le papier, comme pompés par la force vive de l'incoercible pudeur. »

Quelle leçon pour les jeunes filles américaines qui se trouvaient cet été à Burlington !

A la Faculté de droit de Paris, immeuble qui ne passe certainement pas pour le refuge des rigolades fin de siècle, fut, le mois dernier, abordée la question des forêts baladeuses.

M. Ducrocq, le très aimable professeur de droit administratif, proféra ces paroles textuelles :

« A cette époque, messieurs (vers 1872, 1873), les forêts nationales se sont promenées de ministère en ministère, de l'Agriculture aux Finances, des Finances à l'Agriculture, etc., etc. ».

Hein, mon vieux Shakespeare, les voilà bien les forêts qui marchent, les voilà bien !

Sans nous arrêter à la légitime stupeur du flâneur rencontrant la forêt de Compiègne dans la rue de Rivoli, passons à une troisième communication qui ne fut pas sans me bouleverser :

« Il y a des arbres, m'écrit M. le vicomte de Maleyssie, notamment les bouleaux et les chênes, qui éprouvent un trac abominable quand passe, non loin d'eux, un troupeau de moutons. Et cette frayeur se traduit par un retrait immédiat de la sève dans l'arbre, au point qu'il n'est plus possible de détacher l'écorce de l'aubier. »

Un peu, ce me semble, comme lorsque nous éprouvons un sentiment de constriction à la gorge.

Et, à l'appui de son dire, M. le vicomte de Maleyssie m'adresse des documents, dont quelques-uns assez précieux ; entre autres, le numéro d'avril 1833 du *Cultivateur*.

A la page 210 de ce vieil organe, je trouve le récit suivant dû à la plume du grand-père même de M. de Maleyssie :

« Des ouvriers étaient employés à écorcer des chênes sur l'un des penchants d'un coteau situé entre deux vallées, dans la propriété que j'habite. Le temps était très favorable à ce genre de travail ; aussi avançait-il assez vite, lorsque peu à peu il devint moins aisé. L'écorce ne se souleva plus qu'avec peine, et bientôt il fut impossible de l'enlever autrement que par petits morceaux.

» Les ouvriers, n'ayant aperçu aucune variation dans l'état de l'atmosphère, attribuèrent unanimement ce phénomène au voisinage de quelque troupeau de moutons.

» En effet, j'avais donné l'ordre au berger d'amener le sien sur le revers du coteau où travaillaient les ouvriers.

» Cela bien constaté, je fis retirer les moutons, et à mesure qu'ils s'éloignaient, le pelage des arbres devenait plus aisé. Néanmoins, la sève, pendant toute la journée, ne reprit pas sa circulation avec la même activité qu'auparavant.

» Cette expérience, répétée deux années de suite, a produit le même effet. »

Les *Annales de la Société d'Horticulture de Paris*

(tome XII, page 322) s'occupent également de cet étrange phénomène et citent un cas analogue constaté dans les pépinières royales de Versailles en 1817.

L'auteur de la communication conclut ainsi :

« Quoique je sois très porté à chercher une explication, bonne ou mauvaise, à tous les phénomènes de la végétation, je ne suis jamais arrivé à expliquer celui-là. C'est sans doute le plus délicat de tous ceux que nous offrent les végétaux. M. de Candolle n'en a rien dit dans sa *Physiologie générale.* »

Vous pensez bien que si M. de Candolle n'a rien trouvé à dire sur cette question, ce n'est pas un pauvre petit gas comme moi qui éclairera les masses botanisantes.

Seulement, je pense que si le roseau apprenait la frousse énorme qu'un simple mouton peut infliger à

Celui de qui la tête au ciel était voisine
Et dont les pieds touchaient à l'empire des morts,

il rirait bien, le souple et charmant roseau.

PHÉNOMÈNE NATUREL
DES PLUS CURIEUX

Les commentaires que j'ai publiés, naguère, relatifs à une saisissante chronique de Mirbeau, où il était question d'un vieux jardinier qui jouait du piston pour embêter son hibiscus, et de concombres qui s'enfuyaient dès qu'on les appelait, m'ont valu mille communications diverses et des plus intéressantes, émanant d'horticulteurs et grands propriétaires fonciers.

Le cas d'un arbuste musicophobe et celui d'un

potiron vadrouilleur sont loin, paraît-il, d'être des cas isolés.

Impossible, malheureusement, de citer tous ceux que me communiquent mes aimables correspondants.

Je n'en veux retenir qu'un seul dont je fus témoin.

J'avais reçu, la semaine dernière, un mot de M. Edmond Deschaumes, m'invitant à me rendre compte, par moi-même, d'un fait insignalé jusqu'alors par les botanistes.

« *C'est surtout le lundi matin que mon expérience réussit le mieux*, ajoutait Deschaumes; *viens donc dès dimanche, dans l'après-midi, tu pourras ainsi assister à l'évolution complète du phénomène.* »

Je n'eus garde de manquer à cette piquante invitation.

Edmond Deschaumes est un de mes plus vieux camarades du quartier Latin. Il fonda même en ces parages une revue littéraire où j'abritai mes jeunes essais. Tout ça ne nous rajeunit pas, mon vieux Deschaumes!

Sans être *palatiale*, comme disent les Américains, la résidence, à Marly-le-Roi, de M. Deschaumes est vaste, bien aérée et lotie de tout l'appareil du confort moderne.

Pour l'instant, nous n'avons à nous occuper que du jardin.

Dès mon arrivée, Deschaumes me mena devant un magnifique *antirrhinum* ou *muflier* couvert de fleurs.

La fleur de l'*antirrhinum* se nomme vulgairement *gueule de loup*, chacun sait ça.

Or, Deschaumes se mit à arroser son *antirrhinum* avec des mélanges d'absinthe, de bitter, de vermout, etc.

Après quoi, ce fut avec des bouteilles de vin, et même des litres.

Puis ensuite, après notre dîner, du cognac, de la chartreuse, etc.

Enfin, et jusqu'à assez tard dans la nuit, avec des canettes de bière.

Après quoi, nous allâmes vers nos couches goûter un repos que nous n'avions point dérobé.

Le lendemain, dès l'aube (chef-lieu Troyes), tous nous étions réunis devant l'*antirrhinum*.

Et nous constatons, ô miracle! que les gueules de loup étaient devenues des gueules de bois.

A telle enseigne que M. Jules Bois lui-même s'y serait trompé.

A BORD DE LA TOURAINE

(BLOCK-NOTES)

Samedi, 9 juin. – Le pilote qui a sorti la *Touraine* du port du Havre s'appelle Ravaut. C'est un grand et fort gaillard comme ses tumultueux homonymes de Paris. Un moment, j'ai eu peur qu'à leur image, il ne cherchât à nous faire une bonne blague, en nous collant, par exemple, sur le banc d'Amphard.

(Les frères Ravaut – je donne ce détail pour les gens de Winnipeg – sont des drilles dont le sport favori est d'ahurir la clientèle paisible des établissements publics ou autres.)

Par bonheur, il n'en fut rien.

Nous sommes sortis triomphalement des jetées du Havre, très garnies de gens agitant les mouchoirs d'adieu. A toute vitesse, nous avons gagné le large. Derrière nous, les côtes se sont enfoncées dans l'horizon.

Cette nuit, nous allons apercevoir les feux du Cap Lizard et d'Aurigny. Et puis, bonsoir la terre! On n'en verra plus que dans huit jours, là-bas, en Amérique.

... Nous dînons à la table du docteur, lequel me

paraît être un joyeux thérapeute prenant la vie par le bon bout. Excellente idée de nous avoir placés, mes amis et moi, à la table de ce gai praticien flottant.

Longitude : 12° 58'.
Latitude : 49° 39'.

Dimanche, 10 juin. – Mon *home, sweet home,* consiste en la cabine 72, sise à l'avant et à tribord. Je l'occupe sans compagnon – chouette! – et sans compagne – hélas! – avec un bon petit hublot pour moi seul.

A propos de hublot, il y a, à la table voisine de la nôtre, un amour de toute petite fille qui n'arrive pas à se faire une raison de ce qu'une table à manger aussi fastueuse prenne jour par de si exiguës ouvertures. Au déjeuner, elle s'est écriée d'un gros air chagrin tout à fait comique :

– *Dis donc, maman, comme i sont pêti, les fenêtes, ici!*

Cette petite fille s'appelle, d'ailleurs, Marguerite.

... On a eu du gros temps, aujourd'hui. Beaucoup de dames ne sont points sorties de leurs cabines. D'autres, sur le pont, jonchent leur fauteuil long, telles des loques.

On n'a pas eu beaucoup le temps de faire connaissance. Ça ne va pas tarder, je pense, et tant mieux, car quelques très jolies jeunes filles américaines n'apparaissent point comme d'une grande faroucherie.

Marche du navire, 419 milles.

Longitude : 24° 14'.
Latitude : 48° 56'.

Lundi, 11 juin. – J'ai gagné la poule sur la marche du navire. Voici comment on procède : On est dix gentlemen qui mettent chacun un louis et qui s'affublent, chacun par voie de tirage au sort, d'un numéro différent, de 0 à 9. Celui qui a le numéro qui correspond au chiffre des unités du nombre de milles parcourus dans les vingt-quatre heures a gagné la poule. Un exemple pour les esprits obtus : J'avais le numéro 3, et le navire a fait 443 milles. C'est donc moi qui ai gagné les dix louis. Inutile d'ajouter que cette somme s'est rapidement volatilisée dans la fumée d'un succulent petit extra-dry qu'ils ont à bord.

... On a encore pas mal roulé et tangué aujourd'hui. La majorité des dames demeure à l'état loquoïdal.

... Un vieux monsieur très bien me demande ce que je vais faire en Amérique. Comme, en somme, je n'ai pas l'ombre d'une parole raisonnable à dire, je lui réponds, d'un air détaché, que je vais me livrer à la culture en grand du topinambour dans le Haut-Labrador. Le vieux monsieur me répond qu'avec du travail et de la conduite, on arrive à tout, dans n'importe quelle partie.

Longitude : 35° 16'.
Latitude : 47° 29'.

Mardi, 12 juin. – Du beau temps, ce matin. Plus de roulis, ni de tangage, mais de la gîte à tribord, énormément, au moins vingt degrés (j'entends par ces mots que le plan du pont faisait avec l'horizon un angle d'au moins vingt degrés). Très commode, la gîte à tribord. Précisément, il y avait des asperges à l'huile et au vinaigre. L'inclinaison des tables nous évita la peine de caler notre assiette pour que notre sauce se réfugiât dans un coin (si tant qu'il soit un coin aux circulaires assiettes).

Quand je serai décidé à faire construire mon petit cottage, je prierai Henri Guillaume, mon architecte ordinaire, de donner à ma salle à manger vingt degrés de gîte à tribord, rapport aux sauces.

Marche du navire : 445 milles.

C'est l'ami Berthier qui a gagné la poule.

Longitude : 45° 44'.
Latitude : 44° 41'.

Mercredi, 13 juin. – Ce Berthier, dont je parlais hier, est le plus distrait garçon du globe. Depuis notre départ du Havre, nous ne cessons de lui faire le même genre de plaisanteries, dans lesquelles il coupe sempiternellement :

– Berthier, on te demande au téléphone!

Ou bien :

– Berthier, le chasseur de Perroncel a remis une lettre pour toi à la caisse!

Sursautant de son rêve, l'infortuné Berthier cherche à s'orienter dans la direction du téléphone ou de la « caisse ».

... Le vieux monsieur très bien, à qui j'ai conté mon histoire de culture de topinambours dans le Haut-Labrador, commence à devenir très rasant. Il s'intéresse prodigieusement trop à mes faux projets et ne rate pas une occasion de me procurer des tuyaux sur ma future industrie. J'étais, ce soir, sur le pont, en grande conversation avec la toute charmante Miss Maud Victoria P..., quand il est venu me quérir en grande hâte pour me présenter à un passager, dont la seconde femme a un gendre qui va se remarier avec une jeune veuve du Labrador, et très susceptible, par conséquent (le passager), de me donner des renseignements de la plus haute importance sur l'agriculture en ces parages.

C'est bien fait pour moi. Ça m'apprendra à faire des blagues!

Marche du navire : 472 milles. C'est M. Deering qui a gagné la poule.

Longitude : 56° 10'.
Latitude : 42° 23'.

Jeudi, 14 juin. – C'est généralement le jeudi que je choisis pour, selon le cas, l'éloge ou le blâme à distribuer aux officiers des bâtiments sur lesquels je vogue.

Aujourd'hui, de l'éloge seulement :

A notre commandant, l'excellent capitaine Santelli, un marin consommé, doublé d'un homme du monde, très épris de toutes les choses d'art et d'esprit.

Au capitaine en second Masclet, un rude loup de mer, fertile en anecdotes dont quelques-unes n'hésiteraient pas à se faire adopter par le Captain Cap lui-même.

Au comissaire, M. Treyvoux, l'urbanité et la courtoisie personnifiées.

Au docteur Marion (deux fois nommé), à la table duquel les natures les plus moroses ne sauraient s'embêter une seule seconde.

Un conseil : si vous allez en Amérique par la *Touraine,* sans femmes, tâchez d'être à la table du docteur Marion : je dis *sans femmes,* parce qu'avec ce bougre-là...

Marche du navire : 487 milles. C'est Paul Fabre, le fils du très sympathique commissaire général du Canada à Paris, qui a gagné la poule.

Longitude : 66° 50'.
Latitude : 40° 57'.

Vendredi, 15 juin. – Je suis détenteur d'une montre en acier oxydé qui, depuis le jour de son acquisition par moi, a mis une touchante obstination (complexion naturelle, atavisme, tendance acquise? sais-je?) à retarder de cinquante minutes par jour.

Or, ce retard correspond précisément à notre changement journalier de longitude, en sorte que mon chronomètre (que j'ai fichtre bien payé vingt-cinq francs), parti du Havre avec l'heure du Havre, va arriver à New York avec l'heure de New York.

Très fier de ce phénomène, j'en ai fait part au plus grand nombre, expliquant la chose à ma manière.

Des doutes se sont élevés dans l'entourage, relativement à la véracité de ce fait. On m'accusait de régler ma montre moi-même. J'ai dû, pour démontrer ma parfaite bonne foi, remettre l'objet ès mains de M. Mac Lane, qui n'est pas un blagueur, lui, ayant représenté les États-Unis en France. La montre fut séquestrée durant vingt-quatre heures et sortit triomphale de l'épreuve.

Miss Olga Smith (la plus belle passagère, de même que M. Dyer est le plus joli homme du bord) m'a demandé :

– Alors, quand vous reviendrez en Europe, cette montre retardera de cinquante minutes par jour ?

– Comme de juste, ai-je répondu froidement.

Et tout le monde m'a demandé l'adresse du fabricant.

... On ne voit pas encore les côtes, mais nous avons néanmoins pris contact avec la libre Amérique.

Vers six heures, ce soir, une jolie petite goélette nous a accostés, déposant à notre bord un bon vieux pilote, porteur d'une de ces bonnes vieilles physionomies, comme on n'en rencontre que sur les timbres-poste des United States.

J'ai demandé au capitaine Masclet :

– Est-ce que vous ne pourriez pas vous passer de pilote ?

Masclet a éclaté de rire, à cette idée qu'un pilote pouvait servir à quelque chose, et il m'a raconté quà l'un de leurs derniers voyages, le pilote s'était tellement soûlé avec les passagers, qu'il se croyait dans le golfe de Guinée.

Marche du navire : 502 milles. C'est M. Ernest Debièvre, l'artilleur bien connu, qui a gagné la poule.

En rade de New-York.

Samedi, 16 juin. – La brume de ce matin s'est dissipée. Nous apercevons les côtes. De grands voiliers nous croisent à chaque instant. Dans deux heures, nous serons amarrés au wharf.

On aperçoit, sur le pont de la *Touraine,* quantité de gens qu'on n'avait pas aperçus pendant la traversée.

D'étranges pirogues nous ont-elles apporté, cette nuit, ces mystérieux voyageurs, ou bien, plus simple explication, ces pauvres gens seraient-ils restés dans leur cabine pendant ces sept jours?

... Un vieux Canadien, fort brave homme d'ailleurs, se vantait l'autre jour de n'avoir jamais de sa vie prononcé un seul mot d'anglais. Il a une façon de nationaliser les inévitables expressions albionesques qui m'amuse beaucoup.

Il vient de me donner ce conseil :

– Puisque vous ne faites que passer à New York, ne donnez pas vos bagages à visiter à la douane. Faites-les envoyer *en bonde.*

En bonde, traduction libre du *in bond* anglais (en transit).

... Nous débarquons.

Ce soir, nous roulons dans les pires débauches à New York, et, demain matin, en route pour Montréal.

GOSSERIES

Eh! non, je ne m'étais pas trompé! C'était bien mon jeune ami Pierre et sa maman qui remontaient l'avenue de Wagram.

Pierre avait passé son bras dans le bras de sa mère, et il semblait, plutôt que son fils, être le petit amoureux de sa petite maman.

Il racontait sûrement une histoire très cocasse, car je les voyais rire tous deux, tels de menus déments.

Je les rejoignis, et mon jeune ami Pierre voulut bien me mettre au courant.

– Tu sais bien, la femme de chambre à maman! Elle s'appelle Laure.

– J'ignorais ce détail.

– Il y a bien d'autres choses que tu ignores, mais ça ne fait rien : elle s'appelle Laure tout de même... Alors, comme on dit toujours : *l'or est une chimère*, ce matin, je l'ai appelée *Chimère* : « Ohé! *Chimère*, apportez-moi mes bottines jaunes! » Ce qu'elle est entrée dans une rogne, mon vieux!

– Eh bien! mais... je ne trouve pas ça très drôle.

– Attends donc un peu. Le plus rigolo dans tout ça, c'est qu'elle croit que *chimère* c'est un vilain mot, tu comprends?... Rougis, pas, maman? Alors elle m'a menacé de le dire à papa, si je recommence... Tu penses si je vais me gêner.

– Et ton papa, que te dira-t-il?

– Papa? Il ne me dira rien, pardine! Qu'est-ce que tu veux qu'il me dise pour appeler la femme de chambre *chimère*?

– Il ne te dit jamais rien, ton père?

– Oh! si, des fois... Ainsi, l'autre jour, il m'a appelé polichinelle, idiot, crétin, imbécile.

– Et toi, que dis-tu pendant ce temps-là?

– Moi? je ne dis rien... j'attends qu'il ait fini... Un jour qu'il me traitait de polichinelle, j'ai haussé les épaules; il m'a fichu une gifle, mon vieux, que la peau en fumait encore deux heures après!

– Mon pauvre ami!

– Oui, mais je sais bien ce que je ferai. Tiens, je donnerais bien dix sous pour être déjà un grand type, pour être en *philo*, par exemple.

– Et que feras-tu, quand tu seras en *philo*?

– Ce que je ferai? Eh ben! voilà ce que je ferai : un jour que papa me traitera de polichinelle, etc., je ne dirai rien, je n'aurai l'air de rien, seulement.. *(Pierre se tord.)*

– Seulement?

– Seulement, je lui enverrai mes témoins.

– Tu enverras des témoins à ton père?

– Parfaitement! j'irai trouver deux copains de ma classe, deux copains sérieux... Tu sais, en *philo*, il y a des types qui ont de la barbe. Alors, ils s'amèneront chez papa, en redingote, et ils lui diront gravement... *(Pierre se retord.)*

– Ils lui diront?

– Ils lui diront : « Monsieur, nous venons de la part de monsieur votre fils vous demander rétractation des injures *que vous lui avez proférées,* ou une réparation par les armes. »

– Eh bien! à la bonne heure. Tu n'y vas pas de main morte, toi!

– Crois-tu qu'il en fera une bobine, papa?

– Je vois ça d'ici.

– Il sera plutôt un peu épaté, hein?

– Plutôt.

Nous échangeâmes encore quelques menus propos et je pris congé de mon jeune ami Pierre et de sa petite maman.

Quelques pas plus loin, je me retournai et je les vis tous deux pâmés de joie à la seule idée de cette excellente plaisanterie qui aura lieu dans sept ou huit ans.

L'OISEUSE CORRESPONDANCE

Du flot montant de ma quotidienne correspondance, j'écume les suivantes communications tendant à démontrer que le record de la candeur est plus imbattable qu'on ne saurait croire.

J'ai adopté, pour la reproduction des susdites, la manière monomorphe, afin d'épargner quelque fatigue au lecteur surmené. (Depuis longtemps, j'ai remarqué que la semaine de Pâques surmène le lecteur plus qu'il ne convient.)

Première lettre :

« Cher monsieur,

» Permettrez-vous à un de vos nombreux lecteurs et admirateurs de vous founir un sujet pour l'un de vos prochains articles?

» Voici :

» Il s'agit d'un jeune commis israélite, nommé Caen, qui entre dans la maison Duseigneur *(confections en tous genres)*.

» Il fait l'affaire du patron qui l'associe, et de la fille du patron qu'il épouse.

» Aussitôt, il devient gros comme le bras M. Caen-Duseigneur.

» Dieu bénit leur union, et une petite fille arrive qu'on dénomme Rachel.

» Et, alors cette petite fille s'appelle Rachel Caen-Duseigneur.

» Vous le voyez, cher monsieur, ce thème est un peu mince, mais avec votre esprit et votre fantaisie, vous ne pouvez manquer d'en faire un de ces petits chefs-d'œuvre dont vous êtes coutumier.

» Agréez, etc.

» L'AUMÔNIER DE LA TOUR EIFFEL. »

Deuxième lettre :

« Cher monsieur,

» Permettrez-vous à deux de vos nombreux lecteurs et admirateurs de vous fournir un sujet pour l'un de vos prochains articles?

» Voici :

» Il s'agit de deux messieurs qui voyagent sur le rapide de Paris au Havre : un petit monsieur malingre et menu, un gros individu robuste et corpulent.

» Pour tuer le temps, le gros individu robuste et corpulent pose des devinettes au petit monsieur malingre et menu.

» Malgré mille efforts, ce dernier n'arrive pas, et finalement :

» – Voyons, fait-il timidement, *mettez-moi sur la voie.*

» Le gros individu ne fait ni une, ni deux, et, prenant au pied de la lettre la proposition du petit monsieur, il le jette par la portière, sur les rails, brutalement.

» Vous le voyez, cher monsieur, ce thème est un peu mince, mais avec votre esprit et votre fantaisie, vous ne pouvez manquer d'en faire un de ces petits chefs-d'œuvre dont vous êtes coutumier.

» Agréez, etc.

» SINON EVERO ET BEN TROVATO. »

Troisième lettre :

« Cher monsieur,

» Permettrez-vous à un de vos nombreux lecteurs et admirateurs de vous fournir un sujet pour l'un de vos prochains articles?

» Voici :

» Il s'agit de jeunes gens qui arrivent au café.

» Ils commandent deux verres de chartreuse.

» De la jaune ou de la verte? demande le garçon.

» De la violette! répond froidement l'un des jeunes gens.

» – De la violette! s'effare le garçon. Mais il n'y a pas de chartreuse violette!

» – Eh bien! et la *chartreuse de Parme,* donc?

» Le garçon arbore une tête qui montre combien embryonnaire est son stendhalisme!

» Vous le voyez, cher monsieur, ce thème est un peu mince, mais avec votre esprit et votre fantaisie, vous ne pouvez manquer d'en faire un de ces petits chefs-d'œuvre dont vous êtes coutumier.

» Agréez, etc.

» UN LECTEUR QUI TROUVE ÉNORMÉMENT
» DE CHIC A GOT. »

Quatrième lettre :

« Cher monsieur,

» Permettez-vous à une de vos nombreuses lectrices et admiratrices de vous fournir un sujet pour l'un de vos prochains articles?

» Voici :

» Il s'agit d'un jeune homme dont les trois seuls vrais frissons dans la vie consistent :

» 1º En une invétérée passion pour sa bonne amie qu'on appelle Tonton;

» 2º En un culte fervent pour l'œuvre de M. Taine dont il possède, au meilleur de sa bibliothèque, tous les ouvrages;

» 3º En un attachement presque maternel pour un jeune thon qu'il élève dans un aquarium avec des soins touchants.

» Or, un jour, ce jeune homme est forcé de s'absenter pendant quelques semaines pour *(... trop long).*

» Quand il revient, un de ses amis l'attend à la gare, avec des yeux de funérailles.

» – Mon pauvre vieux, dit cet homme triste, tu vas trouver ta maison bien vide...

» – Pourquoi donc?

» – Gustave a profité de ton absence pour s'introduire chez toi et t'enlever Tonton, ton Taine et ton thon.

» Vous le voyez, cher monsieur, le thème est un peu mince, mais avec votre esprit et votre fantaisie, vous ne pouvez manquer d'en faire un de ces petits chefs-d'œuvre dont vous êtes coutumier.

» Agréez, etc.

» UNE GARDEUSE DE HANNETONS. »

Je passe sous silence, entre autres correspondances, une lettre roulant entièrement sur les localités de la banlieue de Paris, et dans laquelle on se demande, non sans angoisses, ce que les *bougies valent.* « D'ailleurs, ajoute mon correspondant, est-on bien fixé sur la question de savoir si *Levallois paierait...* » Charmant, n'est-ce pas?

Dans un autre ordre d'idées, j'ai également reçu une lettre de M. Pierre Louÿs, un jeune littérateur de beaucoup de talent, qui veut bien m'informer du brevet qu'il vient de prendre pour se garantir la propriété de sa nouvelle invention, *le Tabac sans fumée.*

La chose vaut la peine qu'on en reparle.

J'y reviendrai, comme dit Sarcey, dans une de mes prochaines causeries.

L'INTERVIEW FALLACIEUSE

Le roi Humbert fait son malin, depuis quelques jours, parce qu'il fut interviewé par notre camarade Calmette.

Il faut pourtant bien qu'il se dise qu'il n'est pas le seul à avoir été interviewé par Calmette ou par un autre, par un autre surtout.

Moi, c'est par un autre que j'ai été interviewé, pas plus tard qu'hier soir, sur le coup de cinq heures et demie ou six heures, à la terrasse du café Julien, où je dégustais un de ces bons petits apéritifs qui vous coupent l'appétit comme avec un rasoir.

Le jeune homme (c'était un jeune homme) s'approcha de moi, le chapeau (un chapeau haut de forme) à la main et de la politesse plein les yeux (des yeux gris-bleu).

Les présentations faites, je le priai de s'asseoir, m'enquis de ce qu'il *prenait,* commandai ledit breuvage au garçon (un excelent garçon que nous appelons Montauban, parce qu'il est de Dunkerque), et nous causâmes.

Après avoir abordé différents sujets dont la sèche nomenclature indifférerait le lecteur :

– Je crois me souvenir, cher maître, dit le jeune homme, que M. Antoine, le directeur du Théâtre-Libre, avait annoncé, dans les spectacles à jouer cet hiver, une pièce de vous en collaboration avec M. Raoul Ponchon et intitulée *la Table.*

– Le fait est parfaitement exact, mais la pièce ne pourra passer qu'au cours de la saison prochaine.

– Pas finie, probablement?

– Si, elle est finie, mais avant de la livrer, nous avons besoin de nous mettre d'accord.

– Avec M. Antoine, peut-être?

– Oh! non, nous sommes du dernier bien avec M. Antoine. Nous avons besoin de nous mettre d'accord, M. Raoul Ponchon et moi.

– Question de droits d'auteurs?

– Non pas! Nous sommes parfaitement d'accord, M. Raoul Ponchon et moi, sur cette question. M. Raoul Ponchon entend toucher la totalité des droits, et c'est aussi ma prétention de toucher tout. Vous voyez que, sur ce point, nous ne différons pas sensiblement.

– Mais alors?

– Voici : notre pièce comporte deux personnages, Victor et Gustave. Nous nous partageâmes la besogne : M. Raoul Ponchon écrivait le rôle de Victor et moi le rôle de Gustave. Malheureusement, nous ne songeâmes point, avant de nous mettre à l'ouvrage, à nous entendre sur le choix du sujet, de sorte que notre pièce, telle qu'elle est, présente de rares qualités d'incohérence qui semblent la désigner au théâtre national de la Ville-Evrard.

– Oh! comme c'est curieux, ce que vous racontez là!

– Attendez, ce n'est pas tout. M. Raoul Ponchon s'était dit : « M. Alphonse Allais a l'habitude d'écrire en prose, je vais donc écrire le rôle de Victor en prose. » Moi, de mon côté, je n'avais pas manqué de me faire cette réflexion : « M. Raoul Ponchon parle la langue des dieux aussi bien que si c'était la sienne propre *(as well as if it is his own);* il ne manquera de la faire parler à son héros, faisons de même. » Et je mis dans la bouche de Gustave mes plus lapidaires alexandrins. Il se trouva donc que nous nous étions trompés tous les deux. D'où mille remaniements à opérer, portant sur le fond de notre œuvre et aussi sur sa forme.

Le petit reporter crut comprendre que notre entrevue avait assez longtemps duré. Il tira de sa poche une pièce de 2 francs, dont il frappa, à coups saccadés, le marbre de la table, dans le but évident d'appeler, sur lui, l'attention du garçon et de lui verser le montant de son vermout.

Je le conjurai de n'en rien faire.

— C'est ma tournée, ajoutai-je en souriant finement.

MAUVAIS VERNIS

— Comment, vous saluez ce type-là? me demanda le personnage sérieux qui m'accompagnait.

— Mais parfaitement! Je salue ce type-là, qui est un de nos bons amis.

— Eh bien! vous n'avez pas la trouille!

(La *trouille* sera l'objet, sur l'instigation d'un de nos lecteurs, d'une prochaine causerie.)

— La trouille! Pourquoi aurais-je la trouille? Ce type-là, comme vous le traitez un peu dédaigneusement, est mon camarade Henry Bryois, que je connus au quartier Latin, où nous faisions partie de la vacarmeuse jeunesse des Écoles, voilà une belle pièce de quinze ans.

— Ce type-là, je vais vous dire qui c'est.

Et après un léger silence, assez analogue au recul de l'acrobate pour mieux sauter, le personnage sérieux ajouta:

— Ce type-là, c'est un individu payé par l'Angleterre pour jeter un mauvais vernis sur les hautes sphères diplomatiques françaises!

– Allons donc! m'atterrai-je.

– C'est comme je vous le dis.

Et je demeurai là, fou d'épouvante et muet d'horreur.

Au jour d'aujourd'hui, comme dit ma femme de ménage, l'homme ne doit s'effrayer de rien, même des pires délations... Mais Bryois, mon vieux Bryois, à la solde de l'Angleterre! Proh pudor lui-même s'en serait voilé la face!

... C'est avec Bryois que, jadis, nous organisâmes, rue Cujas, une grande représentation au bénéfice des rimes pauvres du poète X...

Encore avec Bryois, nous fondâmes la *Société protectrice des minéraux,* en vue d'assurer une petite situation aux cailloux, lesquels, ainsi que chacun sait, sont malheureux comme les pierres.

Toujours avec Bryois, nous menâmes à bien le fameux concours de circonstances qui se tint, bien entendu, dans le champ des Conjectures, et avec, on s'en souvient, quel éclat!

Renier un tel passé pour un peu d'or anglais! Shame!

Et devant ma stupeur, le personnage sérieux semblait se gargariser encore des derniers glouglous de sa révélation.

– Alors vraiment, me cramponnai-je, Bryois est payé par l'Angleterre...

– ... Pour jeter un mauvais vernis...

– ... Sur les hautes sphères...

– ... Diplomatiques...

– ... Françaises... Ah, la crapule!

Sur mon geste pourtant de vague dénégation, le personnage sérieux insista :

– Demain, trouvez-vous, à neuf heures, au *Horse-Shoe,* près de la gare du Nord, et vous serez fixé sur la complexion de votre ami.

Je n'eus garde de manquer un tel rendez-vous.

Muni d'une fausse barbe et d'un manteau couleur

muraille, à l'heure et à l'endroit indiqués, je dégustais un soigneux *John Collins*.

Un couple pénétra.

Je reconnus tout de suite les étranges personnages dont il me fut donné l'occasion de causer naguère :

Miss Jane Dark et Henry Katt.

Puis, peu après, l'incriminé Bryois.

Tous les trois, ils eurent une conversation de fantômes en un grand parc solitaire et glacé.

Et Bryois sortit.

Nous le suivîmes.

Il se dirigea vers l'enclos bien parisien où gît la douane de la gare du Nord.

Familièrement et comme d'habitude, il tendit un petit papier, une menue somme convenue d'avance; alors, un employé lui délivra une bonbonne jaugeant deux ou trois gallons et dont l'étiquette portait ces mots : *English Bad Varnish* (mauvais vernis anglais).

Deux heures après, nous étions quai d'Orsay, au ministère des Affaires étrangères.

A la suite de Bryois (qui ne s'en doutait guère), nous gravissions des degrés sans nombre et nous arrivions jusqu'en un vaste hall, situé sous les combles, entièrement garni d'assez gros ballons à tendances ambassadrices.

– Les voilà bien, nos hautes sphères diplomatiques! ricana le personnage sérieux.

Cependant Bryois, se croyant seul, aspergeait, grâce à une sorte de vaporisateur, le contenu de sa dame-jeanne sur les ballons tricolores.

Quand nous redescendîmes, mon ancien camarade du quartier Latin était attablé à je ne sais quelle terrasse de marchand de vins, sur le quai, en compagnie de Jane Dark et de Henry Katt qui le gorgeaient d'or.

Je ne crus point devoir saluer ces gens.

LA QUESTION DES OURS BLANCS DEVANT LE CAPTAIN CAP

Il faudrait le crayon de Callot, doublé de la plume de Pierre Maël, pour donner une faible idée de l'émotion qui nous étreignit tous deux, le Captain Cap et moi, en nous retrouvant, après ces trois longs mois de séparation.

Nos mains s'abattirent l'une dans l'autre, mutuel étau, et demeurèrent enserrées longtemps. Nous avions peine à contenir nos larmes.

Cap rompit le silence, et sa première phrase fut pour me plaindre de revenir en cette bureaucrateuse et méphitique Europe, surtout dans cette burlesque France où, selon la forte parole du Captain, *il est interdit d'être soi-même.*

Cap parlait, parlait autant pour cacher sa très réelle émotion que pour exprimer, en verbes définitifs, ses légitimes revendications.

C'est ainsi que nous arrivâmes tout doucement devant *l'Australian Wine Store,* de l'avenue d'Eylau; là, où il y a une petite patronne qui ressemble à un gros et frais baby anglais.

Notre émotion devait avoir laissé des traces visibles sur notre physionomie, car le garçon du bar nous prépara, sans qu'il fût besoin de lui en intimer l'ordre, deux *corpse reviver,* breuvage qui s'indiqua de lui-même en ces circonstances.

Un gentleman se trouvait déjà installé au bar devant une copieuse rasade d'*irish wiskey,* arrosé d'un tout petit peu d'eau.

(L'*irish wiskey* avec trop d'eau n'a presque plus de goût.)

Cap connaissait ce gentleman : il me le présenta :

– Monsieur le baron Labitte de Montripier.

J'adore les différentes relations de Cap. Presque toujours, avec elles, j'éprouve une sensation de pittoresque, rarement trouvée ailleurs.

Je dois à Cap la connaissance du chef de musique du *Goubet*, de l'aumônier de la Tour Eiffel, d'un fabricant de trombones à coulisse en osier, etc.

Le baron Labitte de Montripier est digne à tous points de vue de figurer dans une collection aussi flatteuse.

Le baron vient, paraît-il, de prendre un brevet sur lequel il compte édifier une fortune princière.

Grâce à des procédés tenus secrets jusqu'à présent, le baron a réussi à enlever au caoutchouc cette élasticité qui le fait impropre à tant d'usages. Au besoin, il le rend fragile comme du verre. Où l'industrie moderne s'arrêtera-t-elle, mon Dieu? Où s'arrêtera-t-elle?

Quand nous eûmes épuisé la question du caoutchouc cassant, la conversation roula sur le tapis de l'hygiène.

Le baron contempla notre *corpse reviver* et fit cette réflexion, qui projeta Cap dans une soudaine et sombre ire :

— Vous savez, Captain, c'est très mauvais pour l'estomac, de boire tant de glace que ça.

— Mauvais pour l'estomac, la glace? Mais vous êtes ivre-mort, baron, ou dénué de tout sens moral, pour avancer une telle absurdité, aussi blasphématoire qu'irrationnelle!

— Mais...

— Mais... rien du tout! Connaissez-vous dans la nature un animal aussi bien portant que l'ours blanc des régions polaires?

— ???

— Non, n'est-ce pas, vous n'en connaissez pas? Eh bien, croyez-vous que l'ours blanc s'abreuve trois fois par jour de thé bouillant?... Du thé bouillant sur les banquises? Mais vous êtes fou, mon cher baron!

— Pardon, Captain, je n'ai jamais dit...

— Et vous avez bien fait, car vous seriez la risée de tous les gens de bon sens. Les ours blancs des régions polaires ne boivent que de l'eau frappée et ils s'en trouvent admirablement, puisque leur robustesse est passée à l'état de légende. Ne dit-on point : *Fort comme un ours blanc?*

– Évidemment.

– Et, puisque nous en sommes sur cette question des ours blancs, voulez-vous me permettre, mon cher Allais, et vous aussi, mon cher Labitte de Montripier, de vous révéler un fait d'autant moins connu des naturalistes que je n'en ai encore fait part à personne?

– C'est une bonne fortune pour nous, Captain, et un honneur.

– Savez-vous pourquoi les ours blancs sont blancs?

– Dam!

– Les ours blancs sont blancs parce que ce sont de vieux ours.

– Mais pourtant, les jeunes?

– Il n'y a pas de jeunes ours blancs! Tous les ours blancs sont de vieux ours, comme les hommes qui ont les cheveux blancs sont de vieux hommes.

– Êtes-vous bien sûr, Captain?

– Je l'ai expérimenté moi-même. L'ours, en général, est un plantigrade extrêmement avisé et fort entendu pour tout ce qui concerne l'hygiène et la santé. Dès qu'un ours quelconque, brun, noir, gris, se sent vieillir, dès qu'il aperçoit dans sa fourrure les premiers poils blancs, oh! alors, il ne fait ni une, ni deux : il file dans la direction du Nord, sachant parfaitement qu'il n'y a qu'un procédé pour allonger ses jours, c'est l'eau frappée. Vous entendez bien, Montripier, l'eau frappée!

– C'est très curieux, ce que vous me contez là, Captain.

– Et cela est si vrai, qu'on ne rencontre jamais de vieux ours, ou des squelettes d'ours dans aucun pays du monde. Vous êtes-vous parfois promené dans les Pyrénées?

– Assez souvent.

– Eh bien! la main sur la conscience, avez-vous

jamais rencontré un vieux ours ou un cadavre d'ours sur votre chemin?

– Jamais.

– Ah! vous voyez bien. Tous les ours viennent vieillir et mourir doucement dans les régions arctiques.

– De sorte qu'on aurait droit d'appeler ce pays *l'arctique* de la mort.

– Montripier, vous êtes très... bête! On pourrait élever une objection à ma théorie de l'ours blanc : c'est la forme de ces animaux, différente de celle des autres ours.

– Ah! oui.

– Cette objection n'en est pas une. L'ours blanc ne prend cette forme allongée que grâce à son régime exclusivement ichtyophagique.

A ce moment, Cap affecta une attitude si triomphale, que nous tînmes pour parole d'Évangile cette dernière assertion, d'une logique pourtant peu aveuglante.

Et nous reprîmes un autre *corpse reviver*, avec énormément de glace dedans, pour nous assurer une vieillesse vigoureuse.

NOUVEAU SYSTÈME DE PÉDAGOGIE PAR VOIE SIMULTANÉMENT OPTIQUE ET PHONÉTIQUE

Le record de la paresse ingénieuse (pour champions âgés de moins de sept ans) peut se vanter d'être détenu par mon jeune et nouvel ami Alfred, plus connu sous le nom de Freddy, et même, simplement, de Fred.

Voyez plutôt cette performance :

MOI. – Pourquoi, mon petit Fred, te coupes-tu les ongles avant de te laver les mains?

FRED. – Parce que... je vais te dire... toutes ces petites rognures que j'enlève... eh bien...

MOI. – Eh bien?

FRED. – Eh bien... c'est autant de moins à nettoyer!

Fred apporte un égal parti pris de non-effort aux choses de l'éducation.

Bien qu'il commence déjà à être grand garçon, il ne *connaissait* pas encore ses lettres, voilà quinze jours.

Sa sœur aînée, qui s'est chargée de ce début d'éducation, dissimulait mal ses déboires et son imminente désespérance.

La pauvre jeune fille avait épuisé tous les moyens pédagogiques connus jusqu'à ce jour. En vain!

Sa dernière tentative consistait en un alphabet merveilleusement illustré dans lequel chaque lettre coïncidait avec une image.

La lettre L, par exemple, était au coin d'une petite vignette représentant un lapin.

Cet aimable système n'a pu prévaloir contre l'incoercible indolence du jeune Fred.

– Quelle est cette lettre?

– Q.

– Pourquoi Q?

– Parce que c'est un *curé* dans l'image.

– Non, ce n'est pas un curé; c'est un prêtre, et la lettre est un P.

– Ah! zut, alors! Un curé, un prêtre... Comment qu'tu veux que je m'y reconnaisse?

– D'ailleurs, alors même que l'image représenterait un curé, la lettre serait un C, et non pas un Q.

– Pourquoi ça?

– Parce que le mot *curé* commence par un C.

– Ah ben, zut! Si le mot *curé* commence par un C, qu'est-ce qui commencera par un Q alors?... Tiens, veux-tu que je te dise?... Si tu continues à m'embêter avec ces histoires-là, je sens que je vais attraper la scarlatine!

– Mets-y encore un peu de patience, mon chéri. Quelle est cette lettre?

– Un B.

– Pourquoi un B, puisque l'image représente un *vélocipède?* C'est un V.

– C'est grand-mère qu'appelle ça un *vélocipède.* Moi, j'appelle ça une *bicyclette.*

Devant l'impuissance notoire de l'album éducateur, et géniale par nécessité, la sœur de Fred imagina de composer, elle-même, un autre album où, selon l'esthétique de Fred, l'oreille jouât un rôle équivalent à celui de l'œil, où, par exemple, le mot *curé* répondît à la lettre Q.

La photographie, comme dans la plupart des industries modernes, vint apporter son précieux appoint à cette entreprise.

Et bientôt, on put assister à ce triomphe :

– Quelle est cette lettre, Fred?

Fred contemple la photo, reconnaît sa petite amie Emma, et répond sans hésiter :

– C'est un M?

– Très bien, Fred! Et celle-là?

Fred reconnaît sa petite amie Ernestine et répond, tout joyeux :

– C'est un R!

Car l'album est surtout composé d'intantanés de petites filles du pays, pour lesquelles le jeune Fred nourrit déjà une jolie passion d'amateur.

L'album ne s'est pas fait seul, bien entendu.

– Pour certaines lettres, il y a du tirage.

Et, même, on a dû monter le coup à ce pauvre Fred, par exemple pour l'F, pour l'N.

Pour l'F, on lui a désigné une petite fille inconnue comme la propre fille de M. Eiffel, le touriste bien connu. Il apprit ainsi du même coup l'F, et l'L.

Pour l'N, on a abusé du nom de M. Hennessy, et ainsi de suite.

La notion de l'X a été inculquée à Fred, grâce au portrait d'une petite fille voilée. Ce fut l'occasion d'ouvrir la jeune âme de notre héros au frisson de l'inconnu.

Et comme le comique se mêle toujours aux

drames les plus lugubres, le W fut révélé à Fred par
la photographie de la petite fille de la dame qui tient
les *Water-Closet*.

PROPOSITION D'UN MALIN POLONAIS

M. Maurice Curnonsky, un jeune fantaisiste qui
commence à se faire une place au soleil de la
Littérature Souriante et qui publie de très vraiment
réussies chroniques dans le *Chat-Noir* (un journal
dont je fus le directeur, au temps où ma situation
dans le monde m'autorisait encore à tremper dans
la confection des petits canards; comme c'est loin,
tout ça!), m'adresse une lettre dont l'intégrale publication me paraît imposée par la plus élémentaire
humanité.

Seulement, voulez-vous faire un pari avec moi?

Je gage que l'idée – si simple, pourtant, et si
pratique du jeune Curnonsky – sera en pleine
application chez les Anglais et les Américains,
cependant que nous autres, fourneaux de Français,
en serons encore à ricaner bêtement.

Parlez, mon petit Maurice, et soyez poli :

« Mon cher Maître,

» Tous ceux qui portent des chemises, et s'hono-
rent d'être vos humbles admirateurs, s'accordent à
reconnaître qu'un de vos plus grands titres de gloire
aux yeux d'une postérité enthousiaste sera d'avoir
continué la tradition de ces immortels génies auxquels rien d'humain ne reste étranger.

» Comme celle de Victor Hugo, votre âme.

» Mise au centre de tout comme un écho sonore,

a vibré au diapason de tous les sentiments généreux,
et Pascal eût salué en vous un de *ceux qui cherchent
en gémissant*.

163

» Je suis donc sûr que vous serez heureux et fier de me prêter le concours de votre immense tribune pour révéler à la France la solution d'un des grands problèmes qui intéressent l'humanité : je veux parler de *la suppression des tempêtes.*

» Quelque temps après Renan, vous êtes né *au bord d'une mer sombre, hérissée de rochers, toujours battue par les orages,* et vous avez pu constater la fâcheuse influence des tempêtes sur la mortalité des navigateurs. Vous savez combien de marins, combien de capitaines, qui sont partis joyeux pour des courses lointaines, dans le morne horizon se sont évanouis, et vous n'hésiteriez pas à offrir une absinthe-grenadine au monsieur qui viendrait vous dire : « J'ai trouvé le moyen d'en faire une bien bonne à tous les océans, en les forçant à se tenir tranquilles. »

» Eh bien! mon cher Maître, vous pouvez sans crainte commander un cocktail pour le Captain Cap et une absinthe-grenadine pour moi : car j'ai trouvé le moyen de supprimer les tempêtes ou plutôt, comme on dit dans le grand monde, je suis tout simplement

» Celui qui met un frein à la fureur des flots.

» L'idée de ce frein, aussi pratique qu'imprévu, m'est venue l'autre jour en écoutant notre illustre ami le docteur Pelet discuter, avec son habituelle autorité, la question de l'apaisement des tempêtes par le *filage de l'huile.* Le savant praticien, qu'aucun Boucher n'attendait ce jour-là, expliquait à deux jeunes demi-vierges qu'il suffit de répandre quelques litres d'huile sur la mer, autour d'un bâtiment en détresse, pour voir les plus fortes lames se changer en petites vagues inoffensives qui enveloppent de caresses très douces les flancs du navire naguère désemparé...

» L'idée avait germé en moi, et j'en vins à me demander s'il ne serait pas possible, non seulement d'*apaiser* les tempêtes, mais de les prévenir en répandant dans tous les océans assez d'huile pour recouvrir la surface des flots de la très mince couche oléagineuse qui suffit à les rendre inoffensifs... Et, après trois jours de réflexions, je viens vous poser cette question, dont il me semble, comme dirait M. Brunetière, que la poser c'est la résoudre.

» Puisqu'il est reconnu et prouvé par l'expérience que les tempêtes, ces coliques de la mer, ne résistent pas à l'application du plus mince cataplasme à base d'huile, pourquoi ne pas les traiter *par la méthode préventive*, et assurer pour jamais le calme aux océans, grâce à une très simple application de la pisciculture... *en les peuplant de sardines à l'huile???*

» Je vous laisse, mon cher Maître, le soin de développer cette idée géniale, mais féconde, et, certain que vous serez touché par le ton (mariné) de ma requête, je vous prie de me croire.

» *Increvablement,*
» Votre fidèle MAURICE CURNONSKY. »

Pourquoi, mon cher Curnonsky, développerais-je votre idée, puisque vous vous en êtes si magistralement chargé?

Et puis, l'heure est l'heure. Il est moins le quart, et j'avais promis d'être rue Lauriston à la demie.

UN BIEN BRAVE HOMME

C'était un homme bon, mais *bon* dans toute l'énergie du terme.

Je dirais presque qu'il était bon comme la lune, si la mansuétude de ce pâle satellite ne se panachait d'une candeur – pour ne plus dire – bien en passe de devenir légendaire.

Il était aussi bon que la lune, mais plus intelligent.

Chose étrange, les somptueuses catastrophes le remuaient moins profondément que les petites misères courantes.

Le rapide de Nice aurait rencontré l'express du Havre, au grand écrabouillement de tous ces messieurs et dames, que notre ami se fût moins ému qu'au spectacle champs-élyséen de chèvres traînant, en leur minuscule voiture, une potée de trop lourds gosses.

En ce dernier cas, et avec un air de rien, il poussait, de sa canne ou de son parapluie, le petit attelage, soulageant ainsi les maigres biques de quelques kilogrammètres.

A Yves Guédon, l'infatigable apôtre des voitures automobiles, qui lui disait :

– Vous devez être content! Avec la nouvelle locomotion, les canassons pourront se reposer!

– Oui, répondit-il, mais tout cet infortuné pétrole qu'il faudra brûler! Et tout ce malheureux coke!

Un individu qui chérit à ce point les chèvres des Champs-Élysées et la gazoline ne peut demeurer indifférent, vous le devinez sans peine, au sort des pêcheurs à la ligne.

Il n'osait plus passer sur les quais, tellement la contemplation de ces pauvres êtres l'affligeait au plus creux du cœur.

Au fond, il en voulait beaucoup aux poissons de ne pas mettre plus d'entrain à mordre à la ligne des pêcheurs parisiens.

Il aimait mieux les pêcheurs que les poissons, voilà tout.

Un beau jour, n'y pouvant tenir, il alla trouver le Captain Cap.

– Captain, j'ai un gros service à vous demander?

– C'est déjà fait, répondit Cap avec sa bonne grâce coutumière.

– Prêtez-moi un scaphandre?

– Mousse, clama Cap de sa voix de commandement, apporte un scaphandre à monsieur.

(Le Captain Cap, qui fut longtemps président du conseil d'administration de la *Société métropolitaine des scaphandriers du Cantal,* détient encore un grand nombre de scaphandres, provenant sans doute de détournements.)

Et depuis ce moment, chaque matin, notre ami se rend aux Halles, acquiert une forte provision de poissons de toutes sortes, qu'il insère en un vaste bac, lesté de pierres.

Il revêt son scaphandre, et le voilà parti, passant sa journée à accrocher des carpes, des tanches, des brochets aux hameçons des pêcheurs étonnés et ravis.

Parfois, à l'idée du plaisir qu'il cause là-haut, des larmes de bonheur lui viennent aux yeux. Il s'essuie avec son mouchoir, sans réfléchir qu'on n'a pas besoin d'essuyer ses grands yeux quand on est au fond de l'eau.

L'autre jour, il connut le désappointement de ne trouver aux Halles aucune sorte de poisson ni d'eau douce, ni d'eau de mer.

Il en fut réduit à accrocher aux lignes de ses amis des sardines et des harengs saurs, et détermina une pêche qui plongea tous les ichthyographes du quai de la Mégisserie dans une vive stupeur.

UNE SALE BLAGUE

Ce que je vais vous conter là, mes bons petits lecteurs chéris, n'est peut-être pas d'une cocasserie excessive.

Qu'importe, si c'est une bonne action, et c'en est une!

Vous permettrez bien à l'étincelant humoriste que je suis de se taire un jour pour donner la parole à l'honnête homme dont il a la prétention de me doubler.

Ma nature frivole, et parfois facétieuse, m'a conduit à commettre un désastre irréparable peut-être.

Fasse le ciel que l'immense publicité donnée à ce récit en amortisse les déplorables effets!

C'était hier.

J'avais pris, à la gare Saint-Lazare, un train qui devait me descendre à Maisons-Laffitte.

Notre compartiment s'emplit à vue d'œil. On allait partir, quand, à la dernière minute, monta une petite femme blonde assez fraîche et d'allure comiquement cavalière.

Son regard tournant, tel le feu du phare de la Hève, inspecta les personnes et finit par s'arrêter sur moi.

Elle me sourit d'un petit air aimable, comme une vieille connaissance qu'on est enchanté de rencontrer.

Moi, ma foi, je lui adressai mon plus gracieux sourire et la saluai poliment.

Mais j'avais beau chercher au plus creux de ma mémoire, je ne la reconnaissais pas du tout, mais, là, pas du tout.

Et puis, par-dessus les genoux d'un gros monsieur, elle me tendit sa potelée petite main :

– Comment ça va? s'informa-t-elle.

J'étais perplexe.

Ma mémoire me trahissait-elle, ou bien si c'était une bonne femme qui me prenait pour un autre?

A tout hasard, je lui répondis que j'allais pas trop mal.

– Et vous même? ajoutai-je.

– Assez bien... Vous avez un peu maigri.

– Peines de cœur, beaucoup. Ma maîtresse, tout le temps, dans les bras d'un autre.

– Et le papa?

– Pas plus mal, merci.

– Et la maman?

– Pas plus mal, non plus, merci.

– Et vos petites nièces, ça doit être des grandes filles, maintenant?

Là, je fus fixé! c'est la bonne femme qui se trompait.

J'ai deux petits neveux, très gentils, André et Jacques; mais encore pas l'ombre d'une nièce.

Une fois avérée l'erreur de la dame, je fus tout à fait à mon aise et je répondis avec un incroyable sang-froid :

– Mes petites nièces vont très bien. L'amputation a très bien réussi.

– L'amputation!... Quelle amputation?

– Comment, vous ne savez pas? On a coupé la jambe gauche à l'aînée, et le bras droit à la petite.

– Oh! les pauvres mignonnes! Et comment cela est arrivé?

– A la suite d'un coup de grisou survenu dans leur pension, une pension bien mal surveillée, entre parenthèses.

A mon tour, et avec une habileté diabolique, je m'enquis de la santé des siens.

Toute sa famille y passa : une tante catarrheuse, un père paralytique, une belle-sœur poussive, etc.

– Et vous allez sans doute à Évreux? poursuivit-elle.

– Oh! non, madame; je n'ai jamais refichu les pieds à Évreux depuis *mon affaire*.

Le ton de réelle affliction sur lequel je prononçai *mon affaire* lui jeta un froid, mais un froid fortement mêlé de curiosité.

– Vous avez eu... *une affaire?*

– Comment, madame, vous ne savez pas?

– Mais non.

– Les journaux de Paris en ont pourtant assez parlé!

Une pause.

– Eh bien! madame, je puis vous le dire, à vous qui êtes une personne discrète... J'ai été condamné à six mois de prison pour détournement de mineure, proxénétisme, escroquerie, chantage, recel et gabegie.

. . . .

– Maisons-Laffitte! cria l'employé de la gare.

Avant de débarquer, je tendis gracieusement ma main à la grosse dame et d'un petit air dégagé :

– Entre nous, n'est-ce pas?

Je n'avais pas mis le pied sur la terre ferme que j'étais désespéré de ma lugubre plaisanterie.

A l'heure qu'il est, tout Évreux sait qu'un de ses fils a failli à l'honneur.

Peut-être, des familles pleurent, des fiancées sanglotent, des pères se sont pendus dans leur grenier.

J'en adjure les directeurs des feuilles locales! Qu'ils fassent tirer (à mon compte) 10.000 (dix mille) numéros supplémentaires de leur journal relatant cette confession, et qu'il les fassent répandre à profusion dans les grandes et petites artères d'Évreux.

Que le jeune Ébroïcien, si légèrement compromis, puisse rentrer, par la grande porte, dans l'estime de ses concitoyens.

Et alors, seulement, je pourrai dormir tranquille.

ARTISTES

Ce soir-là, je rentrai tard (ou tôt, si vous aimez mieux, car déjà pointait l'aurore).

Je m'apprêtais à exécuter la légère opération de serrurerie qui permet à chacun de pénétrer chez soi, quand, de l'escalier, me descendirent des voix :

– C'est très embêtant!... Il est à peine quatre heures : il nous faudra attendre deux heures avant qu'un serrurier ne soit ouvert.

– Pourquoi perds-tu la clef, aussi, espèce de serin?

Accablé sous le reproche, l'espèce de serin ne répondit point.

Les interlocuteurs descendaient et je les aperçus : deux jeunes gens sur la face desquels s'étendait un voile de lassitude inexprimable et dont les cheveux un peu longs figuraient une broussaille pas très bien tenue.

Je suis l'obligeance même :

– Messieurs, m'inclinai-je, je vois ce dont il s'agit. Voulez-vous me permettre de vous offrir l'hospitalité jusqu'à la venue du grand jour?

Consentirent les jeunes gens.

Je les introduisis dans mon petit salon rose et vert pomme, orgueil de mon logis, et m'enquis s'ils souhaitaient se désaltérer.

Ils voulaient bien.

Je débouchai une bouteille de cette excellente bière de Nuremberg que les barons de Tucher se font une allégresse de m'offrir, et nous causâmes.

Les jeunes hommes – je l'aurais gagé – se trouvaient être des artistes : un poète, un peintre.

Voici les termes du poète :

– Je suis du groupe *néo-agoniaque,* dont la séparation avec *l'école râleuse* fit tant de tapage l'hiver dernier.

– Mes souvenirs ne sont pas précis à cet égard, répondis-je courtoisement. Vous êtes nombreux, dans le groupe *néo-agoniaque?*

– Moi d'abord, puis un petit jeune homme de Bruges. Et encore le petit jeune homme de Bruges décrit maintenant une arabesque d'évolution qui le disside de moi, sensiblement.

– Alors, vous ne vous battrez pas dans votre groupe. Et dites-moi – excusez ma crasse ignorance – quelles sont les doctrines du groupe *néo-agoniaque* dissident de *l'école râleuse?*

– Voici : il n'y a pas à se le dissimuler, notre pauvre dix-neuvième siècle tire à sa fin. Il râle, il agonise. Sa littérature doit donc consister en un râle, un rauque râle à peine perceptible.

– Alors, vos vers?

– Sont de rauques râles à peine perceptibles.

– C'est parfait! Vous publiez où?

– Nulle part! Ma littérature se cabre à être traduite typographiquement par le brutal blanc et noir. Je ne publierai ma poésie qu'au jour où existera une revue composée, au moyen de caractères éculés, sur du papier mauve clair, avec de l'encre héliotrope pâle.

– Diable! vous risquez d'attendre encore quelque temps!

– Toutes les heures viennent!

Une objection me vint que je ne sus point garder pour moi.

– Mais si la littérature d'une fin de siècle doit être gâteuse, agoniaque et râlante, alors, dans cinq ans, en 1901, vous devrez, dans les revues littéraires et les livres, pousser des vagissements inarticulés?

Pour toute réponse, le *néo-agoniaque* déboucha une deuxième bouteille de mon excellente bière de Nuremberg.

Ce fut au tour du peintre :

– Moi, je fais de la peinture *furtivo-momentiste.*

– *De la peinture?...*

– *Furtivo-momentiste...* j'évoque sur la toile la furtive impression du moment qui passe.

– Ça doit être intéressant, cette machine-là.

– Pas le moins du monde! Le moment qui passe passe si vite, qu'il est tout de suite tombé dans le gouffre du passé.

– Peignez l'avenir, alors.

– Pas plus intéressant! L'avenir est séparé du présent par rien du tout, puisque le mot que je vais dire est déjà dit.

– Comme l'a chanté ce vieux Boileau notre maître à tous :

Le moment où je parle est déjà loin de nous.

Cet alexandrin de Boileau jeta comme un froid, duquel profita une troisième bouteille de mon excellente bière de Nuremberg pour se faire déboucher par le *furtivo-momentiste.*

Cependant, la grande ville s'éveillait. On entendait s'ouvrir, claquant fort, la devanture des fruitiers, et déjà les actifs serruriers s'apprêtaient à leur tâche du jour.

Le *néo-agoniaque* en ramena bientôt un, et sur la gracieuse invitation de ces messieurs, je pénétrai dans leur domicile, non sans m'être loti de trois autres bouteilles de mon excellente bière de Nuremberg. (Il est des matins où l'homme le plus sobre assécherait des citernes.)

Dans le logis de ces messieurs, le confortable était remplacé par une poussière copieuse et probablement invétérée.

Des hardes, d'un ton plutôt pisseux, gisaient sur les meubles les moins faits pour les recueillir.

Sur une table, traînait tout ce qu'il faut pour ne pas écrire.

Dans un autre coin, se trouvait assemblé l'attirail nécessaire pour ne pas peindre; de vieilles toiles informement ébauchées, des palettes dont la sécheresse semblait dater de la Renaissance, des brosses qu'on aurait juré sorties de chez Dusser, des tubes d'où s'étaient évadés, sans espoir de retour, les riches cobalts et les lumineux cadmiums...

– C'est là votre atelier? fis-je au peintre.

– Mon atelier? Quel atelier?

– Eh bien, là où vous travaillez, parbleu!

– Là où je travaille, moi? Mais est-ce que je travaille, moi? Est-ce qu'un sincère *furtivo-momentiste* peut travailler?... Dans le temps, oui, j'ai travaillé... Le matin, je me mettais à peindre une bonne femme... j'allais déjeuner... je revenais... Eh bien, ça n'y était plus... En une heure, devenu vieux jeu, ridicule, périmé! Alors, j'ai renoncé à peindre.

Et pour marquer son inexprimable lassitude, le *furtivo-momentiste* déboucha la cinquième bouteille de mon excellente bière de Nuremberg. (J'ai oublié de faire mention de la quatrième : je serai reconnaissant au lecteur de me pardonner ce petit oubli.)

Sur la cheminée de ces messieurs s'étalait la photographie d'un jeune homme chevelu portant cette dédicace : « *A Loys Job' Har.* »

— Loys Job' Har, c'est moi, fit le poète.

— Tous mes compliments! C'est un fort joli nom. Vous êtes d'origine chaldéenne, sans doute?

— Pas du tout... La vérité m'oblige à vous avouer que mon vrai nom est Louis Jobard. J'ai cru pouvoir prendre sur moi de l'esthétiser légèrement.

— Vos aïeux ont dû tressaillir en leur sépulcre.

— Qu'ils tressaillent à leur aise! Quand ils auront bien tressailli, ils ne tressailliront plus.

A mon tour, je me nommai.

Une très visible moue vint aux lèvres de Job' Har.

— Votre nom ne m'est point ignoré; mais je n'ai rien lu de vous... Cependant, dans les crèmeries où nous passions, j'ai parfois entendu des gens de basse culture intellectuelle qui s'éjouissaient de vos facéties.

Je n'eus l'air de rien, mais je me sentis abominablement vexé.

Et sur les six bouteilles de mon excellente bière de Nuremberg, j'en regrettai quatre, sincèrement.

SIMPLE CROQUIS D'APRÈS NATURE

Je viens du Havre par le train qui arrive à 11 h 5.

J'ai donné, par dépêche, un rendez-vous à un de mes amis au café Terminus. Nous devons déjeuner ensemble et je l'attends.

Il n'arrive pas vite. Peut-être s'imagine-t-il, cet idiot, que je n'ai d'autre mission en la vie que l'attendre.

— Garçon, de quoi écrire! commandé-je pour tuer le temps.

Je vais écrire.

Je vais écrire quoi? N'importe quoi?

Ça n'a aucune importance que j'écrive une chose ou une autre, puisque c'est uniquement pour tuer le temps.

(Comme si, pauvre niais que je suis, ce n'était pas le temps qui nous tuait.)

Alors, je vais écrire ce qui vient de se passer à la table voisine de celle que j'occupe.

Trois personnes, débarquant sans doute d'un train de banlieue quelconque, sont entrées : une dame, un monsieur, une petite fille.

La dame : une trentaine d'années, plutôt jolie, mais l'air un peu grue et surtout très dinde.

Le monsieur : dans les mêmes âges, très chic, une physionomie à n'avoir pas inventé la mélinite, mais d'aspect très brave homme.

La gosse : en grand deuil, tout un petit poème. Pas plus de cinq ou six ans. On ne sait pas si elle est jolie. Elle semble être déjà une petite femme qui connaît la vie et qui *en a vu bien d'autres*. Sa bouche se pince en un arc morose et las. Dans ses grands yeux secs très intelligents passent des lueurs de révolte. Une pauvre petite sûrement pas heureuse!

Le monsieur et la dame ont demandé chacun un porto.

– Et moi? dit la gosse. Alors, je vais sucer mon pouce?

– Tu veux boire? dit la maman.

– Tiens, c'te blague! Pourquoi je boirais pas? Tu bois bien, toi.

Le monsieur intervient.

– Que désirez-vous boire, ma petite fille?

– Moi, je veux boire un verre de *gronfignan*.

– Un verre de?...

– Du *gronfignan*... Tu sais bien, maman, du *gronfignan* comme il y a chez grand-mère.

– Ah! du frontignan!

– Oui, du *gronfignan,* avec deux biscuits.

– Des biscuits, petite gourmande?

– Mais oui, pardi, des biscuits! Je suis pas gourmande parce que je demande des biscuits. J'ai faim, v'là tout! Avec ça, des fois, que t'as pas faim, toi! Et tout le monde aussi, des fois, a faim. D'abord, chaque fois que je vais en chemin de fer, moi, j'ai faim.

Le *gronfignan* et les biscuits sont apportés.

– Fais donc attention, Blanche, tu manges comme un petit cochon!

– Comment, je mange comme un petit cochon!

– Bien sûr, tu mets du vin sur ta robe.

– Alors, les petits cochons, ça met du vin sur sa robe?

Et les yeux de la petite semblent hausser les épaules.

La mère s'impatiente visiblement.

– Et puis, quand tu auras fini d'essuyer la table avec tes manches.

– Avec quoi donc veux-tu que je l'essuie, la table? Avec mon chapeau à plumes qu'est dans ton armoire?

– Oh! cette petite fille est d'un mal élevé! Si tu continues, je te mettrais dans une maison de correction!

– Pas dans celle où qu'on t'a mise, toi, hein! Parce que ça ne t'a pas beaucoup profité, c'te correction-là, à toi.

Le monsieur ne peut s'empêcher de beaucoup rire.

– Ne riez pas, je vous prie, mon cher, dit la dame vexée... Ah! ces enfants! Plus on est gentil avec eux, plus ils sont ingrats.

La petite fille devient dure.

– Gentils avec eux, tu dis?... T'as la prétention d'être gentille avec moi, toi? Alors, pourquoi tu m'as laissée à la pension pendant Noël et pendant le jour de l'An?

– Parce que j'avais autre chose à faire.

– Autre chose à faire? Je sais bien, moi, ce que

t'avais à faire... T'avais à faire de boulotter des dindes truffées avec des types!

– Avec des... quoi?

Car toute l'indignation de la mère est déclenchée par le mot : *types*.

– Avec des quoi?

Et la petite regarde sa mère bien dans les yeux et répète :

– Avec des types, je dis!

V'lan! Une gifle!

L'enfant n'a pas bronché, seulement sa petite bouche s'est pincée plus fort, et ses grands yeux sont devenus troubles de mauvaises pensées et de haine.

Le pauvre monsieur n'ose pas intervenir, mais il est très évidemment peiné de cette scène.

Après un silence :

– Tout de même, dit la petite, en jetant à sa mère un regard de défi, tu ne faisais pas tant la maline avec moi, du temps de mon autre papa, de mon vrai!

Le monsieur se lève et, s'excusant brièvement, sort.

Bientôt il revient avec une grande boîte, probablement acquise au bazar de la rue d'Amsterdam.

– Tenez, ma petite fille, voilà pour vous!

– Pour moi!

– Mais, oui, pour vous! Regardez, c'est une cuisine avec *tout ce qu'il faut*.

La petite ouvre la boîte et se pétrifie d'admiration.

Et puis, tout d'un coup, sa figure de révolte se détend. De grosses larmes emplissent ses yeux.

A ce moment, elle devient follement jolie.

Elle tombe dans les bras du monsieur, l'embrasse et sanglote, rageant de ne pas trouver des mots assez câlins pour lui dire toute sa reconnaissance :

– Merci, monsieur! Merci, mon cher bon monsieur! Merci, mon cher bon petit monsieur chéri!

Et, Dieu me pardonne, le *cher bon petit monsieur chéri* a aussi des larmes dans les yeux.

Mais la mère, trouvant cette histoire extraordinairement ridicule, frappe la table avec la pomme d'or de son parapluie pour que le garçon vienne, qu'on paye et qu'on file.

C'est égal, il y a des femmes qui sont rudement chameau!

MALDONNE

– Quant à moi, ajoutai-je, il y a bien longtemps, bien longtemps que je n'ai passé le premier de l'An à Paris.

– Vous regrettez de vous y trouver, cette année?

Un regard – mais quel regard! – fut ma réponse.

– Où étiez-vous l'année dernière?

– A Cannes.

– Et l'autre année dernière?

– L'autre année dernière!... j'étais à Anvers.

– A Anvers!... Que faisiez-vous donc à Anvers?

– Ah! voilà! je ne saurais pas vous narrer cette histoire à la fois comique follement et sinistrement ridicule... D'ailleurs, à proprement parler, ce n'est pas à Anvers que j'ai passé le premier de l'An, mais à Bruxelles. Seulement, j'étais parti de Paris à destination d'Anvers; je vous raconterai ça un de ces jours.

Ne faisons point poser davantage ma sympathique interlocutrice et disons-lui tout de suite ma pénible mésaventure.

C'était le 30 décembre 1892.

Il pouvait être dix heures.

Je procédais aux premiers détails de ma toilette, quand un coup de sonnette déchira l'air de mon vestibule.

Ma femme de chambre était profondément endormie.

Mon groom, complètement ivre, ronflait dans les bras de la cuisinière, très prise de boisson elle-même.

Quant à mon cocher et mon valet de pied, j'avais perdu l'habitude de leur commander quoi que ce fût, tant ils recevaient grossièrement la plus pâle de mes suppliques.

Je me décidai donc à ouvrir ma porte de mes propres mains.

Le sonneur était un monsieur dont le rôle épisodique en cette histoire est trop mince pour que je m'étale longuement sur la description de son aspect physique et de sa valeur morale.

Du reste, je l'ai si peu aperçu, que si j'écrivais seulement quatre mots sur lui, ce seraient autant de mensonges.

– Monsieur Alphonse A...? fit-il.

– C'est moi, monsieur.

– Eh bien! voilà, je suis chargé par Madame Charlotte de vous remettre une lettre...

– Madame Charlotte? m'inquiétai-je.

– Oui, monsieur, Madame Charlotte, une ancienne petite amie à vous, de laquelle ma femme et moi sommes les voisins. Cette dame, ignorant votre adresse actuelle, m'a prié de vous retrouver coûte que coûte et de vous remettre cette missive.

Je pris la lettre, remerciai le monsieur et fermai ma porte.

Charlotte! Était-ce possible que Charlotte pensât encore à moi! Oh! cette Charlotte, comme je l'avais aimée! Et – ne faisons pas notre malin – comme je l'aimais encore!

(Pas un mot de vrai dans cette passion uniquement mise là pour dramatiser le récit.)

Charlotte! Ce ne fut pas sans un gros battement de cœur que je reconnus son écriture, une anglaise terriblement cursive, virile, presque illisible, mais si distinguée!

« *Mon chéri, disait-elle, mon toujours chéri, mon jamais oublié, je m'embête tellement dans ce sale*

*cochon de pays que la plus mince diversion, fût-ce
une visite de toi, me ferait plaisir. Viens donc
enterrer cette niaise année 93 avec moi. Nous boi-
rons à la santé de nos souvenirs : j'ai comme un
pressentiment qu'on ne s'embêtera pas.*

» *Celle qui n'arrêtera jamais d'être Ta*

> » CHARLOTTE.
» 158, rue de Pontoise, Anvers. »

— Anvers! me récriai-je. Qu'est-ce qu'elle peut
bien fiche à Anvers, cette pauvre Charlotte? A la
suite de quelles ténébreuses aventures s'est-elle
exilée dans les Flandres?

Oui, mais faut-il qu'elle m'adore tout de même,
pour n'hésiter point à me faire exécuter cette longue
route, dans sa joie de me revoir!

Le lendemain, à midi quarante, je m'installais
dans un excellent *boulotting-car* du train de Bruxelles.

A sept heures trente-neuf, je débarquais à Anvers,
salué par l'unanime rugissement des fauves du
Zoologique, sans doute avisés de ma venue par
l'indiscrétion d'un garçon.

— Cocher, 158, rue de Pontoise!

Après un court silence, le cocher me pria de
réitérer mon ordre :

— 158, rue de Pontoise.

Une mimique expressive m'avertit de l'ignorance
où croupissait l'automédon anversois relativement
à la rue de Pontoise. Et même il ajouta :

— Ça n'existe pas!

Ses collègues, consultés, branlèrent le chef d'un
air qui ne me laissa aucun doute.

Un garde-ville (c'est leur façon de baptiser là-bas
les gens de police) m'assura que la rue de Pontoise
n'existait pas à Anvers, ou que, si elle existait, elle
n'avait jamais porté ce nom-là, et alors, c'est
comme si, pour moi, elle n'existait pas, savez-
vous!

180

Moi, je m'entêtais! Pourquoi la rue de Pontoise n'existerait-elle pas à Anvers? Nous avons bien, à Paris, la place d'Anvers et la rue de Bruxelles.

Il fallut bientôt me rendre à la cruelle réalité, et je réintégrai le train de Bruxelles, métropole où je comptais, à ce moment, plus d'amis qu'à Anvers. (Mes relations anversoises se sont, depuis lors, singulièrement accrues.)

Pas plus tôt à Bruxelles, voilà que je tombe sur les frères Lynen, les braves et charmants qui m'emmènent chez l'un d'eux, où nous dînâmes et soupâmes en tant bonne et cordiale compagnie, jusqu'au petit jour. Cette nuit demeure un de mes bons souvenirs.

Oui, mais Charlotte!

Charlotte, je la revis quelques mois plus tard, au vernissage du Champ-de-Mars.

Une Charlotte méprisante, hautaine, mauvaise et pas contente.

– Vous auriez pu m'écrire, au moins, mon cher.

– Mais pourquoi écrire, puisque je suis venu?

– Vous êtes venu, vous?

– Bien sûr, je suis venu, et personne ne connaissait la rue de Pontoise.

– Personne ne connaissait la rue de Pontoise?

– Personne! J'ai demandé à tous les cochers d'Anvers...

– A tous les cochers... d'où?

– A tous les cochers d'Anvers.

Je n'avais pas fini de prononcer ces mots, que j'éprouvai une réelle frayeur.

Charlotte s'appuya contre une statue de Meunier et devint la proie d'un spasme.

Et ce ne fut que bien longtemps par la suite qu'elle put articuler :

– Alors, espèce de grand serin, tu es allé à Anvers, en Belgique?

– Dame!

– Et moi qui t'attendais à Auvers, à Auvers-sur-Oise, à une heure de Paris!

Elle ajouta narquoise :

— Tu as eu tort de ne pas venir, tu sais!... Tu ne te serais pas embêté une minute!

Si jamais je remplace mon vieux camarade Leygues à l'Instruction publique, j'insisterai pour que, dans les maisons d'éducation de jeunes filles, on leur apprenne à faire des *u* qui ne ressemblent pas à des *n*.

CONTRE NATURE

OU
LA MÉSAVENTURE DU DOCTEUR P...

— Bonjour, vieux!
— Bonjour, docteur!

Et comme nous étions pressés, nous ne nous arrêtâmes point même au plus furtif shake-hand et nous poursuivîmes notre route, le docteur vers la Bastille, moi dans la direction de la Madeleine.

Le monsieur avec qui j'étais avait manifesté un réel dégoût à l'aspect du docteur et je sentais qu'il mijotait en lui une terrible révélation.

— Vous connaissez cet individu? fit-il au bout d'une minute de silence, longue comme un siècle ou deux.

— Qui ça? Le docteur P...? je crois bien, que je le connais!

— Eh bien! mon cher ami, je ne vous en fais pas mon compliment!

— Pourquoi donc?

— Parce que cet individu est un rude salaud!

— Ah bah!

— Un rude salaud, et, j'ajouterai, un cynique comme on n'en rencontre pas souvent!

Certes, le docteur P... n'est pas parfait. Il se bat pour la vie un peu avec les armes qui lui tombent sous la main (tout le monde n'hérite pas d'un arsenal tout fait), mais entre ça et être un rude salaud et un dégoûtant cynique, il s'interpose quelques nuances.

D'abord il est à peu près docteur comme vous et moi. Il n'a même avec la plus élémentaire thérapeutique que des rapports extrêmement lointains.

On l'appelle *docteur,* comme on en appelle d'autres *commandant,* parce que certaines allures imposent certains titres, sans qu'on puisse jamais préciser pourquoi.

L'amusant de la situation, c'est que P... s'imagine parfois être un véritable morticole, et qu'il n'est pas rare de le surprendre gravement occupé à donner au pauvre monde des consultations gratuites, mais ne reposant sur aucun travail scientifique réellement sérieux.

Le docteur P... (conservons-lui ce titre qui ne fait de tort à personne) supplée à l'absence de quelques grandes vertus par mille petites qualités qui les remplacent très suffisamment, ma foi.

Un des grands reproches que je formulerais à son égard, si je m'en reconnaissais le droit, c'est de se livrer au culte d'une foule de jeunes femmes successives, rapidement successives.

. . . .

J'en étais là de mes réflexions sur le docteur P..., quand le monsieur qui l'avait traité de *rude salaud* crut devoir insister :

– Oh! oui, un rude salaud! Savez-vous ce qu'il a fait, l'autre soir, en pleine brasserie, devant une trentaine de personnes?

– Oh! mon Dieu! vous me faites peur!

– Cet individu s'est levé, a serré la main de ses amis, s'excusant de les quitter si tôt, mais il avait, disait-il, rendez-vous chez lui avec un jeune garçon boucher...

– Quelle blague!

– Pas du tout, mon cher, c'est très sérieux. Il

donnait même des détails : *un jeune garçon boucher qui n'était pas dans une musette!* Et en disant ces mots, le docteur faisait le geste d'envoyer des baisers imaginaires, comme pour exprimer un idéal échappant à toute description. Voilà ce que c'est que votre docteur P...

Ai-je besoin de disculper mon vieux docteur?

Cette accusation reposait sur les bases d'argile du simple malentendu.

D'un simple coup d'éventail, je renversai le fragile édifice.

Le docteur P..., qui fréquente beaucoup les artistes, a pris l'habitude de désigner les dames en général et particulièrement ses maîtresses en les affublant du nom du peintre qui les aurait représentées le plus volontiers.

Sa bonne amie a-t-elle une mine candide avec de grands yeux bleus, c'est un petit Greuze.

Sa bonne amie a-t-elle, etc., etc., c'est autre chose. (Cette nomenclature m'entraînerait un peu loin.)

Bref, chaque jour, on entend le docteur P... :

– J'ai fait connaissance, hier, d'un petit Fragonard épatant!

Ou bien :

– Je vais dîner ce soir avec un petit Forain tout ce qu'il y a de plus rigolo!

Ou bien :

– Vous ne m'avez pas vu ces jours-ci, parce que je suis en train de filer le parfait amour avec un petit Botticelli de derrière les fagots!

A nous qui le connaissons, ces déclarations ne nous étonnent plus.

Mais du monsieur qui entendit, un soir, en pleine brasserie, cette phrase cynique :

– Excusez-moi de vous lâcher si tôt, mais j'ai rendez-vous chez moi avec un petit Boucher qui n'est pas dans une musette!

La stupeur est parfaitement légitime.

Et le monde est si rosse, à Paris, et si prêt à propager les plus invraisemblables calomnies, que le docteur P..., à l'heure qu'il est, passe, aux yeux de bien des gens, pour un sale monsieur auquel on ne donne pas la main, et qui n'y couperait pas, en Angleterre.

UNE DRÔLE DE LETTRE

Cannes. Décembre 1893.

Un jeune garçon de mes amis, M. Gabriel de Lautrec, m'envoie une lettre de conception tourmentée et de forme – dirai-je? – incohérente.

L'idée m'est venue, un instant, de ne la publier point. Mais, au seul horizon de la remplacer par une vague littérature de mon cru, le sang ne m'a fait qu'un tour, un seul, et encore!

Il fait du soleil sur la promenade de la Croisette, comme s'il en pleuvait. La tournée Saint-Omer est dans nos murs, dans le but évident de jouer ce soir *le Sous-Préfet de Château-Gandillot,* par notre sympathique camarade, le jeune et déjà célèbre auteur dramatique Ernest Buzard. Je ne voudrais pas manquer la *petite pièce* qui sert de lever de rideau. Alors, quoi? je n'ai qu'à me dépêcher.

La seule ressource me demeure donc d'insérer dans nos colonnes la missive de ce Gabriel de Lautrec, qui ne sera jamais, décidément, sérieux :

« Mon cher Allais,

» Je couvre mes yeux de ma main, un instant; je rejette en arrière, d'un mouvement convulsif, mes cheveux où mes doigts amaigris mettent un désordre voulu; je ranime la flamme jaune des bougies dans les chandeliers d'ébène, en cuir de Russie, qui sont le plus bel ornement de mon intérieur; j'envoie un sourire voluptueux et morne à l'image de la seule aimée, et, après avoir disposé sur mes genoux, symétriquement, les plis du suaire à larmes d'argent qui me sert de robe de chambre, je vous écris – c'est à cette circonstance bien personnelle que la lettre qui va suivre emprunte son intérêt (avec l'intention formelle de ne jamais le lui rembourser).

» Si j'ai tardé à vous répondre, c'est que j'ai fait ces jours derniers un petit voyage – en chemin de fer.

» En chemin de fer! direz-vous – mon cher ami! Oh oui! je suis bien revenu de mes idées arriérées. Les chemins de fer ont leur avantage; il faut faire quelques concessions à son siècle. La vie est faite de concessions – à perpétuité.

» Lorsque votre lettre m'est parvenue, je relisais les épreuves de mon volume sur l'*Adaptation des Caves glacières à la conservation des hypothèques pendant les chaleurs de l'été;* j'ai suspendu aussitôt tout travail, ai-je besoin de le dire? et tout en regrettant de la recevoir si tard, je l'ai lue attentivement.

» Votre idée de la montre-revolver est très séduisante, à première vue. Elle est, en outre, pratique, ce qui ne gâte rien. Le mécanisme, tel que vous me le décrivez, avec trois dessins à l'appui (les dessins, entre parenthèses, sont assez mal faits), cette double détente de la montre et du revolver, ingénieusement reliée par l'ancre d'échappement, tout cela est merveilleusement trouvé.

» Tout le jour, vous portez votre montre dans la poche de votre gilet. Vous la regardez, vous savez l'heure, c'est très commode.

» Le soir venu, quelqu'un vous attaque, sous le prétexte fallacieux de demander l'heure, précisément. Vous exhibez votre montre, vous tirez dix ou douze coups, et voilà des enfants orphelins (ou du moins dangereusement blessé, le père).

» Et cependant, à voir l'objet, c'est une simple montre, comme vous et moi.

» C'est merveilleux, voilà tout.

» Je sais bien qu'il y a un inconvénient.

» Toutes les fois que l'on tire un coup de revolver, la montre s'arrête.

» Je trouve cela très naturel.

» Il serait difficile qu'il en fût autrement.

» Vous avouez, d'ailleurs, cet inconvénient au lieu d'en chercher le remède, et combien vous avez raison!

» Car un inconvénient auquel on remédie n'en est plus un.

» Est-il nécessaire, d'ailleurs, d'y remédier?

» Pour ma part, je vois là, tout au contraire, un grand avantage.

» Je pense que si l'on pouvait faire adopter votre modèle de montre-revolver par les assassins, au moyen d'une remise de la force de plusieurs chevaux, ce serait d'une sérieuse utilité pour les constatations judiciaires.

» On serait immédiatement fixé, rien qu'en regardant l'instrument du crime, sur l'heure précise de la mort.

» L'expression usuelle : l'*Heure de la Mort*, cesserait dès lors d'être une vaine métaphore, pour devenir une palpable réalité.

» Or, je vous le demande : toutes les fois qu'on a l'occasion de réaliser une métaphore, doit-on hésiter un seul instant?

» ... Au moment de terminer ma lettre, un remords vient me visiter. Je lui offre un siège et des cigares, courtoisement.

» Ce que je vous ai dit, en commençant, au sujet des chemins de fer, vous a peut-être fait croire que j'étais un partisan résolu de ce nouveau moyen de transport : il n'en est rien.

» Les désagréments qu'il présente sont nombreux.

» Pourquoi, par exemple, placer les gares, toujours, et exactement, sur la ligne de chemin de fer?

» Le train s'arrête, vous descendez; il y a cent

contre un à parier que vous trouverez une gare devant vous.

» Et le pittoresque, et l'imprévu, qu'en fait-on?

» Au point de vue du décor, ne vaudrait-il pas mieux disséminer les gares, loin du railway, dans la campagne, au hasard du paysage? On les apercevrait de loin en passant, sur une montagne, à l'extrémité d'une vallée – le décor y gagnerait, et le voyage offrirait bien plus d'agrément.

» Sur ce, mon cher Allais, je vous quitte. Je vais allumer ma pipe à la pompe, comme disait l'autre, et la fumer à votre santé.

» GABRIEL DE LAUTREC. »

Notez bien que je n'ai jamais parlé à Gabriel de la moindre idée de montre-revolver.

Ou bien, alors, étais-je gris, telle la feue Pologne, à moins que ce fût lui qui eût bu plus que de raison?

Mais, cette jolie conception de semer les gares par le travers des horizons!

Vous croyez bonnement que les grandes Compagnies s'y arrêteront une minute!

Alors, je le vois bien, vous êtes comme les autres : vous ne connaissez pas les grandes Compagnies.

FRAGMENT D'ENTRETIEN

ENTRE MON JEUNE AMI PIERRE ET MOI
SUR LA PLAGE DE CABOURG

– Alors, comme ça, te v'là revenu?

– Mais oui.

– T'as bien rigolé en route? Les peaux-rouges t'ont pas scalpé? Fais voir.

– Contemple. (*Je me découvre.*)

– Non, t'as encore tes douilles. A Washington, as-tu rencontré le petit O'Kelly?

– D'abord, je ne suis pas allé à Washington, et puis, je ne connais pas le petit O'Kelly.

– C'est un gosse américain que j'ai joué avec, cet hiver, à Cannes.

– Et toi, mon vieux Pierre, que fais-tu de bon? Travailles-tu un peu?

– Travailler pendant les vacances! Eh ben, mon vieux, t'as pas la trouille! surtout c't'année qu'il va me mettre au lycée.

– Qui ça, *il?*

– Papa, donc.

– Tu me sembles bien irrévérencieux pour l'auteur présumé de ton existence.

– Tu trouves? Pourquoi donc que je serais révérencieux avec un bonhomme à qui que j'ai jamais rien fait et qui me boucle dans un bahut comme si j'étais une sale fripouille? Aussi, pour les devoirs de vacances qu'il m'a donnés à faire, il peut s'taper.

– Mais quand il s'apercevra que tu n'as rien fait...

– Il s'apercevra de rien. Maman et moi, nous lui montons le coup. Tous les samedis, il s'amène : – Pierre est convenable? qu'il fait. – Mais oui, que maman répond. – Il fait ses devoirs? – Mais oui. – Il sait bien ses leçons? – Mais oui, mon ami.

– Elle a du toupet, ta maman!

– Ça, tu peux le dire! Un vrai culot! On le dirait pas, hein, avec son petit air! Quand elle fiche des blagues comme ça à papa, j'ai envie de l'embrasser comme du pain... On dit que c'est vilain, le mensonge; mais y a des fois où que c'est plus chouette que la vérité, pas?

– Je suis tout à fait de ton avis, et Ibsen aussi, dans le *Canard sauvage.*

– Ça doit être rigolo, c'te pièce-là. Est-ce que le canard dit des blagues ou la vérité?

– Ce serait trop long à t'expliquer... Et alors, tu t'amuses bien?

– J'arrête pas; et puis, tu sais, je fais de la bicyclette, maintenant.

– Tous mes compliments.

– Oui, même hier, j'ai fichu par terre un curé sur le sable : j'avais pourtant bien corné, mais il n'avait pas entendu.

– Qu'a-t-il dit, le digne ecclésiastique?

– Le digne ecclesiastique? Il n'a rien dit. Tout de suite, je suis descendu et j'y ai aidé à secouer le sable qu'y avait sur sa soutane. Je pouvais pas m'empêcher de rigoler, surtout quand il m'a demandé quelle machine que j'avais : « C'est une Clément, m'sieu le curé », que j'ai dit. Alors, il m'a répondu : « Votre Clément me fut inclémente. » Au fond, c'était idiot, mais comme je l'avais fichu par terre, j'ai fait mine de trouver son mot très rigolo.

– Et, en dehors du renversement des prêtres, à quel sport t'adonnes-tu?

– Un peu de tout, tu sais. Sur une plage, on trouve toujours à s'occuper. Mais où j'ai été vraiment épaté, c'est ce matin.

– Conte-moi ta stupeur.

– Y a, depuis quelques jours, ici, une petite fille qui est tout ce qu'on peut rêver de plus époilant. Jolie, mon vieux! Avec des grands yeux clairs, et puis une toute petite bouche, et puis une peau, mon vieux! une peau d'un blanc épatant. Et puis des cheveux pas tout à fait rouges, mais presque, et fins, fins, fins. Quand le soleil tape là-dessus, elle a l'air d'avoir une perruque en or. Et puis, avec ça, habillée comme les mômes angliches dans les albums de Kate Greenaway. Je la trouve si jolie, que j'ai toujours envie de l'apporter à maman pour qu'elle la mette sur son étagère.

– Et alors?

– Alors, ce matin, elle était sur la plage très occupée à creuser un grand trou dans le sable. Tout d'un coup, v'là qu'elle s'aperçoit que je m'étais arrêté pour la regarder. V'là ses yeux bleus qui deviennent noirs de colère, sa peau blanche qui devient toute rouge, et puis elle s'écrie avec sa drôle de petite voix : *Qu'est-ce que t'as à me regarder comme ça, espèce de sale cocu!*

– Eh bien! elle est dégourdie, ta petite Greenaway! Que lui as-tu répondu?

– Ma foi, mon vieux, j'ai été tellement baba, que j'ai trouvé rien à lui répondre. Les bras m'en tombaient du corps.

– Penses-tu qu'elle comprenait toute la gravité de ses propos?

– Ah ouatt! Elle est trop môme pour ça.

– Et toi?

– Moi, si je sais ce que c'est que d'être cocu? Ah ben! ce serait malheureux, à mon âge, si je savais pas ça. Un cocu, c'est un type qu'est marié et que sa femme lui fait des blagues avec d'autres types.

– Précisément.

– C'est égal, je me suis dit : « Ma p'tite rouquine, c'est jamais moi qui t'épouserai quand tu seras en âge. » Parce que, vois-tu, mon vieux, quand on parle de ça si jeune, il est probable qu'on le fera pour de vrai, plus tard.

– Tu es philosophe, Pierre.

– Faut bien, dans la vie.

THÉRAPEUTIQUE DÉCORATIVE
ET PEINTURE SANITAIRE

J'ai raconté, dans le temps, – le souvenir n'en est-il pas encore tout frisonnant au cœur de tous? – l'histoire de mon ami, ce peintre qui ne voulait pas boire de vin rouge en mangeant des œufs brouillés, parce que *ça lui faisait un sale ton dans l'estomac.*

Le même, mettant à la poste une grosse lettre suffisamment et polychromiquement affranchie, ajoutait un superflu timbre de quinze centimes *pour faire un rappel de bleu.*

Le brave garçon!

Je l'ai revu l'autre jour, j'ai dîné avec lui en compagnie d'une jolie petite bonne amie qu'il détient depuis quelques jours, une drôle de mignonne et menue femmelette qui l'adore.

J'ai pu constater qu'il est toujours dévoré par la folie du ton.

Et j'ai appris une histoire qui m'a amusé, telle une baleine.

Sa petite bonne amie, à la suite d'un chaud et froid, contracta naguère un fort rhume.

(Pourquoi le chaud et froid est-il si pernicieux, alors que le froid et chaud ne cause même pas à l'organisme des dégâts insignifiants? Loufoquerie de naturel!)

— Ça ne sera rien que ça, dit le Dr Pelet (leur médecin). Badigeonnez-vous avec de la teinture d'iode. Tenez-vous bien au chaud. Prenez quelques pastilles X... (*case à louer*), et puis voilà!

Ce soir-là, mon ami et sa jeune compagne rentrèrent de bonne heure (minuit et demi), non sans avoir fait l'emplette d'une bouteille de teinture d'iode.

— Avec le pinceau? demanda le pharmacien.

A la seule pensée d'acheter un pinceau chez un pharmacien, le peintre et son amie moururent de rire.

La délicieuse enfant se mit au lit et – pâle martyre – offrit sa jeune gorge aux affres du badigeonnage.

— Ah ça, c'est épatant! s'écria l'artiste.

— Quoi donc? s'informa la victime.

— Tu n'as pas idée ce que ça fait joli, cet iode brun sur ta peau rose! C'est épatant! Ce qu'on ferait une jolie étoffe avec ces deux tons-là!... Ça ne te fait rien qu'au lieu d'un badigeonnage amorphe, je représente un chrysanthème?

— Mais, comment donc!

— Là... voilà... La tige, maintenant.

— Oh! la, la! tu me chatouilles!

– C'est que j'emploie le petit bout de pinceau...
C'est épatant!... Tiens, lève-toi et va te voir dans la
glace.

La pauvre petite concubine se leva sans enthousiasme, mais heureuse tout de même de faire plaisir
à son ami.

– Oh! oui, c'est épatant!

– Tiens, je vais encore t'en faire un. Ne bouge
pas, ne bouge donc pas!

– Mais tu me chatouilles, mon pauvre chéri!

– Il faut savoir souffrir pour l'art.

Et le voilà parti, perdant toute notion de l'actuel,
à décorer la petite, comme Gérôme fait de ses
statues.

Autour de ses bras et de ses jambes, il fit grimper
des liserons, de clématites, des volubilis.

... Je donnerais volontiers plus de détails, mais
voilà qu'il est cinq heures et j'ai promis d'être à six
heures juste à un rendez-vous que je ne manquerais
pas pour un boulet de canon.

Abrégeons.

La jeune badigeonnée passa ce qu'on appelle une
mauvaise nuit.

Pas une partie de son corps qui ne fût la proie
d'une intolérable cuisson!

– Je ne peux pas dormir! gémissait-elle.

Et mon ami lui répondit :

– Oui, c'est bête ce que j'ai fait là!... Demain, au
lieu de chrysanthèmes, je te peindrai des pavots!

. . . .

Quelques jours plus tard je le rencontrai.

Chargé d'une brassée de fleurs acquises au marché Saint-Pierre, il remontait chez lui, tout en haut
de la rue Lepic.

– Et ça va toujours bien? dis-je.

– Tout à fait bien. Et toi?

– Triomphalement!

– C'est vrai. Tu as une mine superbe, avec un air
de ne pas t'embêter autrement dans la vie.

– Pas lieu de s'embêter en ce moment. Si ça pouvait durer!... Et ta petite compagne?

– Tout à fait mieux.

– Tu ne te livres plus à la peinture à l'iode sur son jeune corps?

– Oh! oui, c'est vrai... Je ne pensais plus qu'elle t'avait raconté cette histoire... Eh bien? mon vieux, c'est épatant, ce que c'est devenu! La teinture d'iode s'est évaporée, mais les endroits où j'avais peint les fleurs sont restés d'un rose vif et chaud qui s'enlève si joliment sur le rose pâle de sa peau! Tu n'as pas idée, mon garçon, de ce que c'est exquis! Et d'un délicat! Et d'un distingué! Si Jansen voyait ça...

– Quel Jansen?

– Le tapissier de la rue Royale, qui vend de si jolis meubles anglais. Si Jansen voyait ça, il en deviendrait fou et me commanderait, sur l'heure, une étoffe dans ces deux tons-là, pour chambre de jeune fille... Tiens, viens la voir!

– Mais... sa pudeur? fis-je avec le doux sourire du sceptique endurci.

– Sa pudeur?

Et mon ami prononça ce mot *pudeur* sur un ton correspondant exactement à mes idées.

(Je n'insiste pas, dans la crainte de désobliger quelques bourgeois du Marais, à l'estime desquels j'ai la faiblesse de tenir.)

Son atelier se compose d'un ancien immense grenier éclairé par un vitrage grand comme le Champ-de-Mars, et dans le coin duquel (grenier) s'aménage la chambre du jeune peintre et de sa petite amie.

– Comme ça sent le goudron, ici! reniflai-je en entrant.

– Oh! ne fais pas attention! C'est Alice qui se sert pour sa toilette de l'eau de chez Bobœuf, très délicieuse mais qui sent un peu le goudron.

– Ah!

– Oui!

Un grand ennui venait de se peindre sur la figure

194

de mon ami. Évidemment, il regrettait de m'avoir amené. Mais pourquoi ce regret?

– Comment, bondis-je soudain, c'est de toi ce tableau?

Et je désignais une toile en train sur un chevalet.

– Mais oui, c'est de moi.

– De toi! cette peinture qui se passe dans la cave d'un nègre! De toi, que je connus affolé de lumière et de clarté! De toi, cette chose innommablement brune! De toi, à qui le seul mot *bitume* levait le cœur!

– Oui, mon pauvre ami, de moi! Un jour, peut-être tu sauras et alors tu me serreras la main très fort et tu auras grand-peine à retenir tes larmes!... Mais assez causé de ce triste sujet, et viens voir l'adorable corps illustré de la jeune Alice.

. . . .

(Passage suprimé par la censure.)

. . . .

– Mais, nom d'un chien! m'impatientai-je, me diras-tu d'où cette évolution brusque et en pis de ta manière?

– Soit!... Alors, jure-moi de n'en rien dire à âme qui vive!

– Mon ouïe est un sépulcre où tout s'engouffre et meurt!

– Tiens, un joli vers... Eh bien! voici : Tu as remarqué, en entrant, comme ça sentait le goudron?

– Délicieusement!... Et ce parfum m'évoque toute une enfance flâneuse, traînée sur les quais de mon vieux Honfleur natal et à jamais chéri.

– Eh bien! c'est ma peinture qui sent ça!

– Ta peinture!... Tu fais de la peinture au goudron?

– Parfaitement! Le *manager*... Comment prononces-tu ça en anglais?

— *Le ménédjeuhr.*

— C'est bien ça... Le... *machin* d'un hôtel de Menton, où il ne vient que des Anglais tuberculeux, m'a commandé douze panneaux décoratifs, à condition qu'ils seraient peints à base de goudron, rapport aux émanations bienfaisantes de ce produit... Une idée à lui!

— Et tu as accepté cet odieux compromis!

— Les temps sont durs, tu sais.

— A qui le dis-tu!

— Cette petite Alice, sans être coûteuse, a ses exigences. Ce matin encore, elle m'a demandé 12 fr. 50 pour des bottines.

— Bigre!

— Oh! ça n'est rien, ça! Mais reconnais toi-même que le goudron n'est pas beaucoup fait pour éclaircir une palette.

LES BEAUX-ARTS

DEVANT M. FRANCISQUE SARCEY

Je venais de sortir de mon domicile et je flânais, le bas de mon pantalon relevé et l'esprit ailleurs.

A la hauteur de la rue Fromentin, je fis rencontre d'un homme qui, très poliment, à mon aspect, leva son chapeau.

Cet homme, disons-le tout de suite pour ne pas éterniser un récit dénué d'intérêt, n'était autre qu'un nommé Benoît, le propre valet de chambre de M. Francisque Sarcey, l'esthète bien connu.

Avez-vous remarqué, astucieux lecteurs, et vous, lectrices qui la connaissez dans les coins, comme les méchantes idées vous arrivent avec la rapidité de l'éclair lancé d'une main sûre, alors que les bonnes semblent chevaucher des tortues, pour ne point dire des écrevisses?

L'idée que me suggéra la rencontre de Benoît m'advint aussi vite que le coup de foudre professionnel le mieux entraîné.

Le miel aux lèvres, je serrai la main du valet et m'informai de la sante de *tout le monde.*

– Et où allez-vous comme ça? continuai-je.

– Je vais au *Petit Journal,* porter l'article de Monsieur.

– Tien! Comme ça se trouve! Moi aussi je vais au *Petit Journal.* Remettez-moi la chronique de M. Sarcey. Cela vous évitera une course.

L'homme obtempéra.

Et cette chronique du cénobite de la rue de Douai, croyez-vous bonnement que je l'ai portée à la Maison Marinoni? Oh! que non pas!

J'ai voulu vous faire une bonne surprise, ô clientèle de mon journal, et, au risque d'être traîné devant la justice de mon pays, je livre à vos méditations la littérature prestigieuse de notre oncle à tous :

LA SCULPTURE

« On ne le dirait pas à me voir, cependant j'adore les Arts. Car j'estime qu'il en faut dans une société bien organisée; pas trop, bien entendu, mais il en faut.

» Chez moi, j'ai quelques tableaux, quelques dessins, mon buste, des statuettes. C'est gentil, ça meuble.

» Cette année, comme de juste, je n'ai pas manqué d'aller visiter le Salon du Champ-de-Mars et celui des Champs-Élysées.

» Eh bien! je ne regrette pas mon voyage; j'ai appris bien des choses que j'ignorais et qui me serviront de sujets de chroniques.

» Car ce n'est pas le tout d'avoir des chroniques à faire, il faut encore trouver des sujets sur quoi les écrire. Le public ne se rend pas compte de ce que c'est dur, de livrer, comme moi, trente-quatre chroniques par semaine. Essayez, un jour, pour voir; vous m'en direz des nouvelles.

» Pour en revenir aux Beaux-Arts, je vous dirai que la sculpture est ce qui m'émerveille le moins.

» Comme me le disait très justement un jeune peintre : « La sculpture, c'est bien plus facile que la peinture, parce que les sculpteurs n'ont à se préoccuper ni de la couleur, ni de la perspective, ni des ombres. »

» On ne se doute pas comme c'est facile, la sculpture. Vous-même, moi-même, nous en ferions demain, si nous voulions.

» Il faut seulement de la patience. Savez-vous comment procèdent les sculpteurs pour faire une statue? Non, n'est-ce pas? Vous êtes comme j'étais hier; mais on m'a expliqué et je vais vous indiquer le procédé.

» Supposons qu'il s'agisse d'une femme nue à reproduire.

» Le sculpteur fait venir chez lui une femme, un *modèle,* comme ils disent, dont les traits et la forme du corps répondent au sujet qu'il s'est proposé.

» La femme se déshabille complètement et se met dans la posture indiquée par l'artiste. C'est ce qu'on appelle la *pose.*

» De son côté, le sculpteur, sans s'occuper de toutes les bêtises que vous pourriez supposer avec une femme nue, se met à l'ouvrage.

» Il y a, près de lui, un énorme bloc de terre glaise, et il tâche de donner à ce bloc la forme exacte de la femme qu'il a sous les yeux.

» Il en enlève par-ci, il en rajoute par-là. Bref, il tripatouille sa terre glaise, jusqu'à résultat satisfaisant.

» Quand il a peur de se tromper, de faire une cuisse trop grosse, par exemple, ou un mollet trop maigre, il s'approche du modèle et mesure la partie en question avec un mètre flexible en étoffe, semblable à ceux dont se servent les tailleurs, et divisé en centimètres et en millimètres. S'il a fait la cuisse trop grosse, il enlève la terre. S'il a fait le mollet trop maigre, il en rajoute, et voilà!

» Comme vous voyez, ce n'est pas un métier bien difficile.

» Si je n'avais pas tant à faire, je me mettrais à la sculpture. Je me sens une vocation toute spéciale pour la reproduction des nymphes couchées.

» Malheureusement, je suis myope comme un wagon de bestiaux; quand je veux voir quelque chose, je suis forcé de mettre le nez dessus. Et, dame, quand on a le nez dessus, et qu'il s'agit d'une nymphe, la sculpture n'avance pas beaucoup, pendant ce temps-là!

» Quand la statue en terre glaise est finie, elle sert à fabriquer des moules, dans lesquels on verse du plâtre délayé avec de l'eau. En séchant, le plâtre durcit, et une fois dégagé du moule, il ressemble complètement à la statue de terre glaise. C'est extrêmement curieux!

» Quelques sculpteurs m'ont affirmé qu'on fait cuire la terre glaise. Provisoirement, je me méfie de ce renseignement, car il y a beaucoup de farceurs dans ces gens-là.

» L'un deux m'a même chanté, pour prouver son dire, une fantaisie de feu Charles Cros, dans laquelle se trouve ce couplet :

> Proclamons les princip's de l'Art!
>   Que personn' ne bouge!
> La terr' glais' c'est comm' le homard,
>   Quand c'est cuit, c'est rouge.

» En dehors de la terre glaise et du plâtre, les matières les plus employées par les sculpteurs sont le marbre et le bronze.

» Le bronze est plus foncé, c'est vrai, mais il est plus solide. Pour les déménagements, c'est une chose à considérer.

» La place me manque pour parler, comme il

conviendrait, de la peinture et des autres arts représentés dans les différents Salons.

» Ce sera, si vous voulez bien, le sujet de ma prochaine causerie.

» FRANCISQUE SARCEY. »

Mes lecteurs me sauront gré, je l'espère, de leur avoir fourni une lecture substantielle et aussi délicate en même temps.

Quelle leçon pour les Geffroy, les Mirbeau, les Arsène Alexandre et d'autres dont ma plume se cabre à écrire les noms!

. . . .

Je vous avouerai que je n'étais pas sans quelque inquiétude au sujet du procédé plus que douteux dont je m'étais servi pour extorquer à M. Sarcey sa chronique sur la sculpture.

Je me trompais : notre oncle à tous fut le premier à rire de mon indélicatesse. Quand il était jeune, dit-il, il en faisait bien d'autres!

Le robuste vieillard ajouta :

– Avec tout ça, vos lecteurs ont eu mon opinion sur la *sculpture,* mais ils ignorent ce que je pense de la *peinture.* Croyez-vous que cela leur ferait plaisir d'être fixés sur ce point?

– Pouvez-vous, maître, me poser une telle question?

Le cénobite de la rue de Douai sourit, visiblement flatté. Il essuya ses lunettes d'un petit air malicieux et me remit les feuillets suivants :

LA PEINTURE

« Mon dernier article sur la sculpture m'a valu un nombre considérable de lettres, quelques-unes pour me traiter de vieux fourneau, mais la plupart pour me féliciter et me remercier des renseignements que je donne sur cet art si vraiment français.

» Beaucoup de mes lecteurs ignoraient le premier mot de la sculpture, et l'auraient peut-être ignoré jusqu'à leur trépas, si je n'étais pas venu leur révéler ces secrets si intéressants.

» Ah! c'est une de nos joies, à nous autres, chroniqueurs en vogue, de jeter la lumière dans les masses, comme le semeur jette le grain!

» Pour ma part, c'est effrayant ce que j'ai appris de choses aux gens, ce que j'ai ouvert d'horizons aux âmes bornées, ce que j'ai fait faire de progrès à la bourgeoisie française.

» Car, et je m'en fais gloire, c'est dans la bourgeoisie, de préférence dans la bourgeoisie aisée, que je recrute ma clientèle.

» Bien entendu, j'ai des lecteurs dans d'autres milieux : dans le professorat, dans la gendarmerie, par exemple, mais la plus grande partie appartient à la bourgeoisie aisée.

» Qu'est-ce que je disais, donc? Ah! oui, je disais que mon article sur la sculpture m'avait valu une avalanche de lettres : beaucoup me demandent de faire pour la peinture ce que j'ai fait pour la sculpture.

» Je me rends aux sollicitations de mes aimables correspondants, d'autant plus volontiers que telle était mon intention première.

» Je vous expliquais, dans ma dernière chronique, que la sculpture est un art facile et à la portée du premier imbécile venu : vous-même, moi-même.

» La peinture, c'est une autre paire de manches!

» Songez donc : il faut que l'artiste vous donne, avec cette chose plate qu'est un tableau, l'illusion d'objets plus ou moins près, plus ou moins loin.

» L'illusion du lointain se donne grâce à la *perspective*.

» Vous n'êtes pas sans avoir remarqué qu'un objet paraît plus petit s'il est loin, que s'il est près;

et plus il est loin, plus il est petit. Cette illusion d'optique est due à ce qu'on appelle la *perspective*.

» Quand vous vous placez à l'entrée d'une rue droite et longue, pour peu que vous soyez observateur, vous remarquez que les lignes, parallèles dans la réalité, semblent se rejoindre au bout de la rue. Eh bien! c'est encore de la *perspective*.

La *perspective* est une science très délicate qu'il n'est pas permis à un peintre d'ignorer, alors que le sculpteur n'a même pas à s'en préoccuper.

» Quand un peintre a un tableau à faire, paysage, portrait, scène historique ou mythologie, etc., etc., il commence par se procurer une toile *ad hoc*, c'est-à-dire une toile tendue très fortement sur un châssis en bois.

» Avant de placer les couleurs sur la toile, il détermine la place qu'elles devront occuper, grâce à des contours qu'il marque avec du *fusain* (lequel n'est autre qu'un petit morceau de bois carbonisé).

» C'est cette opération qu'on appelle le *dessin*.

» Quand le sujet est dessiné, il ne reste plus qu'à le peindre.

» Le peintre prend alors sa palette et ses pinceaux. Ces messieurs ne disent pas des *pinceaux,* ils disent des *brosses :* je n'ai jamais su pourquoi. Fantaisie d'artiste, sans doute.

» La palette est une planchette de bois arrondie et munie, à son extrémité, d'un trou pour passer le pouce. On y place, les unes à côté des autres, les différentes couleurs : bleu, jaune, brun, etc., etc.

» Il ne faut pas croire que toutes les nuances soient représentées sur cette palette. Ce serait impossible; car s'il n'y a que sept couleurs, il existe des milliers de nuances intermédiaires.

» Ces nuances, l'artiste les obtient par un mélange habile d'une couleur avec une autre, et là n'est pas son moindre mérite.

» Une supposition, par exemple, qu'un peintre veuille représenter un paysage à la fin de l'été, au moment où les feuilles commencent à jaunir.

» Il n'emploiera pas, bien entendu, le vert qui lui aurait servi au fort de la saison. Il y ajoutera du jaune, la quantité raisonnable, ni trop ni trop peu.

» Le métier de peintre exige beaucoup d'études préalables et, surtout, énormément de patience.

» Comme rapport, il a beaucoup perdu et ne vaut pas ce qu'il valait il y a dix ou quinze ans. La concurrence sans doute, ou un revirement dans le goût du public.

» Les deux grandes expositions de peinture sont le Salon des Champs-Élysées et celui du Champ-de-Mars.

» Celui des Champs-Élysées est très supérieur à l'autre, et, pour s'en convaincre, il n'y a qu'à consulter le chiffre des recettes.

» Car, quoi qu'en dise l'ami Bauër, en matière de beaux-arts, comme pour le théâtre, la recette, voilà le *criterium*.

» Vous ne me ferez jamais croire qu'une pièce qui fait trois ou quatre mille francs ne soit vingt fois supérieure à celle qui fait cinq ou six cents francs.

» Ça tombe sous le bon sens.

» FRANCISQUE SARCEY. »

Au nom de tous mes lecteurs, merci, robuste vieillard de la rue de Douai; et puis, pas adieu, au revoir!

A MONSIEUR ROUDIL

OFFICIER DE PAIX DES VOITURES

Certes, je hais la délation... (Je n'ai même pas approuvé le mouvement d'indignation, pourtant bien justifié, de madame Aubert, quand – dans *Pension de Famille,* la follement amusante pièce de notre vieux Donnay – cette personne annonce à M. Assand qu'il est cocu comme un prince.) Certes, dis-je, je hais la délation; mais je ne puis m'empêcher de signaler à votre rude justice l'indigne conduite d'un de vos justiciables, le cocher qui mène le fiacre 6969.

C'était pas plus tard qu'hier soir. Il pouvait être dans les dix heures, dix heures et demie.

Je sortais d'un théâtre où je m'étais terriblement rasé, bien résolu à ne plus y remettre les pieds avant deux ou trois ans.

Sans plus tarder, nous nous rencontrâmes, pif à pif, une jeune femme et moi.

Moi, vous savez qui je suis. La jeune femme, vous l'ignorez (quoique avec les femmes on n'ait jamais que des quasi-certitudes à cet égard). Aussi, permettez-moi de vous l'indiquer à grands traits.

Je la connus alors que, toute jeunette, elle jouait des petits rôles aux Bouffes-Parisiens, direction Ugalde.

A différentes reprises, elle consentit à m'accorder ses suprêmes faveurs. Brave petite!

Et d'une inconscience si exquise! Laissez-moi à ce propos, mon cher Roudil, vous raconter un détail qui me revient en mémoire et qui n'a d'ailleurs aucun rapport, même lointain, avec ma réclamation; mais la table n'est pas louée, n'est-ce pas?

Un soir, elle me dit sur un petit ton d'indignation :

– Il y a vraiment des gens qui ne doutent de rien.

– Des gens qui se sont fait un front qui ne sait plus rougir.

– Parfaitement!

– Des gens qui ont bu toute honte!

– Parfaitement!... Imagine-toi que j'ai reçu, avant-hier, une lettre d'un bonhomme qui demeure dans l'avenue du Bois-de-Boulogne et qui me disait que, si je voulais aller le voir, il y avait 25 louis à ma disposition.

– Et qu'as-tu répondu à ce goujat?

– Ma foi!... j'y suis allée... Tu sais... 25 louis!...

Revenons, mon cher Roudil, à nos moutons.

(Le mot *moutons* n'est pas pris ici dans le sens que votre administration lui attribue d'ordinaire.)

La jeune femme en question – et cela continue à n'avoir aucun rapport à ma réclamation – quitta bientôt la carrière théâtrale pour épouser un vieux gentilhomme breton, le baron Kelkun de Kelkeparr, dont le manoir est sis non loin d'Audierne.

Arrivons au fait et passons rapidement sur les effusions.

– Prenons une voiture fermée, mon chéri.

– Pourquoi cela, puisque ton mari n'est pas à Paris?

– Oui, mais toutes les rues de Paris sont pleines de gens d'Audierne (*sic*).

Comme, ce soir-là, le temps était à la pluie, il ne passait sur le boulevard que des voitures découvertes.

Enfin, en voilà une fermée.

– Cocher!

– Voilà!

– A l'heure!... Place du Trône... Inutile de galoper, on n'est pas pressé.

Vous avez deviné, n'est-ce pas, vieux détective, que je n'avais rien à accomplir place du Trône, mais que je séligeais ladite destination pour ce qu'elle me procurait cette voie de discrétion sépulcrale – à l'heure qu'il était – le boulevard Voltaire?

Et nous voilà partis.

Gustave Flaubert, avec sa grande autorité et son immense talent, n'osa point insister sur ce qui se passa dans le fiacre de *Madame Bovary*.

Moi, je suis un type dans le genre de Flaubert, et vous n'en saurez point davantage.

Mais ce que vous ne devez pas ignorer, monsieur Roudil, c'est ce qui advint quand, revenu de la place du Trône et la jeune femme en allée, je réglai mon fiacre devant la caserne du Prince-Eugène, qu'on appelle maintenant caserne du Château-d'eau, parce qu'elle se trouve place de la République.

Je remis ma pièce de cinq francs au cocher.

Ce dernier la contempla à la lueur de sa lanterne, s'assurant qu'elle n'était point de provenance moldo-valaque ou qu'elle n'arrivait pas de ces républiques hispano-américaines mal cotées, en ce moment, sur le marché des pièces de cent sous en argent.

Ayant constaté que mon dollar était un honnête Louis-Philippe, il le mit dans sa poche, disant goguenard :

— Ça fait le compte.

— Comment, ça fait le compte!

— Bien sûr que ça fait le compte!

— Comment cela?

— Eh ben oui!... quarante sous de sapin...

— Et puis?

— Et trois francs de chambre.

Alors, enveloppant sa maigre rosse d'un vigoureux coup de fouet, il piqua des deux et disparut à l'horizon.

Vous savez, mon cher Roudil, ce qui vous reste à faire.

NOTES SUR LA CÔTE D'AZUR

... Au restaurant de la gare, où je dîne avant de prendre le train, à la table tout près de moi se trouve un petit ménage d'amoureux, fraîchement conjoint, sans doute, extrêmement réjouissant.

Surtout la petite femme, qui est drôle.

— Oh! Regarde donc ce brave homme! La bonne tête qu'il a! Parle-lui, il doit être rigolo.

Le brave homme ainsi désigné jouit effectivement d'une bonne tête. La face cramoisie avec, tout blancs, ses cheveux et ses favoris. Une tomate sur laquelle il aurait neigé, comme disait je ne sais plus qui à propos de je ne sais plus quel autre. Sur sa tête, une casquette qui porte ce mot : *Interprète*.

Docile, le jeune homme obéit à sa petite compagne :

– Hé, monsieur!

– Monsieur?

– Vous êtes interprète?

– Oui, monsieur.

– Est-ce que vous parlez français?

– Oui, monsieur.

– Ah! c'est bien regrettable, parce que, moi aussi, je parle français, de sorte que vous ne pourriez me rendre aucun service. C'est bien regrettable!

– Qu'est-ce que vous voulez, monsieur, ce sera pour une autre fois.

– Mais, que cela ne vous empêche pas de prendre un verre avec nous; voulez-vous?

– Avec plaisir, monsieur.

La petite femme semble heureuse comme tout de trinquer avec le vieil interprète rouge et blanc.

... Le compartiment où je pénètre est occupé par trois messieurs, qui m'accueillent avec une évidente discourtoisie. *Complet,* s'écrient-ils, me désignant les places vacantes encombrées par des couvertures et autres menus objets.

Ces messieurs sont des Anglais inhospitaliers.

Délicatement, je prends les couvertures et autres menus objets de la place du coin, je les reporte à côté et m'installe le plus confortablement du monde.

Le train part.

Me voilà tout à la joie de m'en aller loin de ce boueux et brumeux Paris, vers le bon soleil, où je vais soigner ma petite neurasthénie et dorloter ma blême dégénérescence.

Je n'ai pas grandi d'une ligne dans la sympathie

de mes Anglais. Ces messieurs ne se gênent vraiment pas assez. Décidément, ce ne sont pas de véritables gentlemen.

Et puis, je m'endors du pur sommeil de la brute avinée.

Quand je m'éveille, il fait petit jour, je jette un coup d'œil sur mes compagnons de route.

O délire! Ces trois muffs sont des poitrinaires, tuberculeux au dernier degré!

Dès lors, ma liesse ne connaît plus de bornes.

A la hauteur d'Avignon, un radieux soleil inonde notre car, et j'éprouve un plaisir extrême à contempler la mine blafarde de mes insulaires pignoufs, leurs pommettes rouges, leurs yeux creux, leurs ongles qui s'incurvent et leurs oreilles qui se décollent.

D'Avignon à Marseille, mon voyage n'est qu'un Eden ambulant.

Ça leur apprendra à être polis.

... Cet accès de sauvagerie anglophobeuse (épisodique, d'ailleurs) est de bien petite bière auprès du mot que j'ai entendu ce matin à Menton.

Le capitaine Kermeur, de Saint-Malo, dont le bateau est au radoub à Marseille, a profité de ses deux ou trois jours libres pour faire un tour à Menton.

— Quel sale cochon de pays, hein! fait Kermeur.

— Vous trouvez? Moi, je ne suis pas de votre avis.

— Eh bien, moi, je suis du mien, d'avis. S'il me fallait vivre dans cet ignoble patelin de *mocos,* j'aimerais mieux me f... à l'eau, tout de suite!

— Vous êtes sévère, Kermeur!

— Mais, enfin, vous n'allez pourtant pas comparer ce pays à la Bretagne?

— Je ne compare jamais, Kermeur. Chaque contrée a son genre de beauté, voilà tout!

— Ah! vous n'êtes pas dur, vous!

— Mais, dites-moi, Kermeur... Si ce pays vous

dégoûte à ce point, que venez-vous donc y faire, alors que rien ne vous force à y venir?

– Ce que je viens y faire?

A ce moment, la physionomie de Kermeur revêt une expression double de joie excessive et de férocité peu commune :

– *Je viens voir crever des Anglais!*

Et, en disant ces mots. Kermeur a le rictus bien connu du tigre qui rigole comme une baleine...

... Toulon, vingt-trois minutes d'arrêt.

Une jeune femme, très gentille, ma foi! qui n'a pas entendu, me demande :

– Pardon, monsieur, c'est bien Toulon, ici?

Au lieu de lui répondre simplement : « Oui, madame », je ne puis résister à la tentation de faire un calembour idiot :

– Je ne sais pas exactement, madame, c'est Toulon... ou tout l'autre.

La dame hausse imperceptiblement les épaules, descend du wagon, se dirige vers la bibliothèque, et achète le *Parapluie de l'escouade*, un des livres les plus amusants qu'on ait publiés depuis ces dernières vingt années.

... A Cannes, dans les allées de la Liberté, une petite fête foraine assez gaie.

Lu, sur l'une des baraques, cette annonce qui m'a beaucoup réjoui :

ATTRACTION FRANCO-RUSSE

RAT GÉANT

Le plus colossal du Globe
capturé
dans les égouts de la Caroline du Sud.

... Dans cette même cité de Cannes, à l'hôtel où je suis (*Hôtel des Colonies, complètement restauré et agrandi, lumière électrique, etc., etc.)* se trouvent des écriteaux portant cette indication :

Bains et voitures dans l'établissement.

On n'a pas idée de ce que c'est commode!

Vous prenez votre bain au bout du corridor et, pour peu que vous soyez fatigué, vous regagnez votre chambre en landau.

Ce matin, je me promenais au bon soleil, sur la promenade de la Croisette, ma carcasse endolorie, quand j'aperçus, venant à moi, une jeune fille hongroise fort jolie, gentiment intellectuelle et d'un flirt ravigoteur.

Je l'appelle Hieratica Pittoresco parce que son véritable nom ressemble un peu à ces syllabes et que, dans le commencement, je ne m'en souvenais jamais (de son nom).

Hieratica me tendit sa petite main finement gantée, comme dans les romans de Georges Ohnet. (Avez-vous remarqué, dans les romans de Georges Ohnet, que les jeunes femmes tendent toujours aux messieurs leur petite main finement gantée?)

Puis elle me dit, avec un beau sourire clair comme le temps :

— Tiens, ça a l'air d'aller mieux, vous, ce matin, votre neurasthénie.

— Des êtres tels que moi, Hieratica, peuvent-ils jamais aller mieux? Mettons *moins pis* et n'en parlons plus.

— Si, si, je m'y connais, moi! Vous détenez le record de la désespérance pas tant que ces jours passés. Reçu un tendre mot de l'exclusive chérie, peut-être?

— Pas un mot, Hieratica, pas un geste.

— Alors, quoi?... J'ai pourtant vu, tout à l'heure, danser dans votre œil une petite lueur – comment dirais-je bien?... – rigouillarde.

— Vous devenez, Hieratica, commune!

– Depuis que je vous hante, cher seigneur.

– Eh bien! Hieratica Pittoresco, je vais tout vous dire. Si l'heure qui sonne me voit moins déprimé, c'est que je viens de lire le *Figaro*.

– Ça n'est pas un traitement bien cher!

– Oui, mais il y a *Figaro* et *Figaro*. Le *Figaro* dont je parle recelait en ses flancs un article de Saint-Genest.

Et, véritablement, cet article de Saint-Genest est bien la chose la plus irrésistiblement comique que j'aie lue depuis longtemps.

... Il m'arrive quelquefois de déjeuner ou de dîner à table d'hôte, et alors je ne m'embête pas une minute. Je ne puis pas croire autrement : on les a faits exprès pour moi, ces fantastiques bourgeois.

Dans quels insondables puits, dans quels terrifiants abîmes vont-ils pêcher tout ce qu'ils disent? O stupeur!

Actuellement, les deux grands sujets de conversation sont : la température. (*Il fait bon au soleil, mais le fond de l'air est froid.*) Et les anarchistes. (*Ces gens-là, je les étriperais avec plaisir jusqu'au dernier!*)

En dehors du thermomètre et de la dynamite, j'ai noté quelques bouts de conversation :

– Les fleurs sont bigrement chères, en ce moment.

– C'est toujours comme ça au moment des *fêtes*.

– J'ai pourtant trouvé un petit panier à 3 francs.

– 3 francs! Eh bien, vous ne vous ruinez pas, vous!

– Non, mais je dois dire qu'elles ne sont pas bien jolies. Bah! les gens croiront qu'elles se sont abîmées en route... Et puis, dans un cadeau, qu'est-ce qu'on regarde? L'intention, n'est-ce pas?

Un autre de ces messieurs s'extasiait d'avoir été servi, dans un magasin où il achetait des bretelles, par une jeune Cannoise blonde comme les blés.

— Il y a des blonds partout, observe son voisin.

— Je ne dis pas, mais ça paraît étonnant de trouver une personne blonde dans ce pays où tous les habitants sont noirs *comme de véritables indigènes.*

Ensuite s'engage une discussion sur la coloration dermique des Méridionaux. Est-ce le soleil qui les brunit ainsi, ou bien s'ils ont ça *dans le sang?*

— Une supposition que vous transportiez un ménage de nègres dans le *pays des Albinos,* croyez-vous par exemple qu'il feront des enfants blancs comme neige?

— Permettez, permettez...

Malgré mon énorme entraînement au flegme, ma seule ressource pour ne pas éclater de rire consiste à fixer éperdument les *Natures mortes* de la salle à manger, plus mortes qu'elles ne croient, les pauvres, et qui ont l'air de se passer dans une cave.

... J'aime mieux les conversations d'un gosse que je rencontre quelquefois avec sa jeune mère :

— Dis donc, maman, je viens de rencontrer madame Lambert.

— Ah!

— Oui, tu sais, elle a un nouveau bébé.

— De quel âge?

— Je ne sais pas trop, moi; mais il a l'air tout neuf.

Et puis un autre jour :

— Dis donc, maman, qu'est-ce que c'est que ça, des *Niçards?*

— Ce sont les gens de Nice qu'on désigne quelquefois comme ça.

— Alors, les gens de Cannes, on devrait les appeler des *Canards...* Ce serait bien plus rigolo, pas, m'man?

... Envahi la principauté de Monaco, grimpé à la roulette de Monte-Carlo, gagné des monceaux d'or.

Pas quitté Monte-Carlo sans présenter nos bonnes amitiés au brave M. Steck, l'habile chef d'orchestre et organisateur de beaux concerts.

M. Steck nous reçoit le plus gracieusement du monde et nous offre une rasade de cet excellent rhum qui porte son nom. (Très réconfortant. Spécialement recommandé aux touristes épuisés, avec pas mal de pommes de terre autour.)

... Chouette! Le *Petit Marseillais* avec une chronique de Sarcey!

La première phrase me plonge en des délices extrêmes :

Si j'avais un vœu à former pour mes lecteurs, au début de cette année, ce serait de garder l'intégrité de leur bon sens, du vieux bon sens français, et de ne pas se laisser envahir par les fantaisies des idées nouvelles.

Allons, me voilà heureux! On ne m'a pas changé mon vieux Sarcey.

... Ce matin, la petite Hieratica Pittoresco a su m'arracher un pâle sourire :

— Alors, vous êtes revenu de tout?

— De tout, Hieratica.

— Vous avez banni de votre âme tout idéal?

— De mon âme tout idéal.

— Vous ne vous intéressez plus à rien, ni aux êtres, ni aux choses, ni aux idées?

— Je m'intéresse à *peau de balle*!

— Qu'est-ce que c'est que ça, *peau de balle*?

— C'est un mot appartenant naguère au répertoire de l'armée et signifiant le néant. Ce terme passa bientôt dans le domaine civil, où il fit une rapide fortune.

— Et ça s'écrit comment?

— Comme ça se prononce.

— Mais encore?

— Savez-vous écrire *peau*... de la peau?

– Oui.

– Savez-vous écrire *balle*... une balle?

– Oui.

– Alors, vous savez écrire *peau de balle*.

– Et j'en suis ravie... Si vous venez à claquer et qu'on me charge de votre épitaphe, dites-moi un peu ce que j'écrirai.

– Dites vous-même.

– Je mettrai :

Il aimait... peau de ball', c'est ce qui l'a tué.

Est-ce pas là la formule qui vous siérait?

– Comme un gant.

Petite Hieratica! Est-ce que je l'aimerais?

... Nous rencontrons souvent une dame d'une certaine maturité, mais qui a dû être pas mal quand nous étions sous l'Empire.

Elle est toujours flanquée d'un joli petit jeune homme, l'air artiste. Et comme elle semble l'aimer, son jeune ami!

– Qui est cette dame? demandons-nous.

– Une ancienne chanteuse d'opéra, Polonaise je crois, qui épousa un millionnaire et le perdit peu de temps après. Il lui reste un semblant de voix. Elle chante encore quelquefois, et le petit l'accompagne...

– En *dos* mineur, insinua la délicat poète Alfred Mortier.

(*Dos* – je donne cette explication pour quelques abonnés à l'étranger – est l'abréviation de *dos vert*, qui est lui-même le synonyme d'un terme servant à désigner un poisson bien connu pour son proxénétisme, ou tout au moins ses détestables complaisances.)

... A Nice, il y a un Mont-de-Piété sur les murs duquel est peinte, en grosses lettres, cette inscription :

MONT-DE-PIÉTÉ DE NICE

On a bien fait de préciser ainsi : quelquefois, des gens auraient pu croire que c'était le Mont-de-Piété de Dunkerque.

(Qu'on n'aille pas conclure de cette remarque sur le clou niçois que j'aie coutume d'y fréquenter. Oh! que nenni! Je connais ce monument comme vous pourriez le connaître, chère madame, car il est placé dans l'endroit le plus apparent de la cité.)

... Mon ami, le Captain Cap, actuellement fixé à Antibes avec son yacht, continue sa campagne microbophile.

– Emasculons l'ennemi, dit-il.

Un pauvre monsieur tuberculeux avalait devant nous des troupeaux entiers de capsules de créosote.

Cap l'interpelle.

– Quel effet croyez-vous, monsieur, que ça leur fait, aux bacilles, votre créosote?

– Dame, ça doit un peu les embêter.

– Les embêter! Ah ouitche? On voit que vous ne connaissez pas les microbes... Ça leur fait, tout simplement, hausser les épaules.

Le pauvre monsieur tuberculeux est tué du coup. Il lève au ciel ses yeux, tout à la tâche de se figurer nettement l'image d'un Syndicat de microbes haussant les épaules.

... Le même Cap a un mot exquis, je trouve, pour exprimer qu'on est, assez longtemps, resté dans le même bar, dans le même café, et que l'heure a sonné de se diriger vers d'autres tavernes.

Il dit :

– Changeons de mouillage.

Ce terme, emprunté au vocabulaire maritime, s'applique divinement au cas terrien qui nous occupe.

... Je ne puis m'empêcher de sourire en *repensant* au mot de cet imbécile de Paul Robert, la veille de mon départ :

– Alors, tu t'en vas dans le Midi?

– Mais oui, mon vieux.

– Comptes-tu y faire de la photographie?

– De la photographie!... Quelle drôle d'idée! Pourquoi de la photographie?

– Parce que, je vais te dire, c'est très difficile à réussir un cliché, là-bas.

– Pourquoi cela?

– Parce que *le Midi bouge*!...

Allusion à un chant de guerre que composa Paul Arène en 70, à l'usage des mobiles de Sisteron :

> Une, deux!
> Le Midi bouge,
> Tout est rouge.
> Une, deux!
> Nous nous f... bien d'eux.

... C'est ce même Paul Robert qui eut, avec le ténor Jean Périer, ce bout de dialogue :

– Quelle orchidée?

– Une eurythmie.

Ce qui signifie :

– Quelle heure qu'il est?

– Une heure et demie.

Ces messieurs détiennent-ils point le record de l'à-peu-près?

Comme c'est loin, tout ça!

... Le *New-York Herald,* qui possède un gros *office* à Nice, affiche plusieurs fois par jour, au coin du quai Masséna et de la place, un immense tableau avec les dernières dépêches de partout.

Ce matin, la première dépêche inscrite était la suivante :

New York. – A bill will be presented to Congress for protection of public, and to prevent importation of deseases.

Nous passions, moi (je me cite le premier, parce que la personne qui vient ensuite est une excellente

216

fille qui ne se formalisera pas de si peu), moi, dis-je, et la maîtresse d'un de mes amis, une petite bonne femme, très gentille, mais qui n'a inventé aucun explosif.

– Qu'est-ce que ça veut dire?

– Comment, vous ne comprenez pas?

– Je ne sais pas l'américain, moi!

– Si vous voulez, je vous l'apprendrai, dès que vous aurez une minute.

– En attendant, expliquez-moi.

– Ça veut dire : *Une loi va être présentée au Congrès pour la protection du public et pour interdire l'importation des décès.*

– L'importation des décès?

– Bien sûr, l'importation des décès! Ça vous étonne, ça?

– Dame! un peu... Je ne vois pas bien...

– Ça n'est pourtant pas très compliqué. La douane de New York, si la loi est votée, empêchera les décès de pénétrer. Comme ça, personne ne claquera plus en Amérique.

– Ça, par exemple, c'est épatant! Et pourquoi qu'on n'en fait pas autant en France?

– Ah! voilà. Tant que nous aurons ce gouvernement-là, on ne pourra espérer aucune réforme. Imagine-toi, ma pauvre petite, qu'il y a trois ans, monsieur Conrad de Witt, député de Pont-l'Évêque, a proposé un droit d'entrée de 3 francs par tonne sur les ouragans... La Chambre l'a repoussé.

– Tu crois que faudrait pas mieux un bon empereur, tout de même?

– A qui le dis-tu?

... A une devanture de libraire, j'ai aperçu *Rouge et Noir,* de Stendhal.

L'envie m'a pris de relire cet admirable livre et je l'ai acheté. Comme le libraire avait une bonne tête, je lui ai demandé :

– Vous n'auriez pas, du même auteur, *Pair et Impair* ou bien *Manque et Passe*?

Et le commerçant, avec un aplomb infernal, m'a répondu :

— Pas pour le moment, monsieur, mais si vous le désirez, je peux vous le faire venir.

Il en a une santé, celui-là! comme dit le sympathique directeur d'un grand journal littéraire de Paris.

... Anglomanie.

— Vous voyez ce monsieur, à cette table, avec ses deux filles?

— Je vois surtout les deux jeunes filles.

— Eh bien! c'est un Américain qui est à la tête d'une dizaine de millions de dollars. A quatorze ans, ce bonhomme-là...

— N'achevez pas... A quatorze ans, il conduisait des trains de bois sur l'Hudson. Tous les Américains qui sont arrivés à quelque chose ont débuté par conduire des trains de bois sur l'Hudson. Continuez.

— Rien d'étonnant, d'ailleurs, à ce que cet homme ait si merveilleusement réussi. Il avait au plus haut degré cette qualité... Malheureusement, nous n'avons pas en français de mot pour bien exprimer cette qualité si américaine.

— Comment dit-on en anglais?

— On dit... *activity.*

... Déjeuné au mess de MM. les officiers du bataillon de chasseurs alpins. Fait la connaissance du lieutenant Élie Coïdal, un charmant garçon qui va faire parler de lui avec sa nouvelle invention de la *bicyclette de montagne.*

Jusqu'à présent, les bicyclettes n'avaient guère rendu de services que sur les routes horizontales ou, tout au moins, de faible pente.

Mais pour ce qui est de l'alpinisme, il n'y avait rien de fait, comme dit Jules Simon.

L'idée n'est venue à personne, pas même au redoutable alpiniste Étienne Grosclaude, d'ascensionner le Mont-Blanc à l'aide d'un vélocipède.

Le lieutenant Élie Coïdal vient de combler cette lacune.

Sa *bicyclette de montagne* ressemble, à première vue, à n'importe quelle bicyclette. Disons même qu'elle lui est sensiblement identique.

Elle n'en diffère que par un dispositif des plus subtils et dont l'idée fait grand honneur à son inventeur.

A l'extrémité de chaque roue – l'extrémité d'une roue! ça vous épate, ça hein? – est fixé une manière de piton auquel peut s'accrocher une forte courroie de cuir.

Vient-il à s'agir de grimper un pic inaccessible, le touriste installe la courroie de cuir, se la passe autour du corps en bandoulière (de l'italien *in bandoliera*, qui veut dire *en sautoir*).

L'ascension n'est plus, dès lors, pour un gaillard un peu résolu, qu'un jeu d'enfant.

La bicyclette en aluminium est, pour ce sport, infiniment préférable à celle en platine écrou (densité, 23 et quelque chose).

... Môme fin de siècle :

– Viens, Pierre, nous allons faire un tour.

– Où qu'nous allons, m'man?

– Sur la promenade des Anglais.

– Ah! zut! j'en ai soupé, moi, de la *balade aux Angliches!*

... Étrange! Étrange!

J'ai demandé, ce matin, à un sergent de ville de Nice :

– Pardon, mon lieutenant [1], pour aller au Pont-Vieux, s'il vous plaît?

– Oh! mon Dieu, c'est bien simple, monsieur. Prenez le boulevard du Pont-Neuf que voici, et allez tout droit, vous arriverez au Pont-Vieux.

[1]. J'appelle toujours les sergents de ville de province *mon lieutenant*. Ça ne me coûte rien et ça leur fait tant plaisir!

Prendre le boulevard du Pont-Neuf pour aller au Pont-Vieux, c'est la première fois que m'arrivait pareille aventure.

— Mais, me dis-je, peut-être que pour aller au Pont-Neuf il faut prendre le boulevard du Pont-Vieux.

Ça ne rata pas :

— Pardon, mon lieutenant, fis-je à un autre sergent, pour aller au Pont-Neuf, s'il vous plaît?

— Oh! mon Dieu, c'est bien simple, monsieur. Prenez le boulevard du Pont-Vieux que voici, et allez tout droit, vous arriverez au Pont-Neuf.

... Puisque je parle de ces deux ponts, laissez-moi vous signaler l'unique au monde spectacle du Paillon, par un coup de soleil.

Des femmes sans nombre et myriachromes y lavent du linge et le font sécher.

Le Paillon est, d'ailleurs, une des rares rivières de France dont la principale occupation soit de sécher du linge.

... Lu, dans un journal local, cette annonce troublante :

SAN-REMO
Hôtel X...

Grâce à une disposition ingénieuse, tous les appartements de l'hôtel X... sont exposés au Midi.

Je ne connais pas la *disposition ingénieuse* en question, mais je puis affirmer, de chic, que celui qui l'a imaginée n'est pas un type ordinaire.

... Chacun procède au culte de la patrie comme il l'entend.

J'ai vu, tout à l'heure, un Américain qui, à la lecture d'une dépêche du *Gordon Bennett Herald*, relatant la pluie à New York, a, tout de suite, relevé le bas de son pantalon, bien que le sol, à Nice, fût parfaitement sec, et radieux le soleil.

... L'excellent Jacques Isnardon, qui détient, en ce moment, le record du succès au Casino Municipal, possède une nièce, un amour de petite nièce d'une demi-douzaine d'années, laquelle, née et élevée à Marseille, a un *assent* des plus comiques dans cette petite bouche.

Je la rencontre sur le trottoir à la porte d'un magasin.

Après lui avoir fait une grimace pour la faire rire – quand elle rit, ça lui met aux joues deux jolies fossettes – je lui demande :

– Que fais-tu ici, toute seule, jeune Émilie ?

La jeune Émilie me répond par un gazouillis qui ne me semble avoir rien de commun avec le langage humain.

Je réitère ma question. Émilie réitère sa tyrolienne.

A la fin, je réussis à noter les sons qu'elle émet :

– *Ja tann tann tann tô nine.*

Heureusement, sa tante, sa gracieuse tante sort du magasin et m'explique.

Émilie me disait tout simplement :

– J'attends tante Antonine.

Je ne m'en serais jamais douté.

Tiens, ça me fait penser que je déjeune, demain, chez Isnardon.

... Le docteur australien nous en a raconté une bien bonne, ce matin, au déjeuner.

On parlait de la grande discussion qui passionne, en ce moment, certains milieux :

« Est-il indispensable que les médecins sachent le latin pour vous prescrire un gramme d'antipyrine ou pour vous couper la jambe ? »

– Cette discussion, dit le docteur, me rappelle le plus extraordinaire pharmacien que j'aie vu de ma vie. En voilà un qui n'avait pas fait son éducation à Oxford ni à Cambridge, ni même à Cantorbery, comme Max Lebaudy! Il ignorait le latin, le grec et n'était pas bien reluisant sur l'orthographe anglaise... Ceci se passait dans une petite ville d'Australie de fondation récente. Notre homme... s'était établi *apothicary,* comme il se serait établi marchand de copeaux, tout simplement parce qu'il n'y avait pas d'*apothicary* dans le pays. Ses affaires prospérèrent assez bien, d'ailleurs. Au cours d'un voyage qu'il fit à Melbourne, le potard improvisé remarqua une magnifique pharmacie sur la devanture de laquelle était peinte cette devise latine : *Mens sana in corpore sano,* qui le frappa fort. A son retour, il n'eut rien de plus pressé que d'orner sa boutique de cette merveilleuse sentence qu'il élargit à sa manière, et bientôt les habitants de Moontown purent lire, à leur grand ébaudissement, cette phrase en lettres d'or :

MENS AND WOMENS
SANA IN CORPORE SANO

(*Mens and womens,* en dépit d'une légère faute d'orthographe, bien excusable aux antipodes, signifie *hommes et femmes.*)

... Le même docteur, qui me fait l'effet d'être un joli pince-sans-rire, disait, en parlant de cet hôtel de San-Remo dont les appartements, grâce à une disposition ingénieuse, sont tous exposés au Midi :
– Moi, j'ai vu plus fort que ça.
Vous pensez si on tendit l'oreille.
– Oui, j'ai vu plus fort que ça. C'est une jeune fille russe, à Menton, qui avait le poumon droit attaqué. Dans ses promenades, elle s'arrangeait de façon à avoir toujours le côté droit au soleil.
– Pardon, docteur, interrompt un vieux monsieur, ça ne devait pas toujours être bien commode.

– Pourquoi cela, pas bien commode? Est-ce qu'on ne peut pas toujours s'arranger pour avoir le soleil à sa droite ou à sa gauche?

– Je ne vous dis pas, mais... Enfin, une supposition : votre jeune fille russe sort de l'hôtel. Bon! Elle va se promener dans une direction qui lui permet d'avoir le soleil à sa droite. Mais quand elle rentre à l'hôtel?...

– Elle rentre par un autre chemin, pardi.

– Ah! c'est juste.

Le plus comique, c'est que le vieux monsieur est parfaitement persuadé de l'exactitude du raisonnement, et même il a l'air de se dire :

– Faut-il que je sois bête pour ne pas avoir songé à cela!

... Je crois que l'existence deviendrait plus aisément coulable et qu'on pourrait parfois, comme disent les Anglais, *take smile with life,* si on s'attachait à lire toutes les choses exquises écrites sur les murailles des cités ou la paroi externe des magasins.

En débarquant à la gare d'Antibes, l'œil émerveillé du voyageur peut immédiatement contempler un avis au public, composé de lettres de un mètre de hauteur ainsi conçu :

> *Il est interdit de déposer*
> *le long des remparts*
> *aucuns matériaux autres que des décombres*
> *en bon état.*

Pour une voirie soigneuse, la voirie d'Antibes est une voirie soigneuse.

Et cette enseigne, cueillie sur la boutique d'un petit épicier de Villefranche :

> *Denrées coloniales*
> *anglaises et du pays*

... Dialogue de table d'hôte.

— Et... vous comptez passer tout l'hiver à Nice?

— Oh non, je ne crois pas. D'ailleurs, cela ne dépend pas de moi.

— Vous avez des *affaires* à Paris?

— Oh! non, pas d'*affaires* à Paris.

— Je dis *à Paris*... ou ailleurs, bien entendu.

— Ni à Paris, ni ailleurs.

— Eh bien! alors, cela dépend de vous.

— Non, cela ne dépend pas de moi. Je resterai à Nice, jusqu'à ce que j'aie rattrapé les 80 kgs que je pesais cet été... Encore trois livres et demie et ça y sera.

... Haute philosophie de mon jeune ami Pierre.

— Pierre, as-tu fini tes devoirs?

— Je les ai seulement pas commencés.

— Veux-tu bien les faire tout de suite, petit malheureux!

— Dis donc, m'man, crois-tu que ça soit bien utile?

— Bien utile... quoi?

— De faire mes devoirs, parbleu!

— Quelle question ridicule! Allons, dépêche-toi!

— Parce que, je vais te dire, m'man, plus que je vieillis, plus que je trouve inutile de se fiche tant de coton!

— Tant de...?

— Tant de coton! tant de peine, quoi!... Ainsi, tous ces bonshommes épatants, qu'on voit dans les versions latines, qui faisaient des bouquins, qui gagnaient des batailles et tout le tremblement, à quoi que ça leur sert d'avoir fait tout ce turbin-là, maintenant qu'il y a trois mille ans qu'ils sont claqués?

— En voilà un raisonnement!

— Bien sûr que c'est un raisonnement! T'es ben gentille, ma pauvre p'tite mère, seulement... voilà, tu ne comprends pas ces machines-là...

— Merci, Pierre.

– Et moi, quand il y aura trois mille ans que je serai claqué...

– Veux-tu te taire! malheureux enfant!

– Tiens, te voilà encore! Est-ce que tu t'imagines, par exemple, que je serai vivant dans trois mille ans? Et toi aussi? Et papa aussi? Et Bébé aussi? Ah ben zut! alors, nous serions rien gaga!... Alors, quand il y aura trois mille ans que je serai claqué, à quoi que ça me servira de m'être rasé à faire des devoirs?... Tiens, veux-tu que je te dise? Si on était raisonnable, on passerait sa vie rien qu'à la rigolade.

... A Toulon.

Des gendarmes entourent un wagon décoré de cette inscription : *ministère de l'Intérieur.*

En descendent de jeunes messieurs, dénués de distinction et pas très luxueusement vêtus.

Je demande à un vieillard solennel et propret qui a l'air de se trouver tout à fait chez lui dans cette gare :

– Des forçats, sans doute, monsieur?

– Pas précisément, me répond le vieillard solennel et propret, des relégués, tout simplement... Ces voyageurs sont de jeunes hommes que la police cueillit, une belle nuit, en des bouges de la périphérie parisienne et qui ne purent justifier d'autres moyens d'existence que l'argent à eux versé par leur concubine, argent provenant de la prostitution. Le gouvernement, en vertu d'une loi votée voilà tantôt trois ou quatre ans, procure à ces messieurs toutes facilités pour aller exercer leur coupable industrie par des latitudes diamétralement opposées à la nôtre.

– Alors, ce wagon est, comme qui dirait, un *alphonse-car.*

– Pas si fort, monsieur! Les mânes d'Alphonse Karr reposent tout près d'ici, à Saint-Raphaël, et pourraient vous entendre.

– Les morts n'entendent pas, vieillard solennel et propret!

... A la Réserve :

– Et après le poisson, qu'est-ce que ces messieurs prendront?

– Moi, répond Narcisse Lebau, je prendrai un beefteak sur le gril sans beurre.

– Sans beurre?

– Oui, sans beurre... et sans reproche!

... Aux courses.

– Tiens, voilà Montaleuil!... Qu'est-ce qu'il a donc de vert à la boutonnière?

– Le Mérite agricole, parbleu!

– Le Mérite agricole à Montaleuil! Ah! celle-là est bonne!

– Mais pas du tout! dit Pierre Nicot. Au point de vue champêtre, Montaleuil est loin d'être le premier venu. C'est lui l'inventeur du procédé qui consiste à nourrir les lapins qu'on pose avec les carottes qu'on tire.

... Devant le magasin d'un coiffeur à prétentions britanniques.

Dialogue entre une jeune niaise et celui qui écrit ces lignes :

LA JEUNE NIAISE : Qu'est-ce que ça veut dire *Hair dresser?*

CELUI QUI ÉCRIT CES LIGNES : *Hair*, ça veut dire *cheveux*.

L.J.N. : Et *dresser?*

C.Q.E.C.L. : *Dresser*, parbleu, ça veut dire *dresseur*.

L.J.N. : Et alors?

C.Q.E.C.L. : Alors, le *hair dresser*, c'est un individu qui vous fait tellement mal en vous rasant que les cheveux vous en dressent sur la tête.

L.J.N. : Ah?

C.Q.E.C.L. : Oui.

... Le record de la distraction est certainement

détenu par un monsieur qui prend ses repas dans une pension où je vais quelquefois.

Hier matin, j'arrive très en retard. Presque tout le monde finissait de déjeuner.

Je prends des sardines et, en songeant à autre chose, je les passe au susdit monsieur qui grignotait un dessert quelconque.

Le pauvre homme saisit la boîte et, docilement, se sert une sardine qu'il mange d'un air de candeur inexprimable.

Tous les gens autour de nous ont ri comme des bossus. Le monsieur s'est aperçu de son étourderie et c'est grand dommage, car je me serais amusé à le faire *redéjeuner* totalement.

... Fragment de conversation entre mon jeune ami Pierre et sa maman :

– T'es-tu bien promené, Pierre?

– Oh! oui, m'man! j'ai assez rigolé!... Et puis, tu sais pas ce que j'ai vu? Devine.

– Mais je ne peux pas deviner.

– Quelque chose d'épatant : une *nounou nègre*!

– Que vois-tu de si extraordinaire en cela?

– Tu trouves pas ça épatant, toi? Eh ben! zut, t'es pas dure!... Tu sais pas l'effet que ça me fait à moi, une nounou nègre?

– Dis un peu.

– Eh ben! l'effet que ça me fait, c'est que le gosse doit téter du café au lait!

... Maintenant que le gentleman en question vogue entre le Havre et New York, je peux bien conter l'histoire.

Le gentleman en question est rédacteur important dans un *Chicago Tribune* quelconque.

On m'a présenté à lui comme étant Maurice Barrès. Joie débordante du Yankee.

J'ai subi une *interview* des plus corsées.

A la grande satisfaction de mes camarades, j'ai bourré mon homme de documents infiniment contestables et d'idées personnelles, semblant provenir de Ville-Evrard, au sujet de l'évolution littéraire et artistique de notre belle France.

Ce journaliste américain fut tellement ravi d'avoir fait la connaissance de Barrès qu'il nous invita tous, le soir même, au Helder, où nous avons fait un dîner, mes petites chéries, je ne vous dis que ça!

Je ne sais pas encore comment Barrès prendra la chose quand il recevra le journal d'Amérique.

... Il faudrait le pinceau de Goya pour dépeindre le ravissement où me plongea la lisance des feuilles d'aujourd'hui.

L'abondance des matières nous force, à notre grand regret, à écourter les citations.

Au choix :

D'abord, dans l'*Éclair,* une chronique de Gerville-Réache qui débute par cette phrase définitive et lapidaire :

Il y a quatre aspects dans Victor Schœlcher.

Quatre, seulement?

Êtes-vous bien sûr, Gerville, de n'en avoir pas oublié un petit?

Dans le *Petit Niçois,* une circulaire du général Poilloüe de Saint-Mars, commandant du 12e corps, dans laquelle je relève une observation frappée au coin du bon sens :

Le pied du soldat est un organe d'une très grande importance (sic).

Votre remarque, mon général, est très juste.

C'est même grâce à cette considération que les conseils de révision hésitent rarement à réformer un cul-de-jatte.

Ah! je ne lis pas souvent les journaux, mais quand je les lis, je ne m'embête pas!

... Quai des Phocéens, à côté du *New-Garden Bar,* il y a un grand marchand de liquides et de produits de toutes sortes, lequel se nomme Berlandina.

Le Captain Cap me donna une excellente idée, c'était d'aller proposer à cet industriel de lui composer une chanson-réclame dont le refrain serait :

Berlandina, Berlandinette! (*bis*)

M. Berlandina demanda à réfléchir.

Sur notre assurance que cette chanson lui serait fournie à titre gracieux, il accepta immédiatement.

Seulement... dame! n'est-ce pas?... on ne peut pas faire une chanson... comme ça... *de chic*... Il faudrait quelques échantillons... pour nous donner des idées.

Et le soir, quand nous rentrons chez nous, Cap et moi, nous trouvons une admirable sélection des *best spirits of the world.*

Cap juge que M. Berlandina a bien fait les choses et que nous sommes, d'ailleurs, des garçons d'infiniment de ressources.

... Rencontré à Beaulieu deux matelots américains du *Chicago,* le croiseur qui est en rade de Villefranche.

Ces deux Yankees, ivres comme toute une escadre polonaise, se font des confidences probablement consternées, car ils pleurent, tels deux lugubres veaux.

– Qu'ont-ils bien pu boire, ces malheureux, pour être si tristes?

Et Maurice Leblanc, duquel j'aurais attendu une tout autre réponse, suppose :

– Peut-être bien des *chopines Auër.*

(Car, détail peu connu, M. Auër ne s'est pas contenté d'inventer le bec qui porte son nom. Il imagina, en outre, les affligeantes chopines qui désolent notre époque.)

... Toulon!

Depuis la joyeuse fête (il y a six semaines) de la *Batterie des hommes sans peur,* je m'étais bien promis de le revoir ce Toulon gai, tout pimpant avec ses mathurins au grand joli col bleu, au regard clair et brave. Je me suis tenu parole.

Arrivé le soir. On donnait *Sigurd* au Grand-Théâtre.

J'adore sacrifier au Grand Art, en général, et au père Reyer, en particulier.

Je me suis donc envoyé les deux premiers actes de *Sigurd*. Interprétation éminemment discutable.

Je signalerai, entre autres, les choristes-dames, qui gagneraient énormément – les pauvres femmes! – à avoir vingt-cinq ou trente ans de moins.

Les choristes-hommes ne perdraient pas, non plus, grand-chose à avoir l'air un peu moins paquet.

Pour ce qui est des deux sexes réunis, je ne verrais nul inconvénient à ce qu'ils chantassent juste et en mesure, ou même qu'ils ne chantassent pas du tout.

... Au contrôle de ce théâtre de Toulon, on distribue, en guise de contremarques, des cartes à jouer, marquées d'un quelconque signe cabalistique.

Au premier entracte, je fus loti d'un neuf de pique.

Au second, m'échut en partage la dame de cœur.

Si, au lieu de jouer *Sigurd,* c'eût été au baccara, j'abattais, et, j'ose le dire, c'était bien mon tour.

... Rentré à Paris.
Zut! Ah! elle est chouette, la Ville-Lumière!
Si je retournais là-bas!

ON N'EST PAS DES BŒUFS

1896

UN EXCELLENT TRUC

Ce fut moins de la stupeur que du vertige qui s'empara de mes sens quand l'hôtelier me remit ma *petite note*.

Puis, le sang-froid me revint :

– Cet imbécile, pensai-je, se trompe de facture et me donne celle d'une nombreuse famille installée chez lui depuis fort longtemps.

Mais, non! pas du tout, c'était bien ma *petite note*.

Comment diable, en deux jours, dans cet hôtel de troisième ordre, en pleine morte-saison, sans avoir fait l'ombre d'une petite fête, avions-nous pu, à deux, dépenser plus de cent francs.

Alors, j'épluchai mon compte, et, de nouveau, le vertige étreignit mon crâne.

– Pardon, monsieur l'hôtelier, commençai-je, vous nous comptez quatre jours de présence en votre établissement, alors que nous n'y demeurâmes même pas trois jours, puisque, arrivés lundi soir, à l'heure du coucher, nous filons aujourd'hui jeudi dès le matin.

– Lundi, mardi, mercredi et jeudi, ça fait quatre jours.

– Vous n'avez pas, pourtant, la prétention de nous compter la journée de lundi, où nous passâmes vingt minutes chez vous, ni celle d'aujourd'hui jeudi, que nous inaugurons à peine.

– C'est une habitude de la maison, monsieur, toute journée commencée est due intégralement.

– Alors, c'est différent... Mais, m'expliquerez-vous pourquoi vous nous comptez deux francs d'éclairage électrique par jour?

– Nous comptons un franc de lumière électrique par personne et par jour!

– Mais, nom d'un chien, nous n'avons même pas aperçu le bout de la queue de votre électricité!

– L'électricité ne marche pas en ce moment, mais je vous ferai remarquer que vous n'en avez aucunement souffert, puisqu'on vous a donné la bougie à la place.

– On nous a donné... on nous a donné... vous en parlez à votre aise, car vous nous la comptez fichtre bien sur mon mémoire, votre bougie!

– Bien sûr que je vous la compte! Si vous croyez qu'on m'en fait cadeau à moi, de la bougie!

– Alors, si vous nous comptez la bougie, ne nous comptez pas l'électricité!

– Impossible, monsieur, l'électricité c'est dans la dépense ordinaire, la bougie c'est de l'extra.

– Et cette *fourniture de papeterie, 1 fr?* Nous n'avons rien écrit chez vous.

– Vous, non. Mais on a écrit pour vous chaque jour.

– Qui ça?

– Nous, à l'hôtel. Le soir que vous êtes arrivés, on vous a remis du papier, une plume, de l'encre, pour écrire votre état-civil. Chaque jour, à chaque repas on vous a donné un menu. C'est de la papeterie, ça!... Et encore maintenant, cette note que je vous remets, c'est encore de la papeterie!

Qu'auriez-vous répondu à cet homme?

Je renonçai à poursuivre une discussion où j'étais battu d'avance.

Cependant, je crus devoir m'en tirer par l'ironie; mais mon ironie glissa sur l'âme de cet industriel, sans plus l'incommoder que le ferait un bouchon de liège jeté par une petite fille sur la peau de l'hippopotame du Jardin zoologique d'Anvers.

J'arborai mon air le plus sardonique.

– Il n'y a qu'une chose que vous avez oublié de compter sur votre note : ce sont les punaises!

– Ah! vraiment! Vous avez eu des punaises?

– Des tas!

– C'est très curieux, ce que vous me dites là!... Nous essayons souvent de les chasser; quelquefois nous réussissons, mais toujours elles reviennent, les satanées petites bêtes!

– Ah! elles reviennent?

– Infailliblement!

– Eh bien! voulez-vous que je vous donne un truc pour qu'elles ne reviennent pas?

– Très volontiers!

– Voici : la prochaine fois que vous les apercevrez, montrez-leur une note dans le genre de celle-là, et je vous f... mon billet qu'elles ne reficheront jamais les pieds chez vous.

Je sortis le cœur un peu soulagé.

UTILITÉ A PARIS
DU BOTTIN DES DÉPARTEMENTS

Vraiment, j'avais beau chercher au plus creux de mes souvenirs, il m'était impossible de me rappeler le monsieur qui me tendait si cordialement la main.

Ou plutôt, je me le rappelais vaguement, comme un monsieur qu'on peut avoir vu quelque part, mais où? mais quand? mais dans quelles circonstances?

– Chacun son tour, alors, fit-il d'un ton enjoué. Il y a quelques années, c'est vous qui m'avez reconnu; aujourd'hui, c'est moi!

– Monsieur Ernest Duval-Housset, de Tréville-sur-Meuse.

Je jouai la confusion, la honte d'un tel oubli! Comment avais-je pu ne point me rappeler la physionomie de M. Ernest Duval-Housset que j'avais connu à Tréville-sur-Meuse, puis revu dans la suite à Paris?...

Notez que, de ma vie, je n'ai mis les pieds à Tréville!

Cette histoire-là est toute une histoire!

. . . .

Il y a quelques années, mon ami George Auriol et moi, nous arrêtâmes un jour à la terrasse du café d'Harcourt, et nous installâmes à une table voisine de celle où un monsieur buvait un bock.

Comme il faisait très chaud, le monsieur avait déposé, sur une chaise, son chapeau, au fond duquel mon ami George Auriol put apercevoir le nom et l'adresse du chapelier : *P. Savigny, rue de la Halle, à Tréville-sur-Meuse.*

Avec ce sérieux qu'il réserve exclusivement pour les entreprises de ce genre, Auriol fixa notre voisin; puis, très poliment :

– Pardon, monsieur, est-ce que vous ne seriez pas de Tréville-sur-Meuse?

– Parfaitement! répondit le monsieur, cherchant lui-même à se remémorer le souvenir d'Auriol.

– Ah! reprit ce dernier, j'étais bien sûr de ne pas me tromper. Je vais souvent à Tréville... J'y ai même un de mes bons amis que vous connaissez peut-être, un nommé Savigny, chapelier dans la rue de la Halle.

– Si je connais Savigny! Mais je ne connais que lui!... Tenez, c'est lui qui m'a vendu ce chapeau-là.

– Ah! vraiment?

– Si je connais Savigny!... Nous nous sommes connus tout gosses, nous avons été à la même école ensemble. Je l'appelle Paul, lui m'appelle Ernest.

Et voilà Auriol parti avec l'autre dans des conversations sans fin sur Tréville-sur-Meuse, localité dont mon ami George Auriol ignorait jusqu'au nom, il y a cinq minutes.

Mais moi, un peu jaloux des lauriers de mon camarade, je résolus de corser sa petite blague et de le faire pâlir d'envie.

Un rapide coup d'œil au fond du fameux chapeau me révéla les initiales : E. D.-H.

Deux minutes passées vers le Bottin du d'Harcourt me suffirent à connaître le nom complet du sieur E. D.-H.

Entrepositaires : Duval-Housset (Ernest), etc.

D'un air très calme, je revins m'asseoir et fixant à mon tour l'homme de Tréville :

– Excusez-moi si je me trompe, monsieur, mais ne seriez-vous pas M. Duval-Housset, entrepositaire ?

– Parfaitement, monsieur, Ernest Duval-Housset, pour vous servir.

Certes, M. Duval-Housset était épaté de se voir reconnu par deux lascars qu'il n'avait jamais rencontrés de son existence, mais c'est surtout la stupeur d'Auriol qui tenait de la frénésie :

Par quel sortilège avais-je pu deviner le nom et la profession de ce négociant en spiritueux ?

J'ajoutai :

– C'est toujours le père Roux qui est maire de Tréville ?

(J'avais à la hâte lu dans le Bottin cette mention : – *Maire : M. le docteur Roux père.*)

– Hélas ! non. Nous avons enterré le pauvre cher homme, il y a trois mois.

– Tiens, tiens, tiens ! C'était un bien brave homme, et, par-dessus le marché, un excellent médecin. Quand je tombai si gravement malade à Tréville, il me soigna et me remit sur pied en moins de quinze jours.

– On ne le remplacera pas de sitôt, cet homme-là !

Auriol avait fini, tout de même, par éventer mon stratagème.

Lui aussi s'absenta, revint bientôt, et notre conversation continua à rouler sur Tréville-sur-Meuse et ses habitants.

Duval-Housset n'en croyait plus ses oreilles.

– Nom d'un chien! s'écria-t-il. Vous connaissez les gens de Tréville mieux que moi qui y suis né et qui l'habite depuis quarante-cinq ans!

Et nous continuions :

– Et Jobert, le coutelier, comment va-t-il? Et Durandeau, est-il toujours vétérinaire? Et la veuve Lebedel? Est-ce toujours elle qui tient l'hôtel de la Poste? etc., etc.

Bref, les deux feuilles du Bottin concernant Tréville y passèrent. (Auriol, moderne vandale, les avait obtenues d'un délicat coup de canif et, très généreusement, m'en avait passé une.)

Duval-Housset, enchanté, nous payait des bocks – oh! bien vite absorbés! – car il faisait chaud (l'ai-je dit plus haut?) et rien n'altère comme de parler d'un pays qu'on n'a jamais vu.

La petite fête se termina par un excellent dîner que Duval-Housset tint absolument à nous offrir.

On porta la santé de tous les compatriotes de notre nouvel ami, et le soir, vers minuit, si quelqu'un avait voulu nous prétendre, à Auriol et à moi, que nous n'étions pas au mieux avec toute la population de Tréville-sur-Meuse, ce quidam aurait passé un mauvais quart d'heure.

LE BOUCHON

Parmi toutes les désopilantes aventures survenues à mon ami Léon Dumachin, au cours de son voyage de noces, voici celle que je préfère :

– Après deux ou trois jours passés à Munich –

c'est mon ami Léon Dumachin qui parle – après deux ou trois, dis-je, jours passés à Munich, nous annonçâmes notre départ pour ce petit délicieux pays de Kleinberg.

Un excellent homme, devant qui j'avais émis cette détermination, me regarda, regarda ma jeune femme, et, tout à coup, se mit à ressentir une allégresse muette, mais énorme, une allégresse qui secouait son bon gros ventre de Bavarois choucroutard.

– Quoi? m'informai-je, qu'y a-t-il donc de si comique à ce que nous partions, ma femme et moi, pour Kleinberg?

– Vous allez à Kleinberg, répondit le voleur de pendules *(style patriote),* et vous descendez sans doute à l'auberge des Trois-Rois?

– C'est, en effet, celle qu'on nous a indiquée.

– Et à l'auberge des Trois-Rois, on vous donnera certainement la belle grande chambre du premier?

– Je ne sais pas.

– Moi, je sais... C'est la chambre qu'on réserve toujours aux jeunes ménages, en évident voyage de noces.

– Ah!

– Parfaitement!... Eh bien! méfiez-vous du bouchon.

– Le bouchon!... Quel bouchon?

– Comment, vous ne connaissez pas la petite plaisanterie du bouchon?

– Je vous avoue...

Ce vieux excellent bourgeois de Munich – car il était excellent – me raconta le *coup du bouchon.*

La chambre en question, celle qu'à l'auberge des Trois-Rois on réserve aux jeunes ménages, est garnie d'un lit qui est précisément situé juste au-dessus d'une petite salle du rez-de-chaussée, laquelle sert d'estaminet privé où, le soir, viennent s'abreuver, toujours les mêmes, quelques braves commerçants de Kleinberg.

Au sommier du lit est attachée une ficelle qui, passant à travers un trou pratiqué dans le parquet, pend dans la petite salle du dessous.

Au bout de la ficelle, un bouchon.

Vous devinez la suite, n'est-ce pas?

Le moindre mouvement du sommier agite la ficelle et se traduit, en bas, par une saltation plus ou moins désordonnée du bouchon.

Voyez-vous d'ici la tête des calmes bourgeois de Kleinberg, buvant et fumant toute la soirée, sans quitter des yeux le folâtre morceau de liège!

D'abord, petit mouvement, quand la dame se couche.

Et puis, plus gros mouvement, quand c'est le monsieur.

Et puis... le reste.

Des fois, paraît-il, le spectacle de ce bouchon gambilleur est tellement passionnant que les buveurs de bière des Trois-Rois ne s'en détachent qu'au petit jour.

. . . .

Je remerciai vivement mon obligeant vainqueur de sa révélation, et me promis d'échapper aux indiscrets constats des Kleinbergeois.

D'autre part, je ne me sentais pas le droit de priver ces braves gens d'une innocente distraction qui, en somme, ne fait de tort à personne.

Et j'imaginai un truc, un véritable truc d'azur, dont, à l'heure qu'il est, je me sens encore tout fier.

. . . .

Les choses se passèrent comme il était prévu.

Arrivé à l'auberge des Trois-Rois, le soir, je m'aperçus, d'un rapide coup d'œil, que la chambre à nous donnée était bien la chambre au-dessus de la petite salle.

Un autre coup d'œil plus rapide encore me révéla la présence de la ficelle transmetteuse.

Je pensai au bouchon momentanément immobile, mais prêt aux plus fous chahuts.

Je vis, dans mon imagination, les bonnes têtes des gens de Kleinberg doublement réjouis à l'idée que c'étaient des Français qui allaient leur donner la comédie, ce soir.

A la grande stupeur d'Amélie, qui ne savait rien, je me mis à plat ventre, muni d'une paire de ciseaux et de notre réveille-matin de voyage.

Usant de mille précautions pour éviter tout mouvement intempestif à la ficelle, je la coupai, cette ficelle, et en attachai le bout à l'extrémité de l'aiguille des minutes de ma petite horloge, que je plaçai au bord du trou.

Et voilà!

Comprenez-vous?

Et voyez-vous d'ici la tête de ces braves gens, en bas, avec leurs pots de grès et leurs pipes de porcelaine, assistant froidement à la montée et à la descente de leur bouchon!

Que se passa-t-il en l'âme de ces Allemands? je l'ignore.

A six heures du matin, paraît-il, tout Kleinberg, les yeux démesurément fixés sur le bouchon, était encore dans l'estaminet.

Peut-être, ajouta mon ami Léon Dumachin, conclurent-ils que la fameuse *furia francese* n'était plus qu'un vain mot.

INGÉNIOSITÉ
D'UN JEUNE PEINTRE DE TALENT

Nous avons eu, la semaine dernière, des chaleurs de près de quarante degrés, ce qui est excessif pour un aussi petit pays que celui où je vis en ce moment.

Dès le matin, le soleil liquéfiait nos crânes, et la

nuit n'apportait même pas le rafraîchissement sur lequel on aurait été en droit de compter.

Cette chaleur, due évidemment à une élévation de température, incommodait bêtes et gens.

Les messieurs et dames qui me font l'honneur de me lire ont dû constater, dans mes récentes petites productions, une dépression intellectuelle plus marquée encore que de coutume.

Tout en le regrettant vivement, je ne compte pas rentrer en forme avant la fin d'octobre, d'autant plus que, le 15 du mois prochain, je vais avoir mon déménagement, opération peu idoine à conférer du génie au pauvre monde.

Pour en revenir à la chaleur, je la considère comme un fléau plus difficile à combattre que le froid.

On peut endosser autant de pardessus qu'on le désire; mais il est impossible, si peu de respect qu'on ait des convenances sociales et mondaines, de se présenter élégamment affublé d'un simple complet en mousseline légère.

On fait du feu dans les appartements, on ne peut y faire du frais (pratiquement).

Encore la banqueroute de la science! n'est-ce pas, mon vieux Brunetière?

Et pourtant, j'ai vu, cet été, un jeune homme qui luttait contre le soleil et la chaleur avec une ingéniosité vraiment stupéfiante.

C'est un peintre.

Un peintre de beaucoup de talent et qui a choisi comme spécialité les effets de soleil fulgurants, aveuglants, ophtalmisants!

Il est en quelque sort le chef de l'*École Éblouiste,* chef d'autant plus incontesté qu'il ne compte pas encore d'élèves.

Tellement lumineuses, ses toiles, qu'auprès d'elles les becs Auer clignotent, tels de fuligineux lampions!

Ce peintre m'a donné, ces jours-ci, un magistral *Tas de fumier à midi et demi* (il précise), que j'ai immédiatement placé dans ma chambre à coucher.

Chaque soir, au moment de me mettre au lit, j'ai grand soin de couvrir mon tableau d'une toile opaque, sans quoi le sommeil, chassé par tant de clarté, déserterait ma couche.

Or, ce jeune artiste travaille sans jamais s'abriter du grand parasol cher à ses congénères.

Le matin, en le voyant partir sans ombrelle, je ne manquais jamais de le blâmer :

– Vous verrez que vous attraperez un bon coup de soleil!

Mais, lui, de me répondre sommairement :

– N'ayez pas peur, j'ai un truc.

Un jour, la curiosité me prit de connaître son fameux truc.

Je le suivis jusque dans un champ, où il s'installa en plein soleil.

Son chevalet et son tabouret bien établis, il sortit d'une boîte une douzaine de chauves-souris qu'il embrassa sur le museau en leur disant, à chacune, de mignardes paroles d'amitié.

Il leur attacha à la patte un fil, dont l'autre extrémité était retenue au bout d'un long bâton fiché en terre.

Il se mit à travailler.

Aussitôt, les chauves-souris déployèrent leurs grandes ailes et voletèrent, s'interposant entre sa tête et le soleil.

C'était du même coup le parasol et le ventilateur.

Les chauves-souris, admirablement entraînées à cet exercice, semblaient y puiser plutôt du divertissement que de la fatigue.

Véritablement émerveillé de ce spectacle, je serrai la main du jeune peintre et pris congé de lui, non sans lui avoir fait mille compliments de son extrême ingéniosité.

DIVERTISSEMENT DE TABLE D'HÔTE

Il m'arrive souvent d'aller le matin à la ville voisine et de ne pas rentrer pour déjeuner. Dans ce cas, je vais m'alimenter en une excellente auberge que je connais et en laquelle, moyennant une belle pièce de deux francs cinquante, je puis m'*envoyer* une douzaine de plats, succulentes et copieuses victuailles accommodées selon les plus louables traditions (petit vin blanc du pays à discrétion).

La bonne chère n'est pas le seul agrément de ce lieu.

La conversation des habitués et celle aussi des hôtes de passage me délectent beaucoup.

Les habitués se recrutent surtout parmi les employés de l'État, célibataires.

Les hôtes de passage sont : ou des touristes (souvent anglais) ou des voyageurs de commerce.

Les touristes (quelle que soit leur nationalité) m'indiffèrent, portant que je suis tout mon intérêt aux fils de l'impérissable Gaudissart.

Pour vous prouver combien j'ai raison – oh! combien! – laissez-moi vous présenter deux petits échantillons de la gaieté bon enfant et réjouissante de nos amis les voyageurs.

Au cours de mon dernier repas de la sus-décrite et plantureuse auberge, un de ces messieurs racontait qu'il avait fait, dans la journée, une centaine de lieues, et cela, sans avoir négligé un seul de ses clients.

Il détaillait complaisamment la ville d'où il était parti le matin, celle où il était arrivé pour coucher le soir, et toutes les cités intermédiaires qu'il avait honorées de sa présence.

Un vieux contrôleur de la régie n'en revenait pas : quatre cents kilomètres visités en si peu de temps!

– Sans indiscrétion, demanda le fonctionnaire, dans quel article voyagez-vous?

Et l'autre de répondre, avec un vif sans-froid :
– Je vends des sifflets aux chefs de gare!

. . . .

J'assistai, en outre, à une petite plaisanterie, en train, paraît-il, de devenir classique chez les voyageurs, mais encore peu connue, je crois, des lecteurs sédentaires.

Un voyageur entre dans la salle à manger avec, émergeant un peu de la poche de son veston, un bout de chapelet.

Il s'asseoit à la table à côté d'un convive d'apparence bonne tête.

Clins d'œil d'un second voyageur à la bonne tête. Signes qui indiquent : Voyez donc ce calotin! Chipez-lui son chapelet!

Une minute, et l'objet de dévotion se trouve escamoté.

Par un singulier hasard, la conversation arrive à tomber bientôt sur la religion.

La bonne tête affecte de tenir des propos anticléricaux devant l'homme au chapelet.

– Mon Dieu, fait doucement ce dernier, je ne suis pas plus dévot qu'un autre, mais il y a des choses que je n'aime pas qu'on blague!

– Ah! vraiment?

– Ainsi, j'ai sur moi un chapelet que ma mère m'a donné, quand j'ai quitté la maison... eh bien! je ne consentirais pour rien au monde à me séparer de ce chapelet.

– Vous le portez toujours sur vous?

– Puisque je vous dis qu'il ne me quitte jamais!

– En ce moment, l'avez-vous sur vous?

– Puisque je vous dis qu'il ne me quitte jamais.

La bonne tête ne se tient pas de joie.

Alors, un voisin de suggérer :

– Pariez donc deux bouteilles!

– Vous êtes sûr, insiste la bonne tête, vous êtes sûr d'avoir votre chapelet sur vous?

– Absolument sûr!

– Eh bien! je vous parie deux bouteilles de bon vin que vous ne l'avez pas!

– Tenu!

– Vous avez perdu!... Le voilà, votre chapelet!

Et le candide bonhomme exhibe le saint bibelot.

– C'est vous qui avez perdu! riposte tranquillement le voyageur, car le chapelet que vous tenez là, c'est le chapelet de ma sœur, dont je me fiche comme d'une guigne. Le chapelet de ma mère, le voici!

Et il brandit triomphalement un second chapelet, sorti d'une autre poche.

Confusion de la bonne tête!

La bonne apporte les deux bouteilles de vieux vin, qu'on débouche et qu'on boit en trinquant à la reprise des affaires.

Est-ce que ça ne vaut pas mieux que d'aller au café?

LA CÔTE OUEST D'AFRIQUE

Il y a quelques jours, me trouvant occasionnellement assis à la table d'hôte d'une excellente auberge tourangelle, j'eus l'occasion de rectifier les idées que se faisaient mes voisins au sujet de la situation réelle du Gabon sur la côte d'Afrique.

Du coup, les yeux de tous les déjeuneurs convergèrent vers ma documentée personne. Un murmure flatteur bourdonna autour de mes oreilles vaniteuses. Et cependant, je mangeai mes salsifis sans manifester plus de fierté que si je n'avais rien dit.

Du Gabon, la conversation sauta à Madagascar.

Devant le désaccord des interlocuteurs, sur la géographie de l'île, un arbitrage s'imposait : le mien. Hélas! ce fut piteux.

246

Sur Madagascar, mes notions sont confuses, vagues et mal aérées.

Je n'essayai même pas de parler : un branlement de tête indiqua mon intégrale nullité en la matière.

– Comment se fait-il, insista un gros négociant en grains, que vous connaissiez si bien le Gabon et que vous ignoriez Madagascar aussi complètement?

– Pardon, répondis-je d'un air fin et avec énormément d'à-propos, on peut être du dernier bien avec Anastasie et ne pas même connaître Alexandrine de vue.

– C'est vrai, concéda le trafiquant.

Le repas avait pris fin.

Je commandai qu'on servît mon moka sur une table de la terrasse.

Je n'allumai point un excellent panatellas, ainsi que pourraient croire les lecteurs de Georges Ohnet, et les volutes bleues de la fumée ne bercèrent point mes souvenirs.

Et pourtant, je me souvins.

Je me rappelai les temps – oh! que lointains, déjà! – où j'étais un petit jeune homme d'apparence assez comme il faut, mais de fond un peu rosse, et paresseux! – oh! mon Dieu! – paresseux à battre les records établis par les loirs les plus femmards du globe!

Je servais, en qualité d'externe, au collège communal de ma brave petite cité natale, et j'étais censé faire mes devoirs et apprendre mes leçons à la maison.

Extrêmement intelligent, à cette époque – *quantum mutatus!* –, j'arrivais à perpétrer vaguement cette tâche en des laps fulgurants, et le reste de mon temps, je l'employais à lire les romans du père Dumas et du père Hugo, pour lesquels je professais une insondable admiration.

La pièce où je travaillais donnait, par une porte vitrée, sur un corridor assez fréquenté des miens, de sorte que j'étais la proie d'un contrôle incessant et des plus gênants.

Mais moi, malin, j'avais imaginé un truc qui mettait en déroute le regard vigilant de mon père et la surveillance indiscrète de ma mère.

Un énorme atlas, destiné à couvrir mes lectures prohibées, était placé là, à ma portée, toujours prêt.

Dès que j'entendais sonner le pas d'un de mes ascendants, v'lan! j'ouvrais l'atlas protecteur! Je m'appuyais sur le coude gauche, et j'avais, tout de suite, l'air d'un bon petit garçon bien studieux qui pioche sa géographie. Or, cet atlas s'ouvrait inexorablement, invariablement et de lui-même, à la carte d'Afrique.

L'Afrique, toujours l'Afrique!

Ah! je peux me vanter de l'avoir contemplée, la carte d'Afrique, et surtout la portion gauche de la carte d'Afrique, celle qui représente la côte Ouest.

Aussi, il arriva que, à la longue. et sans que ma volonté y fût pour rien, l'image de la côte Ouest de l'Afrique s'incrusta dans mon œil.

Cela se passa aussi machinalement, mais aussi sûrement qu'une opération de cliché photographique.

Pas le plus léger promontoire, pas la plus insignifiante baie, depuis le Maroc jusqu'au Cap. pas le plus menu repli de cette côte ne m'échappa.

En matière de géographie, je ne connaissais que la côte Ouest de l'Afrique, mais je la connaissais bien!

Et plus je lisais *l'Homme qui rit*, mieux je la connaissais, cette Afrique, cette *darkest Africa*, comme dit Stanley!

L'heure de mon bachot arrivait tout doucement.

Je triomphai des épreuves écrites, me présentai, un peu inquiet, à l'oral.

Les questions sur l'histoire et la géographie,

notamment, me jetaient en de vives appréhensions.

En histoire, à part quelques tuyaux imprécis sur les Valois, ramassés dans les romans du père Dumas, je gémissais dans une ignorance crasse (du latin *crassus*, épais).

Je savais aussi, à cause de l'histoire classique du parapluie, que c'était Pépin le Bref qui était le père de Charlemagne, et non pas Louis-Philippe!

Il n'y avait pas là, avouez-le, de quoi me rassurer sur l'issue de mon examen.

Les faits confirmèrent mes pronostics. L'examinateur me demanda d'une voix douce : – Parlez-moi, monsieur, du traité d'Utrecht!

A la rigueur, j'aurais pu lui parler du velours d'Utrecht, mais le traité de ce nom m'était inconnu dans les grandes largeurs.

L'examinateur, devant mon mutisme, redoubla de douceur :

– Parlez-moi, monsieur, de l'entrevue du camp du Drap d'or.

Pas plus documenté, hélas! sur ce riche tissu que sur l'Utrecht.

L'examinateur mit un petit zéro au bout de mon nom, dans la colonne *Histoire*, et passa à la géographie.

Une sueur froide inondait de mon front d'adolescent.

Et, tout à coup, il me sembla qu'un ange me murmurait d'ineffables paroles :

– Parlez-moi, monsieur, de la côte Ouest de l'Afrique.

Je me saisis d'une feuille de papier blanc et d'un crayon qui traînaient sur la table.

En dix secondes, je lui avais dessiné sa côte Ouest.

Et me voilà parti dans ma description, avec l'aisance et la volubilité d'un vieux bonhomme qui montre le même panorama depuis vingt ans.

L'examinateur ouvrait des yeux démesurés.

Quand j'eus fini mon boniment, il me félicita d'une voix plus douce encore :

— Monsieur, vous avez été nul en histoire, mais vous êtes tellement supérieur en géographie que je me vois forcé de vous donner une note exceptionnelle, avec tous mes compliments.

Et voici comment je passai un examen aussi brillant que si je l'avais passé au tripoli.

C'est égal, si la porte de mon cabinet de travail avait été tournée à droite, au lieu de l'être à gauche, c'est la géographie de Madagascar que je saurais, aussi bien peut-être que le général Metzinger lui-même !

A quoi tiennent les choses, pourtant !

TONTON DANS LE MONDE

Tonton, six ans, est en visite chez madame Durand, avec son père et sa mère. Parfaitement insupportable, d'ailleurs, il a découvert le bouton qui commande l'éclairage électrique du salon, et s'amuse, tour à tour, à faire l'ombre et la lumière.

LE PAPA : Tonton, reste tranquille, ou je vais me fâcher...

TONTON, *continuant son jeu* : Le jour... la nuit... le jour... la nuit. J'connais rien de plus rigolo que ce truc-là !

LE PAPA : Tu trouveras peut-être moins rigolo les calottes que je vais t'envoyer, si tu continues.

TONTON : Probable !... C'est rudement commode, tout de même, d'avoir qu'un petit bouton à tourner pour s'éclairer !... Pourquoi qu'y en a pas comme ça à la maison ?

LE PAPA : Parce qu'il n'y a pas d'électricité dans la maison.

250

TONTON : Eh ben! on la met, parbleu, c'te malice! Madame Durand l'a bien, pourquoi que nous ne l'aurions pas?... Elle est pas plus maligne que nous, madame Durand...

Tonton est ramené par de vives réprimandes au sentiment des convenances; mais la question de l'électricité continue à le passionner.

TONTON : Alors l'élé... l'élé...
LE PAPA : L'électricité.
TONTON : Oui, l'électrixité, c'est donc pas un truc comme le gaz? Ça vient pas dans des tuyaux.
LE PAPA : Non, mon ami.
TONTON : Dans quoi qu'ça vient, alors?
LE PAPA : Ça serait trop long à t'expliquer. Tu apprendras ça au collège.
TONTON : On apprend ça au collège? Est-ce qu'on apprend aussi à ramoner des cheminées?
LE PAPA : Comment... ramoner des cheminées? Tu es fou!
TONTON : Dame! Puisqu'on apprend des machins d'éclairage, on pourrait bien apprendre aussi des trucs de chauffage!

Écrasé par cette logique infantile, le père ne trouve rien à répondre. Il consulte sa montre et opine pour le départ.

LE PAPA, *à la maman* : Si tu veux, chère amie, nous allons nous retirer. Nous dînons chez ta mère, et tu sais qu'au moindre retard, cette personne nous réserve un accueil plutôt grinçant.
TONTON : Dis donc, papa?
LE PAPA : Quoi, mon ami?
TONTON : Quand grand-mère crie, pourquoi que tu ne lui mets pas une goutte d'huile?
LE PAPA, *ahuri* : Une goutte d'huile?
TONTON : Oui, comme t'as fait, l'autre jour, à la serrure. (*Il se tord.*)

On prend congé de madame Durand.
Tonton met à profit ce laps pour se livrer
éperdument à des fouilles nasales du plus
mauvais goût. Le papa s'en aperçoit.

LE PAPA, *indigné :* Veux-tu que je t'aide, polisson?

TONTON : Tu pourrais pas, t'as les doigts trop gros.

LE PAPA : C'est dégoûtant, mon ami, de se retirer ainsi les crottes du nez!

TONTON, *froidement :* C'est bon, je vais les remettre!

CHROMOPATHIE

OU L'ARC-EN-CIEL HUMAIN

Ils avaient formé une Société secrète composée de treize membres dont chacun s'était affublé, non seulement d'un sobriquet, mais encore d'un numéro d'ordre, afin d'éviter des confusions toujours désagréables.

Voici comment se désignaient entre eux ces treize mystérieux lascars :

Kelk I, Douzaine II, Leudet III, Delhi IV, Toiturand V, Double VI, Lapin VII, Pitt VIII, Dupont IX, Lapin X (qu'il ne faut pas confondre avec Lapin VII), Alph XI, Tout XII et Léon XIII.

Pour que mon récit soit de quelque piquant, sept membres de l'association suffisent largement. Je dirai même que les six autres ne pourraient qu'encombrer cette histoire et la délotir de son passionnant intérêt.

Admettons donc que, pendant toute la durée de l'anecdote, MM. Pitt VIII, Dupont IX, Lapin X (qu'il ne faut pas confondre avec Lapin VII),

Alph XI, Tout XII et Léon XIII, prennent l'air sur le wharf de Majunga.

Les sept premiers, un matin qu'ils se promenaient dans les bois de Vaucresson, rencontrèrent une jeune femme, belle comme le jour, dont ils devinrent éperdument amoureux.

Un des statuts de leur Société stipulait que chacun d'eux, et simultanément, pouvait viser la même proie. En cas de succès, la proie appartenait au seul conquérant, et les autres devaient se retirer avec la plus exquise discrétion.

Les choses se passèrent conformément aux statuts.

Tous, chacun de son côté, partirent pour la chasse au cœur.

La jeune personne, belle comme le jour, habitait une villa voisine, en compagnie de son mari, un sordide vieillard, enrichi dans le commerce des cercueils d'occasion.

Le choix de la jeune personne s'accomplit aussi rapidement que la décence le permet à une honnête femme : trois jours après la rencontre, notre ami Kelk I embrassait la jolie dame derrière l'oreille, à une petite place qu'elle avait très douce.

(Le baiser derrière l'oreille doit être pris dans un sens largement symbolique.)

Le soir, en arrivant au dîner, les six compagnons de Kelk I s'aperçurent sans peine que la flamme de ce dernier venait d'être couronnée.

Tous alors éprouvèrent des sentiments qui différaient selon leur complexion.

Et Kelk I, pourtant habitué à bien des surprises, poussa un cri d'ahurissement.

Ce n'était plus des faces humaines qu'il avait devant lui, mais un véritable arc-en-ciel.

Lapin VII, nature violente et coléreuse, était rouge de fureur.

Toiturand V, homme vil, sans cesse torturé par la plus basse envie, était devenu jaune.

Double VI, lui, se sentait partagé entre ces deux

sentiments, colère et envie. Le rouge de la colère se combinait avec le jaune de l'envie. De l'orange en résultait.

Le livide de la terreur teintait la physionomie de Delhi IV, le Persan poltron. Il en était vert.

(Disons tout de suite, pour expliquer cette terreur, que Delhi IV avait rencontré Kelk I dans les parages de la villa d'amour et qu'il avait vu luire le menaçant poignard du compagnon.)

Quant à Leudet III et Douzaine II, le sentiment qui dominait en leur âme, c'était la stupeur devant l'affaire si vite dans le sac, si j'ose m'exprimer ainsi.

Ils en étaient bleus!

Douzaine II, surtout, qui en était indigo!

Kelk I ne revenait pas de son admiration! Les numéros d'ordre de ses amis s'arrangeaient précisément selon leurs nuances respectives.

— Mettez-vous sur un rang, leur dit-il.

Et longtemps, il prit plaisir à contempler ces faciès indigo, bleu, vert, jaune, orange, rouge.

— C'est vraiment dommage, déplora-t-il, que manque le violet.

Mais, s'apercevant soudain dans une glace, il poussa un cri : il était violet, lui, et d'un violet épiscopal et superbe!

Comment était-il devenu violet?

Oh! mon Dieu, c'était bien simple.

En sortant de chez sa belle, la pourpre du triomphe éclatait sur son teint, et aussi l'écarlate du plaisir.

La vue de ses compagnons, si étrangement multicolores, lui procura une bien légitime stupeur.

Il en devint bleu...

Sans cesser, bien entendu, d'être rouge. De sorte qu'il était violet.

Et la série se trouva complète.

C'est à vous dégoûter de quitter Paris!

On n'est pas plus tôt rentré, qu'on constate que les gens ont profité de votre absence pour enlever mille de ces objets familiers dont chacun vous est un souvenir.

C'est ainsi que je me suis aperçu, hier, de la disparition de l'horloge pneumatique naguère sise en face de la Madeleine, en haut de la rue Royale.

Je chérissais cette horloge plus que bien des montres ancestrales, et jamais l'idée ne me hanta de la porter au clou, ce qui m'advint parfois à l'égard desdites bassinoires.

Pourquoi m'étais-je attaché à ce cadran public plutôt qu'à tout autre? Saura-t-on jamais?

Sait-on jamais pourquoi on aime les gens?

Non. Eh bien! Pour les objets, c'est la même chose.

Je me suis aperçu, d'ailleurs, que d'autres horloges pneumatiques ont disparu sous la pioche du démolisseur pour être remplacées par de grands serins de candélabres électriques.

Si on continue, bientôt, ce n'est pas seulement pour les braves qu'il n'y aura pas d'heure, mais aussi pour les natures timorées et incombatives.

Il y a bien un expédient orléaniste, comme dirait Clemenceau, c'est que chacun ait sa montre.

La thèse ne soutient pas une minute de discussion.

Exigeant de ses contribuables mille ponctualités administratives, la société (État ou Commune) doit auxdits lascars l'indication gratuite et publique de l'heure.

ELLE-LA-LEUR-DOIT!

Longtemps j'ai pâli, longtemps j'ai usé ma jeunesse, longtemps j'ai vigilé sur la recherche d'une solution pratique à l'accomplissement de ce devoir.

Le ciel a béni mes efforts et mes veilles. Merci, mon vieux ciel!

Édiles des cités populeuses, ouïssez pieusement mes dires, et aussi vous, grosses légumes de l'Observatoire!

Et vous allez voir comme c'est simple et bonmarcheux de faire assavoir l'heure à tous citoyens.

Je fais construire (imaginons que j'ai l'entreprise de l'affaire), je fais construire douze ballons captifs affectant, chacun, la forme d'une bête différente, ainsi qu'on agit pour les divertissements forains.

Chaque bête représente une des heures du cadran.

En vue de faciliter la mnémotechnique, l'initiale de ces bêtes suit l'ordre alphabétique. Exemple :

1 heure : Antilope;
2 heures : Bœuf;
3 heures : Chameau;
Etc., etc., jusqu'à :
11 heures : Kanguroo;
12 heures : Lapin.

A chaque nouvelle heure de la journée, j'ascends la bête-aérostat qui y correspond et je la change chaque fois que change l'heure.

Alors, rien de plus simple pour se renseigner. Exemple :

Un citoyen lève les yeux au ciel, aperçoit un chameau qui s'y balance avec grâce :

– Tiens, fait-il, il est trois heures ($c = 3$).

Pour l'indication des minutes, la chose est un peu plus compliquée, un tout petit peu plus.

Je divise le cadran en douze portions de cinq minutes, et j'indique chaque portion avec la même sorte d'animaux que pour les heures, mais de format plus petit. Exemple :

Un citoyen lève les yeux au ciel, aperçoit un gros hérisson et un petit éléphant qui s'y balancent avec grâce.

256

– Tiens, fait-il, il est huit heures (h = 8) vingt-cinq minutes (c = 5, et 5 × 5 = 25).

Pour les minutes intermédiaires, j'en obtiens l'indication par des éclairages différents obtenus à l'aide d'une lampe de phare à feux tournants placée en une petite nacelle sous la grosse bête :

Violet, 1 minute.
Bleu, 2 minutes.
Jaune, 3 minutes.
Rouge, 4 minutes.

. . . .

Je passe sur les détails d'organisation, lesquels ne sauraient intéresser une clientèle aussi frivole que la mienne, et je termine par une gageure :

– Qu'est-ce que vous voulez parier que mon idée, pourtant si pratique, de ballons horo-captifs, sera appliquée à Chicago ou à Denver dix ans avant que la Ville-Lumière ait jeté dessus un pâle regard ?

Pauvre France !

JUGEMENT SÉVÈRE

DE MON JEUNE AMI PIERRE SUR LA FONTAINE EN PARTICULIER ET SUR LE GRAND SIÈCLE EN GÉNÉRAL

Tout à coup, mon petit ami Pierre interrompit notre conversation pour écraser des insectes qui traversaient la route.

Il mettait à cette besogne une cruauté que je ne lui savais pas, et une âpreté de langage que ne semblaient pas comporter d'aussi minuscules bestioles.

– Tiens, vache ! Tiens, salope ! Tiens, chameau !

Et chaque *tiens* s'accompagnait d'un écrasement rageur.

– Que fais-tu donc là, féroce petit Pierre?

– Tu vois, j'écrase des fourmis. Ah! les sales bêtes!

– Elles ont du poil aux pattes?

– Non, elles n'ont pas de poil aux pattes, mais c'est tout de même des sales bêtes! Tiens, charogne! Tiens, crapule!

– Je t'assure que tu te trompes, Pierre : les fourmis sont de braves petites bêtes, très intelligentes, très travailleuses...

– Et très rosses! Y a pas plus vache que les fourmis! T'as donc pas lu les fables de La Fontaine?

– Tu veux sans doute parler de l'histoire de *la Cigale et la Fourmi*?

– Juste, Auguste! Tu l'approuves, toi, cette sale fourmi, qui a plein ses magasins de provisions et qui refuse un malheureux grain de blé à la pauvre petite cigale? Tu l'approuves?

– Non, je ne l'approuve pas.

– Ah! tu vois donc bien que c'est des rosses, les fourmis! Aussi, depuis que j'ai lu cette fable de La Fontaine, je leur fais une guerre acharnée.

Et le manège reprit de plus belle.

– Tiens, fripouille! Ah! vous n'êtes pas prêteuse, c'est là votre moindre défaut? Tiens, vieille bourgeoise! Ah! vous avez refusé un grain de blé à la pauvre petite cigale qui mourait de faim et qui vaut dix fois mieux que vous? J'en suis fort aise, eh bien! crevez, maintenant! Tas de saloperies! Tiens! tiens! tiens!

Ce fut un vrai carnage!

– Quand je pense, reprit le jeune Pierre, qu'on nous fait apprendre des fables pour nous améliorer! Eh bien! ça serait du propre si, dans la vie, on faisait comme les bêtes du bon La Fontaine! Dis donc, on l'appelait le *bon* La Fontaine pour se fiche de lui, j'espère!

– Mais pas du tout!

– Non? Ah ben alors, zut! Ce bonhomme qui prend parti pour la fourmi contre cette pauvre petite chanteuse de cigale, mais c'est un sale muff, ton bon La Fontaine!

– Tu vas un peu loin, Pierre.

– On ne va jamais trop loin avec des gens comme ça!... Et non seulement c'est un muff, mais encore c'est un imbécile!

– Pierre, la passion t'emporte.

– Oui, un imbécile! et une andouille! Je connais des fables de La Fontaine à faire hausser les épaules à un hippopotame... Tiens, te rappelles-tu la fable intitulée : *le Satyre et le Passant?*

– Dis-moi la chose en deux mots.

– Voici. C'est une espèce de bonhomme à moitié sauvage qui est, avec sa femme et ses gosses, dans une caverne, en train de manger leur potage. Alors, tout d'un coup, il se met à tomber de l'eau, et voilà un type civilisé qui est sorti sans parapluie, et qui vient se mettre à l'abri dans la caverne au sauvage. Le sauvage l'invite à manger une assiettée de soupe avec eux. Le civilisé accepte; mais comme il est gelé de froid, il se réchauffe d'abord les doigts en soufflant dessus. Ce truc-là commence à épater le sauvage. Et puis, comme le potage est trop chaud, le civilisé souffle dessus pour le faire refroidir. Du coup, v'là le sauvage tout à fait *baba*. Il ne comprend pas que le même souffle puisse d'abord réchauffer les mains et puis ensuite rafraîchir la soupe. Alors, il flanque le civilisé à la porte de sa caverne en lui disant :

> Ne plaise aux Dieux que je couche
> Avec vous sous même toit!
> Arrière ceux dont la bouche
> Souffle le chaud et le froid!

– Et alors?

– Alors, c'est tout! Connais-tu quelque chose de plus idiot que ça? Ce sauvage qui ne s'est jamais soufflé sur les doigts ni sur sa soupe! Comme si c'étaient des trucs qu'on apprend à la Sorbonne ou au Collège de France!

– Je te concède que cette fable est d'une moralité plutôt contestable, mais il en est tant d'autres si charmantes!...,

– Charmantes!... Ah! on voit bien que tu n'es pas forcé de les apprendre par cœur! Et puis, il y a une chose qui me dégoûte de La Fontaine, c'est la *Lettre à Monseigneur le Dauphin*, qui est au commencement du bouquin, parce que, tu sais, il a écrit des fables exprès pour le gosse à Louis XIV. Il parle à ce moutard avec la platitude d'un larbin qui rince les pots de chambre et qui est encore bien content!... Ah! je comprends qu'il n'aimait pas les cigales, ce type-là, les petites cigales qui se foutaient pas mal de Louis XIV et de ses perruques et de son sale gosse. Est-ce qu'il avait déjà une perruque, le gosse à Louis XIV? Mon Dieu, mon Dieu, quelle époque de crétins!

LES CULS-DE-JATTE MILITAIRES

Une des causes – et non la moindre – du succès des troupes japonaises sur les armées chinoises est dans l'utilisation faite par les Japonais des culs-de-jatte, considérés, jusqu'à présent, comme inaptes aux combats.

En France, comme, d'ailleurs, dans tous les pays occidentaux, lorsqu'un cul-de-jatte se présente au conseil de revision, une vieille coutume veut qu'on ne lui mesure pas la largeur du thorax, qu'on ne le fasse même pas se redresser sous la toise. Le médecin, tout de suite, le déclare impropre au service militaire.

Cette façon d'agir fut consacrée, voilà deux ou trois ans, par une éloquente circulaire du général Poilloüe de Saint-Mars, commençant par ces mots :

« *Le pied est un organe des plus utiles au fonctionnement de tout bon fantassin.* »

Au Japon, il en est tout autrement.

Les culs-de-jatte sont, au contraire, extrêmement recherchés par l'administration militaire.

On les incorpore dans un régiment qui porte un nom japonais assez compliqué et dont je ne puis me souvenir. Cet oubli, que je compte bien réparer un de ces jours, est d'autant moins grave que je me rappelle la signification de ce nom japonais si compliqué. Il se traduit exactement ainsi : *Régiment de culs-de-jatte.*

Dans l'organisation militaire du Japon, le cul-de-jatte est doublement utilisé comme éclaireur et comme combattant.

Les services qu'un cul-de-jatte peut rendre comme éclaireur n'échapperont à personne. Sa petite taille lui permet de dissimuler sa présence à l'ennemi et de passer inaperçu dans des endroits où un brillant état-major à cheval, chamarré de dorures et de décorations, se ferait forcément remarquer de l'ennemi le moins perspicace.

Une disposition des plus ingénieuses ajoute encore à l'invisibilité de ces éclaireurs; chaque cul-de-jatte est muni d'une série de légers costumes en *podh-ball* [1], affectant la forme de cache-poussière et teints en nuances différentes. Selon la couleur des milieux dans lesquels il évolue, l'éclaireur revêt un costume d'un ton analogue : gris sur les routes, vert dans la campagne, couleur caca dans les tableaux de Bonnat.

Le cul-de-jatte est installé, non point sur une selle de bois, comme en Europe, mais bien sur une sorte de tout petit véhicule automobile qui lui permet de garder la libre disposition de ses bras et de ses mains.

Rien de plus confortable que cette minuscule

1. Tissu extrêmement souple, dont plusieurs mètres tiendraient dans le creux de la main.

voiture fort bien suspendue, ma foi, sur d'excellents ressorts (système A. Boudin), et dont les roues sont garnies de ces fameux pneus gordiens dont Alexandre le Grand n'eut raison qu'à coups de sabre.

La machine adoptée est le moteur à gaz, système Armand Sylvestre, si simple, et si pratique, à la fois, puisque, en dehors de son rôle tracteur, il permet de remettre immédiatement le pneu en état au cas où un accident l'aurait dégonflé.

Avec ce moteur, pas de combustible à emporter, pas de piles électriques! Rien que cet accumulateur naturel qu'on nomme le haricot.

Au point de vue du combat, le cul-de-jatte n'est pas un auxiliaire moins précieux.

Dans les feux de salve, placé immédiatement devant la ligne des troupes, il évite aux premiers rangs la peine de se mettre à genoux. (Cette économie de fatigue permit souvent à l'armée japonaise de doubler les étapes et de tomber sur le poil des Chinois au moment où les fils du Ciel s'y attendaient le moins.)

En tirailleur, le cul-de-jatte devient un adversaire redoutable. Le moindre tronc d'arbre lui sert de rempart, la moindre taupinière de refuge.

De ces abris improvisés, il dirige sur l'ennemi un feu désastrifère et catastrophore. Être frappé sans voir qui vous frappe! Ô rage, Ô désespoir!

Le bref espace dont je dispose me contraint malheureusement à écourter cette chronique militaire.

J'ai cru faire mon devoir en signalant à notre ministère de la guerre une innovation qui, bien comprise, pourrait faire de la France une nation prospère à l'intérieur, respectée au-dehors.

Certes, je ne mets pas en doute le patriotisme du grand état-major; mais osera-t-il secouer l'indolence légendaire des bureaux, et prendre sur lui d'accomplir quelque chose de véritablement neuf! Je ne le crois pas.

Pauvre France!

262

UNE NOUVELLE DÉCORATION

Paris est une drôle de ville, tout de même : les meilleurs amis restent quelquefois des années sans se rencontrer, et puis, tout à coup, dans la même semaine, on a l'occasion de se voir trois ou quatre fois et de se serrer la main dans les endroits les plus diffus de la capitale.

Je n'avais pas rencontré Félix Faure depuis cet été, à Montivilliers. Or, lundi en entrant chez Jansen, rue Royale, je me cogne sur notre Président, qui venait se commander un nouveau mobilier pour sa villa du Havre.

Mercredi, remontant les Champs-Elysées, je m'entends héler par quelqu'un dans une voiture ; je me retourne et je reconnais le premier magistrat de notre République.

Hier soir, au Moulin-Rouge, où je n'avais pas mis les pieds depuis près d'un an, la première figure de connaissance qui frappe mes regards, vous l'avez deviné, c'est celle de notre très sympathique Félix.

Le Président m'invita à m'asseoir à sa table et me présenta à la personne qui l'accompagnait, une fort jolie brune, ma foi (sa nouvelle maîtresse, je pense).

La conversation, ainsi qu'il arrive souvent en cette saison, tomba sur les prochaines décorations.

Félix Faure, qui est, à ses moments, un fort spirituel causeur, me conta, avec un désespoir comique, l'incroyable tracasserie que peuvent procurer à un Président de la République les approches d'un 14 juillet ou d'un 1er janvier.

– Tous les Havrais, mon pauvre ami, tous les Havrais sans exception m'écrivent chaque jour une lettre pour me recommander leur décoration !... C'est à devenir fou !... Quelques-uns, petits commerçants ou humbles commis, se contenteraient, à la rigueur, du Mérite agricole ou des palmes académiques! Les autres comptent fermement sur la Légion d'honneur... Ah! tous ces gens-là seront bien stupéfaits à la fin du mois, quand ils consulteront l'*Officiel!*

– Quels titres invoquent-ils?

– Aucun!... Les uns se disent mes anciens amis, mes anciens camarades, mes anciens fournisseurs... Il y en a même un qui invoque, comme seul mérite, d'avoir bu avec moi plus de deux cents *bitter-groseille blanche.*

(Le *bitter-groseille blanche* était jadis l'apéritif favori de notre Président. Aujourd'hui, il fait comme tout le monde et boit du quinquina Dubonnet.)

Félix Faure me confia, en outre, un projet qu'on étudie en ce moment et qui pourrait bien recevoir sa solution définitive, un de ces jours.

Ce serait de mettre une décoration à la disposition de chaque ministère.

Il y aurait ainsi l'Ordre du Mérite Postal et Télégraphique, l'Ordre du Mérite Maritime, l'Ordre du Mérite Religieux, l'Ordre du Mérite Artistique, l'Ordre du Mérite Financier, etc., etc.

Sans compter que, plus tard, si cela ne suffisait pas, rien n'empêcherait de créer des Sous-Ordres, pour des Sous-Mérites spéciaux.

– Qu'en pensez-vous, mon cher Allais?

– Mon Dieu, monsieur le Président, puisque vous me demandez mon avis, je vous dirai que j'ai, à ce sujet, un projet tout prêt, excellent, je pense, et de nature à assouvir les plus terribles soifs d'honneurs.

– Parlez, fit Félix intéressé.

– A votre place, je fonderais l'Ordre du Mérite Personnel, un Ordre que chacun s'attribuerait à soi-même, selon la valeur qu'il s'accorde. La couleur des rubans, rosettes, cordon, etc., de cet Ordre, serait laissée au choix et au goût de ces auto-décorés qui pourraient ainsi l'harmoniser au teint de leur physionomie et à la nuance de leurs vêtements. Mon projet a, en outre, cela d'excellent, qu'il supprime toute reconnaissance envers le Pouvoir.

– Excellente idée, excellente idée! J'ai bien envie d'essayer votre projet au Havre... mais il n'y aura jamais assez de ruban dans les magasins de la ville.

Et le chef du Pouvoir exécutif eut un geste de découragement.

L'AVENTURE DE L'HOMME-ORCHESTRE

– Voulez-vous prendre un verre avec moi, mon brave?

– Très volontiers! fit l'homme.

Et l'homme s'assit à ma table, en face de ce merveilleux panorama du golfe Juan, devant l'escadre mollement balancée sur ses ancres.

C'était bien le moins que je régalasse cet homme, qui venait de me régaler moi tout seul, lui tout seul, d'un splendide concert à plusieurs instruments.

Je dis *moi tout seul*, parce que j'étais à ce moment l'unique client de la terrasse du café (ma jeune compagne terminait sa toilette).

Je dis *lui tout seul*, parce qu'il était un homme-orchestre.

Pour qu'il bût à son aise, je l'invitai à se débarrasser tout au moins de sa vielle et de sa flûte de Pan.

Il accepta, eut un léger sourire et dit:

– Vous n'êtes pas comme la comtesse russe, vous!

– Comme la comtesse russe?... Quelle comtesse russe?

– Oh! rien... Une histoire qui m'est arrivée la semaine dernière.

– Contez-moi cela.

– Il était midi. J'avais grand'hâte d'arriver à Menton, car je commençais à crever de faim et de soif. Tout à coup, je m'entends appeler : « Hé! monsieur le musicien, monsieur le musicien! » Je me retourne et j'aperçois une jolie petite bonne tout essouflée d'avoir tant couru : « Madame la comtesse, dit-elle, voudrait que vous veniez lui jouer quelque chose dans le jardin. »

Les affaires, ma foi, ne sont pas si brillantes cette année : je ne crus pas devoir refuser une commande probablement avantageuse et je suivis la petite bonne.

La comtesse, c'est une bonne femme qui n'est pas très vieille, très vieille, mais qui n'est pas non plus très jeune, très jeune. Et puis, elle n'est pas très laide, mais elle n'est pas non plus très belle. Elle n'a qu'une chose pour elle : des yeux gris épatants! Et surtout une façon de s'en servir! Avec elle on est fixé tout de suite.

Tout mon répertoire y passa, depuis le *Trovatore* jusqu'à *Tararaboum de ay!* Et à chaque morceau, une pièce de cent sous qu'elle me faisait remettre par la petite bonne.

Quand j'eus égrené toute ma provision :

– Peut-être, dit la comtesse, voudriez-vous vous rafraîchir?

– Ça ne serait pas de refus, noble dame! Un verre d'absinthe, par exemple.

– Précisément, j'en ai d'exquise. Carlotta, apporte la bouteille d'absinthe Cusenier!

Comme je me disposais à me mettre un peu à mon aise en me débarrassant de mon chapeau chinois, la comtesse prit un air désolé :

– Oh! je vous en prie, mon ami, restez comme ça.

Je restai comme ça.

L'absinthe bue, la comtesse devint encore plus aimable :

– Voulez-vous me faire l'amitié de déjeuner avec moi, mon ami?

Vous auriez accepté, n'est-ce pas? Moi aussi.

Le déjeuner eût été tout à fait charmant, si cette diablesse de femme n'avait pas eu l'idée de me faire manger avec tout mon attirail sur le corps.

– Vous êtes bien plus joli comme ça! Restez comme ça!

Après déjeuner :

– Venez vous laver les mains dans mon cabinet de toilette.

Nous montons, et, en moins d'une minute, voilà ma comtesse passée dans un peignoir des plus *suggestifs*.

Les bras étendus vers moi, elle crie :

– Viens!

Pour le coup, je me crois autorisé à enlever mes instruments de musique. C'était vraiment l'occasion, avouez-le!

Mais elle, se tordant comme une panthère :

– Non!... Tu es beau comme ça!... Je t'aime comme ça!... Viens comme ça!...

. . . .

Le récit de mon homme-orchestre m'avait charmé. Un joli cas de comtesse russe! pensai-je.

Et comme il n'achevait pas :

– Alors, vous êtes... *venu* comme ça!

– Dame! il a bien fallu! Mais voyez-vous comme c'est commode d'être galant envers une dame avec un chapeau chinois sur la tête, une grosse caisse sur le dos, une vielle sur le ventre, une flûte de Pan sur la bouche, etc.!

– Ça s'est bien passé tout de même?

– Avec des natures comme cette comtesse-là, ça se passe toujours bien!

LA BARBE

Mettons que cette barbe était une des cinq ou six jolies barbes de Paris, et n'en parlons plus!

Ou plutôt, parlons-en, car tout mon récit va rouler sur cette barbe, une barbe comme il n'y en a pas (ou s'il y en a, il n'y en a pas des tas).

Longue, follement abondante, soyeuse (puisque n'ayant jamais subi l'offense du rasoir), brunement dorée, cette barbe était la barbe qui fait se retourner tous les passants, quels que soient leur sexe, leur âge, leur nationalité, en disant : Dieu! la belle barbe!

Cette barbe, d'ailleurs, ne suscitait chez son porteur aucune de ces vanités si fréquentes chez les porteurs de belles barbes.

Celui-là était un garçon simple; au double sens qu'on donne ordinairement au mot *simple*.

Certes, il ne se désintéressait pas de sa barbe et même il y était fort attaché, mais pas jusqu'à écraser l'humanité d'un mépris de la trouver, en général, si mal poilue.

Un jour notre ami se trouva en joyeuse société.

Les dames étaient recrutées parmi les jeunes demoiselles impudiques qui parlent sans le moindre embarras à des messieurs qu'elles n'ont encore jamais vus et qui abordent avec eux, sans plus tarder, des sujets de toute intimité.

La plus délurée et aussi la plus jolie de ces provisoires compagnes fit, en apercevant la belle barbe du jeune homme, les gestes d'une qui suffoque.

– Nom d'un chien! monseigneur, comme vous avez une belle barbe!

Il s'inclina, visiblement flatté.

– Vous couchez avec! insista l'effrontée.

– Mais oui, mademoiselle!

– Vous n'avez pas peur de l'abîmer?

Ne trouvant pas un mot spirituel, il rit bêtement, comme très amusé...

Suivirent quelques plaisanteries obscènes et de mauvais goût sur l'économie des différents systèmes pileux de l'humanité.

(On me saura gré de passer sous silence ces détestables gravelures.)

Redevenant presque convenable, la gentille courtisane s'informa, d'une voix hiératique :

– Dites-moi, monsieur, comment couchez-vous avec votre barbe?

– Comment?... Comment je couche avec ma barbe?... Je ne comprends pas ce que vous voulez dire.

– Oui!... De quelle façon disposez-vous votre barbe pour domir?... L'étalez-vous sur votre couverture? Ou bien, si vous la cachez sous vos draps?

– Je vous avoue, mademoiselle, que je n'ai jamais fait attention à ce détail. Je couche... comme ça se trouve.

Ce fut, dans toute la joyeuse société, un cri général de stupeur.

– Comment! Tu ne sais pas où tu mets ta barbe en dormant?

Le pauvre garçon (j'ai dit plus haut l'âme simple qu'il était) fut troublé au plus creux de son être.

En effet, il n'avait jamais remarqué où il la mettait, sa barbe, pour dormir! Dehors! Dedans!

Il rentra chez lui fort perplexe, et se coucha.

Il essaya de faire comme à l'ordinaire et de ne se *préoccuper de rien.*

Vainement!

– Quand on est préoccupé de quelque chose, dit un proverbe arabe, on ne saurait point se préoccuper de rien (*traduction littérale*).

Tout d'abord, il se coucha sur le dos, disposa sa barbe soigneusement sur les draps, qu'il ramena jusqu'à son cou.

Le sommeil ne vint pas.

Alors, il prit sa barbe et l'enfouit, toute, sous les courtines.

Le sommeil ne vint pas.

Il se coucha sur le ventre.

Le sommeil ne vint pas.

Il se coucha sur le côté, divisant sa barbe en une moitié dehors et l'autre dedans.

Le sommeil ne vint pas.

Il se coucha sur l'autre côté.

Le sommeil ne vint pas.

Ce fut une des nuits les plus atroces de la fin de ce siècle.

Les nuits qui suivirent furent aussi d'horribles nuits sans sommeil.

Et, le lendemain matin d'une de ces nuits, notre ami alla chez Lespès et fit raser, raser intégralement, sa barbe, sa belle barbe, qui ne fera plus jamais se retourner les passants, quels que soient leur sexe, leur âge, leur nationalité!

DÉCENTRALISATION

Je ne sais pas ce que j'ai depuis quelque temps : mon cerveau, si fertile d'ordinaire en idées ingénieuses de toutes sortes, est plus fertile encore.

Où cela va-t-il, grand Dieu!

Impossible qu'on énonce devant moi une difficulté quelconque scientifique, industrielle, politique, sociale, religieuse, culinaire, etc, etc, sans qu'en mon cerveau affluent des troupeaux entiers de solutions définitives.

Si M. Félix Faure était au courant des infinies ressources de mon génie, son devoir strict serait de résigner ses fonctions entre mes mains. La France avant tout, n'est-ce pas?

Mais M. Félix Faure tient au pouvoir. De plus, les Havrais n'aiment pas beaucoup les gens de Honfleur.

Tant pis pour la France!

Tenez, par exemple, voilà la question de la décentralisation, dont on s'occupe depuis quelque temps et qui passionne beaucoup de nos meilleurs esprits!

Les uns disent : Si on décentralisait la France, ça serait du propre!

Les autres : Si ce régime de centralisation continue, la France est fichue!

Ces derniers ont raison : il faut décentraliser!

Oui, décentraliser, mais comment?

En donnant aux anciennes provinces une nouvelle autonomie? Jamais de la vie.

La France retomberait alors dans je ne sais quelle moyenâgerie féodaleuse et périmée.

Mille fois non!

Ventilons, ventilons, aérons la France, fût-ce avec la bourrasque révolutionnaire!

Tout vaut mieux que le moisi.

Voulez-vous me permettre, mesdames et messieurs, de vous soumettre mon petit projet?

Un projet qui, au mérite de décentraliser radicalement, joint l'avantage de centraliser à outrance!

Voici :

J'élabore sept programmes (j'ai adopté le nombre *sept* pour son incontesté fatidisme), sept programmes qui résument, chacun, un idéal politique et social, allant du pépin monarchique de Gamelle aux doctrines du trimardisme le plus éperdu.

J'affiche dans toutes les communes de France ces sept programmes soigneusement numérotés et imprimés – pour éviter toute confusion – sur des papiers de sept couleurs différentes.

Quand le peuple, s'est bien pénétré de ces programmes variés, qu'il a bien réfléchi, qu'il a bien pesé le pour et le contre, je l'appelle à se prononcer en un solennel *referendum*.

Les électeurs n'ont qu'à déposer dans l'urne un bulletin portant le numéro du régime choisi.

On dépouille le scrutin.

On attribue à chaque programme un nombre de

départements relatif au nombre de suffrages qu'il a obtenus.

(Une supposition, pour plus de clarté : le programme n°5 a obtenu le tiers des voix, on lui attribue le tiers des départements. C'est pourtant bien clair.)

Dans chacun de ces départements sera mis en vigueur le régime qui lui sera dévolu.

Les départements seront tirés au sort.

Certains programmes n'auront peut-être droit qu'à un département, alors que d'autres s'en verront attribuer trente ou quarante, davantage peut-être.

Le droit des minorités est ainsi soigneusement sauvegardé.

Et alors ce serait la fin des malentendus!

Les prétendants pourront, comme de juste, rentrer en France avec leur famille.

Gamelle aura peut-être un petit royaume de sept ou huit départements éparpillés çà et là sur le territoire de la France.

Victor aussi pourra monter sur une manière de tronicule.

Ah! dame! ça ne sera pas l'empire de Charles-Quint, mais à la fin du dix-neuvième siècle, c'est encore très gentil, pour des jeunes gens.

Mon projet, c'est la fin des traditions abolies et le néant des creuses chimères.

Assez de discours, assez de théories, assez de brochures; à nous la pratique, la vivifiante pratique!

Au bout de peu de temps, on sera fixé.

Chaque régime, intégralement appliqué sans discussion ni opposition possibles, donnera le résultat qu'il comporte.

Les citoyens jugeront par comparaison et iront habiter les territoires les plus conformes à leur idéal.

Une simple déclaration à la mairie et l'on obtiendra son voyage gratuit (et aussi pour sa famille et ses meubles), ainsi que l'exemption de tous droits pour la vente ou l'échange de ses biens.

Beaucoup de familles, avant de se fixer, tiendront à se rendre compte par elles-mêmes et *de visu* des avantages ou des ennuis de tel ou tel régime.

C'est dans ce cas que la maison démontable Duclos pourra rendre de réels services.

Tous les sept ans (je tiens beaucoup à ce *sept)* la France sera conviée à un nouveau *referendum.*

Certains partis gagneront quelques départements, d'autres en perdront. On verra peut-être, condamné par l'expérience, maint régime disparaître à jamais.

Et bientôt notre chère France sera tout près de la Justice, du Bonheur et de la Joie.

La voilà, la vraie décentralisation, la voilà bien!

AUTOMOBILOFUMISME

Ce fut un gamin, qui, le premier, sema l'alarme de la curiosité dans l'âme des villageois.

– Venez voir! Venez voir! Il y a une voiture qui monte la côte, une grosse voiture sans chevaux!

Quelques campagnards, tenus au courant de l'automobilisme par le *Petit Journal*, conclurent judicieusement que si cette voiture montait la côte sans l'aide d'un ou plusieurs coursiers, ce devait être une de ces *voitures sans chevaux*, dont les entretient parfois notre vieux camarade Pierre Giffard.

Et ils s'en allèrent au-devant du moderne véhicule, lequel grimpait allègrement la rude montée de Villeneuve.

C'était une grande, grosse, énorme voiture dans le genre de celles qu'on voit aux saltimbanques et aux marchands forains.

Fraîchement peinte en claires couleurs, les cuivres tout luisants, elle resplendissait au beau soleil comme un saint-sacrement.

Bientôt, elle fut presque au haut de la côte.

Et les habitants de Villeneuve frottèrent leurs yeux, éperdument, se croyant le jouet de quelque rêve.

Cette voiture, à la vérité, cette grosse voiture était bien une voiture sans chevaux, au sens strict du mot, mais elle n'était pas une voiture sans chevaux, comme on l'entend généralement.

Car elle était traînée par un chien. Un chien, un seul chien, et pas un très gros chien, encore!

Les gens de Villeneuve se sentirent les bras leur tomber du corps!

Ils se les ramassèrent mutuellement (avec un sens très vif de la solidarité), et, fatigués de s'être tant frotté les yeux, se contentèrent désormais de les écarquiller.

Un chien de moyenne taille remorquer une aussi formidable roulotte!

Eh! parbleu, sans doute la roulotte était une roulotte pour rire, une roulotte en carton, destinée à quelque mascarade de la ville!

Hypothèse vite abolie, car on aperçut, sur la plate-forme de devant et aux fenêtres de la voiture, quatre personnes en chair et en os, deux messieurs et deux dames.

Alors, voilà! Ce chien était un chien phénomène, un chien fort comme deux ou trois vigoureux percherons. Un sacré chien, tout de même!

Un sacré chien, oui, mais n'empêche qu'il fallait être de rudes feignants pour se faire traîner, à quatre, dans cette grosse guimbarde, par un pauvre malheureux toutou qui en crèverait sûrement

Cependant, un vieux monsieur se détachait du groupe des villageois, s'avançait vers la voiture, et d'un ton qui n'admettait pas de réplique :

– Je vous somme de vous arrêter! commanda-t-il.

Docile, stoppa le véhicule.

– Membre de la Société protectrice des animaux, continua le vieux monsieur, j'ai pour devoir de faire cesser l'effroyable surmenage dont ce chien est la proie infortunée.

– Ce chien! ricana l'un des jeunes gens de la voiture, mais ce chien nous traîne en se jouant... Il se délasse en nous remorquant. Savez-vous combien nous pesons, tout le tremblement, la roulotte, le matériel et les bonnes gens?

– Plusieurs milliers de kilos.

– Oh! la la! Nous pesons quinze livres et demie, en tout et pour tout! Quinze livres et demie! Ça te la coupe, hein! Il faut vous dire que mon ami et moi, nous sommes d'un caractère très léger; ces dames sont de mœurs plus légères encore. Quant à notre matériel, sachez qu'il frise l'impondérabilité. Toutes nos assiettes, entre autres, sont des assiettes creuses!

– Messieurs, aggrava le vieux zoophile, vous êtes des plaisantins dont l'étourdissant et frivole bagout ne saurait abolir en moi le sens du devoir. Je vous somme de dételer ce chien!

– Ici, mon vieux Azor!

Azor, dételé, sauta gaiement sur la plate-forme de la voiture.

Et le plus étrange, c'est que la voiture, traînée désormais par nulle bête, continua sa route tout de même.

Les villageois comprirent alors que ces Parisiens s'étaient moqués d'eux, et ils en conçurent, contre les véhicules automobiles, un vif ressentiment, pas près de s'éteindre.

LE PREMIER PARAPLUIE
DE M. FRANCISQUE SARCEY

A mes Amis de l'École Normale Supérieure.

Nous avons la bonne fortune de pouvoir offrir à nos lecteurs quelques bonnes feuilles du prochain volume de notre éminent confrère, M. Francisque Sarcey : *Souvenirs d'enfance, de jeunesse, d'âge mûr et de décrépitude.*

M. Sarcey n'est pas seulement l'esthète au jugement sûr et toujours novateur; il n'est pas seulement le chroniqueur à la plume étincelante, aux idées audacieuses et parfois même paradoxales : M. Sarcey est encore le conteur exquis, d'une bonne humeur bien française, bien gauloise, et d'une finesse qui tient le lecteur sous le charme.

Aussi, notre clientèle nous saura-t-elle gré de ce que nous n'avons reculé devant aucun sacrifice pour lui fournir cette primeur :

« MON PREMIER PARAPLUIE

... » Ce fut une de mes tantes, la veuve Michu, qui me fit cadeau de ce parapluie pour me récompenser d'avoir brillamment passé mon baccalauréat ès-lettres.

» Brave tante! Pauvre chère femme! On n'en fait plus comme ça, des veuves Michu!

» Je le vois encore, ce parapluie, avec un gros manche solide, de grosses baleines à la fois rigides et souples, et de la bonne grosse étoffe dont on ne connaissait pas la fin.

» Quelle différence entre ce robuste ustensile et les bibelots, car ce sont de véritables bibelots, dont on se sert maintenant pour s'abriter des intempéries.

» Les parapluies d'aujourd'hui ne sont pas plus

gros que des anguilles et même des *anguilles à tricoter,* comme dit mon petit garçon, qui a la rage des calembours.

» Vous ne sauriez vous imaginez le plaisir que me causa la possession de mon pépin.

» D'abord, venant de la veuve Michu, ma tante, ce parapluie était sacré pour moi, et puis, c'était mon premier parapluie!

» Car, autrefois, on ne donnait pas de parapluies aux enfants, comme on fait aujourd'hui.

» Quand il pleuvait, les enfants s'abritaient sous le parapluie de leurs parents, ou alors ils couraient sous l'averse, et, mon Dieu, ils n'en mouraient pas.

» La race était-elle plus robuste que maintenant, ou bien est-ce des idées qu'on se forge? Je n'en sais rien.

» Toujours est-il qu'on élève actuellement les enfants dans du coton et qu'ils sont loin d'être aussi vigoureux que les enfants de mon temps.

» Pour en revenir à mon parapluie, je le soignais comme la prunelle de mes yeux, et quand j'entrai à l'École normale, ce fut la main droite appuyée sur mon vieux riflard.

» La première année, tout se passa bien.

» Mais le troisième dimanche de ma seconde année à l'École (je m'en souviens comme si c'était hier), il m'arriva de rentrer le soir sans mon parapluie.

» Je ne m'en aperçus que le lendemain matin.

» Mon désespoir, vous le voyez d'ici! Et il était si sincère, mon désespoir, si poignant que pas un de mes camarades ne songea à me blaguer.

» Au contraire, chacun s'ingéniait à se rappeler où j'aurais bien pu oublier mon parapluie.

» Il faut avouer que, ce dimanche-là, on avait un peu plus bu que ne le comportait notre soif. Sans être des ivrognes, les jeunes gens se laissent quelquefois entraîner.

» Edmond About, qui conservait toujours son

sang-froid dans ces circonstances, m'affirma que j'avais dû laisser mon parapluie dans un petit café disparu depuis, mais qui était situé tout au haut de la rue Soufflot.

» Je ne fis qu'un bond chez ce limonadier.

» Sur l'affirmation du garçon qu'il n'avait rien trouvé, je rentrai, fort désolé et tout penaud, à l'École.

» Pour comble de malheur, le dimanche suivant, il pleuvait à verse; je me résolus à acheter un nouveau parapluie.

» Précisément, tout près de l'École, rue de la Vieille-Estrapade, il y avait un marchand, disparu depuis, et remplacé par un ferblantier.

» Quelqu'un se trouvait dans la boutique quand j'entrai, et ce quelqu'un, en m'apercevant, devint rouge, vert, bleu, de toutes les couleurs!

» D'abord, je ne compris rien au trouble de cet homme; mais bientôt, le mystère s'éclaircit.

» Cet individu si mal à son aise devant moi, n'était autre que le garçon de ce café de la rue Soufflot où j'avais réellement oublié mon parapluie.

» Pour que je ne reconnaisse pas mon pépin, il n'avait trouvé rien de mieux que de le faire recouvrir d'une autre étoffe, et je le surprenais juste au moment où il venait rechercher le fruit de son larcin.

» Le dénouement, vous le devinez: l'indélicat garçon me laissa entre les mains mon cher pararol.

» Il sortit en balbutiant de vagues excuses; et le plus comique c'est qu'il avait payé d'avance son recouvrage.

» A l'École, nous rîmes beaucoup de cette aventure, mais elle me servit de leçon.

» Depuis ce temps-là, je n'ai plus jamais perdu de parapluie.

» FRANCISQUE SARCEY. »

278

Tout le volume, *Souvenirs d'enfance, de jeunesse, d'âge mûr et de décrépitude* est écrit sur ce ton.

Ce sera un des gros succès de librairie de la saison.

LES MISÈRES DE LA VIE CONJUGALE

Il y a des femmes qui sont comme le bâton enduit de confitures de roses dont parle le poète persan : on ne sait par quel bout les prendre.

(Les personnes qui, après la publication de ce petit alinéa, continueraient à faire courir le bruit de ma mauvaise éducation... personne ne les croirait!)

Dites bleu devant certaines dames, vite elles affirment rouge. Convenez rouge, pour leur faire plaisir : vert! rugissent-elles sur l'heure.

La femme est un être *ostiné* entre tous, *ostiné* et contrariant.

La plus *ostinée* et la plus contrariante de toutes les femmes, c'est l'épouse légitime de mon inspecteur d'assurances, un brave garçon qui n'a d'autre tort que celui d'une excessive veulerie et d'une incoercible irrésistance.

Il me contait ses mésaventures ou plutôt sa mésaventure – car c'est toujours la même – et rien n'était plus comique que son désespoir ahuri.

Pour rendre plus saisissant son récit, je le diviserai en trois parties : *Premier tableau, Deuxième tableau* et *Suite et fin.*

Le curieux de cette histoire, c'est qu'on peut mettre le Deuxième tableau au lieu du Premier, et, au besoin, commencer par *Suite et fin,* sans que rien soit altéré dans la limpidité de la narration.

PREMIER TABLEAU

Monsieur rentre après une journée de fatigues et d'ennuis. Il s'est disputé avec des sinistrés. Ses chefs l'ont presque traité d'idiot.

Complètement esquinté, le pauvre homme n'a d'autre aspiration que celle du bon dodo où il va joncher son abrutissement.

Madame ne trouve pas naturelle cette dépression physique et morale.

D'un ton spécialement grincheux qui n'appartient qu'à elle :

— Qu'est-ce que tu as donc fait dans la journée, dit-elle, pour être dans cet état-là ?

— Ma chère amie, j'ai beaucoup travaillé...

— Travaillé !... Je le connais, ce genre de travail : tu as passé ta journée chez tes cocottes.

— Je te jure bien, ma pauvre amie...

— Eh bien ! retournes-y, chez tes cocottes ; ce n'est pas moi qui t'en empêcherai !

Et Madame, claquant fort la porte, va s'enfermer dans son appartement.

DEUXIÈME TABLEAU

Monsieur a fait une bonne journée. Tout a marché à souhait. Il croit pouvoir compter sur un avancement prochain.

Bref, il est content !

Avant de monter, il a pris, avec un de ses amis, une bonne petite absinthe qui lui a mis encore plus de joie au cœur.

À peine rentré, il se précipite sur sa femme, l'embrasse très tendrement, l'embrasse encore, lui prodigue mille caresses plus ardentes, peut-être, que ne le comporte l'austère décor de la salle à manger.

Mais Madame se dégage vivement. Son visage se renfrogne.

D'un ton spécialement grincheux, qui n'appartient qu'à elle :

– D'où sors-tu donc, pour être *excité* comme ça ?

– Ma chère amie, je sors du bureau...

– Du bureau !... Je le connais ce bureau-là !... Tu sors de chez tes cocottes.

– Je te jure bien, ma pauvre amie...

– Eh bien ! retournes-y, chez tes cocottes. Moi, je ne me charge pas d'éteindre les flammes allumées par ces demoiselles.

Et Madame, claquant fort la porte, va s'enfermer dans son appartement.

SUITE ET FIN

Et c'est tous les jours la même chose.

FASTE INFLUENCE
DU SYSTÈME DÉCIMAL
SUR LA QUESTION OUVRIÈRE

Une joie patriotique m'attendait à mon arrivée à Londres.

J'apprenais, de la source la plus autorisée, que le système décimal était enfin adopté dans tout le Royaume-Uni.

La décimalisation des poids et des mesures commencera incessamment; après quoi, on verra s'il y a lieu d'en faire autant pour ce que les Anglais, gens pratiques, appellent si justement *money*.

On a beau être un sans-patrie et affronter en souriant le reproche en bronze du regard de la statue de Turenne, à Sedan (à toi, d'Esparbès !), tout de même, ça vous fait quelque chose, là (en prononçant le monosyllabe *là*, je me frappe la poitrine à la place de ce muscle, abusivement dénommé *cœur*)...

Ça vous fait quelque chose *là,* dis-je, quand vous constatez l'adoption par cette vieille Albion, moins perfide encore que têtue, d'une idée aussi française que le système décimal.

J'en arrive à oublier que j'avais (ou plutôt que je n'avais plus) un grand-grand-oncle tué à Waterloo.

Pauvre bon homme!

Ce petit triomphe national, coïncidant avec la température échevelée qui sévissait à Windsor ce jour-là, nous incita à boire deux ou trois bouteilles de champagne en sus de celles qu'on avait raisonnablement sablées au cours du repas.

Notre retour à Londres, le soir, s'effectua dans des conditions exceptionnelles de bonne humeur bien française et de turbulence éminemment parisienne.

Nos *hurrah* en l'honneur du système décimal réveillèrent bien des cottages endormis.

A peine débarqué à Calais, une autre joie m'attendait, relative aussi à ce système tant fêté.

Ces Messieurs de l'Obervatoire de Paris et autres grosses légumes compétentes ont pris, assure-t-on, la mâle résolution d'appliquer le système décimal à la mesure des angles et du temps.

L'angle droit aura cent degrés, le degré cent minutes, etc.

De même pour le cadran, qui ne comptera plus désormais que dix heures, chaque heure ayant cent minutes, chaque minute cent secondes.

Bien qu'à la vérité ce chambardement dans l'ordre établi ne me paraisse pas très foisonneux en avantages de toutes sortes, je ne puis m'empêcher de tressaillir de joie à l'espoir de la mise en pratique de ce beau projet.

Un mauvais changement, ai-je coutume de répéter, vaut mieux qu'un bon piétinement sur place.

Le jeune ingénieur de Calais, qui me mettait au

courant de ces choses, en semblait également fort joyeux.

– Sans compter, ajouta-t-il, que la mesure décimale du temps liquiderait une des plus grosses difficultés de la question ouvrière?

– Laquelle donc?

– La question des huit heures.

– J'avoue que je ne vois pas clairement...

– C'est pourtant bien simple : les ouvriers réclament énergiquement la journée de travail de huit heures... Quand la journée totale ne comptera plus que vingt heures, rien n'empêchera les patrons de passer cette fantaisie à leurs hommes.

– Mais, pardon...

– Ces braves gens ne s'apercevront pas que leurs huit heures nouvelles correspondent à neuf et demie des anciennes, et le tour sera joué.

– Êtes-vous bien sûr?

– Mais oui, mais oui! Les ouvriers ne sont pas si méchants qu'on croit...

Et le jeune ingénieur ajouta comme dans un rêve :

– Heureusement!

UN HOMME MODESTE

A propos de décorations, on m'a conté une histoire qui me semble valoir son pesant de ruban.

De plus, sachant ma manie d'exactitude, on a cru devoir me garantir la totale véracité de l'anecdote.

Il y avait une fois un député (ou un sénateur, je ne me souviens plus), dans les environs du centre de la France, qui possédait, comme grand électeur en son arrondissement, un brave homme de jardinier, nature simple et loyale.

En dehors de nombreux services suffrago-universels, notre parlementaire devait une infinité de petites sommes d'argent à l'excellent pépiniériste.

(Car, – triste à dire! – on peut siéger au sein des assemblées délibératives et devoir de l'argent au monde.)

Appelons spirituellement, pour rendre plus cursif le conte, ce mandataire Amédée Duchèque, et poursuivons.

Duchèque, empêché de verser à son dévoué horticole le moindre acompte, eut l'idée de le dédommager, en honneurs.

Du dernier bien avec le gouvernement, comme le furent toujours les ennemis de la République, Duchèque implora pour son protégé le ruban du Mérite agricole, plus connu sous le nom de *poireau*.

– Comment donc, mon vieux Duchèque, c'est entendu! fit le ministre d'alors, un garçon sur qui le parti comptait beaucoup mais qui a mal tourné depuis.

Duchèque sortit de chez le haut fonctionnaire, sur les deux oreilles, bien tranquille au sujet de sa demande.

Oui, mais voilà!

Duchèque s'était trompé d'établissement.

Il avait sollicité le Mérite agricole du ministre de l'instruction publique.

Et, au 14 juillet suivant, ce qui devait arriver arriva : le jardinier fut, froidement, nommé officier d'Académie.

Oh! mon Dieu, la chose n'avait rien de grave en soi, et l'erreur n'était pas de celles qui chahutent le rythme des évolutions cosmiques!

Du vaudeville seulement devait en résulter.

Un soir que Duchèque rentrait chez lui, il trouva la carte de son fidèle jardinier, venu à Paris par train de plaisir :

VICTOR BONCHRÉTIEN

Jardinier-pépiniériste
Membre de l'Académie Française

Duchèque se releva plusieurs fois, la nuit, pour en rire.

Le lendemain, les propres explications de l'homme aux fleurs éclairèrent sa religion.

D'un doigt, il désignait le ruban violet, et de l'autre :

– Merci! balbutiait-il simplement.

– Mais, cré nom d'un chien, se tordait Duchèque, vous vous trompez! Vous êtes officier d'Académie, vous n'êtes pas membre de l'Académie Française!

L'autre hochait modestement la tête.

– Officier d'Académie! Mais tout le monde me blaguerait, dans le pays, moi, un humble jardinier!... Membre, simple membre, cela suffit!

COMME LE PRINCE
OU UN MONSIEUR CHIC

Quand le duc Honneau de la Lunerie eut achevé la lecture de ses gazettes, il sonna son valet de chambre :

– Monsieur le duc?

– Ah! vous voilà, Jean!... Faites immédiatement prévenir le jardinier que j'ai à l'entretenir.

– Bien, monsieur le duc.

Quelques minutes se passèrent, utilisées par le duc Honneau à se lever et à passer son caleçon; puis le jardinier se présenta :

– Monsieur le duc?

– Ah! vous voilà, Dominique!... Vous allez me

faire l'amitié, et sans plus tarder, de flanquer par terre quatre cents arbres du parc.

Dominique eut, à ce moment, la perception, très rapide mais très nette, que son noble maître, le duc Honneau de la Lunerie, de simple idiot qu'il était, passait du coup au grade d'aliéné.

— Quatre cents arbres? balbutia-t-il.

— Oui, mon ami, quatre cents arbres! Vous allez m'arracher quatre cents arbres dans le parc!... Ça devrait déjà être fait!

Le jardinier, complètement abruti, répétait :

— Quatre cents arbres!... Quatre cents arbres!

Le duc, à la fin, s'impatienta :

— Eh! oui, maraud! quatre cents arbres!

— Mais... lesquels?

— Oh! pas des petits baliveaux de rien du tout! Des arbres de belle venue! Les plus *chics* arbres du parc, quoi!

— Quatre cents arbres!... Quatre cents arbres!

Devant la croissante stupeur de Dominique, le duc daigna sourire :

— Ce sont là des choses, mon pauvre ami, que vous ne saurez jamais comprendre. Connaissez-vous le Prince?

— Lequel?

— Le Prince, parbleu! Il n'y a pas trente-six princes... Il y a le Prince!

— Ah! bon.

— Eh bien, mon ami, le Prince n'est pas un prince; il est un roi, il est un empereur! Il est le Roi de la mode et l'Empereur du chic! Ses fantaisies sont, pour nous autres, autant de décisions sans arrêt.

— Ah! bon!

— Quand le Prince adopta le large ruban de moire pour attacher son monocle, que fis-je?

— Je ne sais pas.

— J'adoptai le large ruban de moire pour attacher mon monocle... Et cette démarche fut d'autant plus méritoire que, de ma vie, je n'avais su tenir un monocle en mon arcade. Mais je voulais *faire comme le Prince!*

– Ah! bon!

– Et quand le Prince se détermina à se livrer à la bicyclette, que fis-je?

– Vous vous livrâtes à la bicyclette?

– Précisément!... Et Dieu sait si, jusqu'à présent, j'avais eu le vélo en sainte horreur! Mais je voulais *faire comme le Prince!*

– Je ne vois pas bien le rapport avec les quatre cents arbres.

– Je vais vous l'indiquer, mon cher Dominique. Le Prince vient de faire abattre quatre cents arbres dans le Bois de Boulogne. Moi aussi, je veux abattre quatre cents arbres dans mon parc, pour *faire comme le Prince!*

– Ah bon!... Alors, je vais prévenir les bûcherons.

Et le brave jardinier, roulant entre ses mains calleuses son humble casquette de travailleur, sortit à reculons de la chambre héraldique du duc Honneau de la Lunerie.

Il n'alla pas bien loin, car ce qu'on appelle *l'esprit de l'escalier* n'est point une vaine image.

Quelques secondes plus tard, Dominique toctocquait à la porte de son maître.

– Entrez!

– Monsieur le duc me permettrait-il de lui faire une petite observation?

– Parlez, mon ami.

– Monsieur le duc désire *faire comme le Prince?*

– Oui!

– Exactement *comme le Prince?*

– Mais oui!

– Monsieur le duc me permettra de lui faire observer qu'en abattant des arbres dans son parc, il ne fera pas du tout *comme le Prince,* car le Prince a fait abattre dans un bois, qui n'est pas à lui, des arbres qui ne lui ont jamais appartenu, tandis que

Monsieur le duc flanquera par terre, dans un domaine à lui, des arbres qui sont fichtre bien sa propriété!

— C'est pourtant vrai, mon brave Dominique! Comment se tirer de ce pas?

— En laissant vos arbres tranquilles.

— Mes arbres, oui!... Mais les arbres des autres? Ah! une idée!... Allez chercher vos bûcherons, et f... moi en bas quatre cents arbres dans les bois de la commune.

— Croyez-vous que les gardes nous laisseront faire?

— Vous prendrez tout sur vous, mon cher Dominique! Vous écrirez au préfet une lettre que vous signerez Dominique, *entrepreneur,* dans laquelle vous prendrez tout sur vous, disant que vous avez agi sans ordres. Moi, j'écrirai aussi au préfet, pour lui offrir de planter mille arbres, partout où il voudra... Comme ça, j'aurai fait *comme le Prince.*

Dominique, très philosophe, se retira en murmurant docilement:

— Faisons *comme le Prince!*

TROIS ÉTRANGES TYPES

J'y serais peut-être encore, dans ce délicieux petit pays, sans l'extrême maboulerie des gens qui lotissaient l'unique auberge de l'endroit.

Je ne déteste pas une pointe de démence chez mes commensaux ou interlocuteurs, mais quand cette simple pointe se mue en scie agressive, je m'envole à tire-d'aile vers d'autres cieux, tout de suite.

Le premier de ces raseurs était un homme qui était vêtu, tantôt d'une jaquette jaune citron, tantôt d'un veston rouge vermillon.

Alternativement aussi, il portait le ruban d'officier d'Académie et le ruban de chevalier du Mérite agricole.

288

Comme je suis un observateur excessivement avisé, je remarquai vite que mon bonhomme arborait le ruban violet concomitamment avec la jaquette citron et le ruban avec le veston pourpre.

Sans que je lui demandasse aucune explication à ce sujet, il éclaira ma religion de vive force en m'exposant la théorie des couleurs complémentaires, en ce sens, principalement, qu'un violet se faisait valoir au voisinage d'un jaune, et que le vert le plus pisseux devenait tout à fait présentable quand il s'enlevait sur un rouge.

Comment avait-il obtenu ces deux marques d'honneur, voilà encore une histoire dont je me fichais pas mal!

Pourtant, je dus apprendre que l'ordre du Mérite agricole lui avait été conféré à la suite de ses beaux travaux sur la transplantation du *mildew* (maladie de la vigne) sur la tomate.

Les palmes académiques s'accrochèrent à sa poitrine parce qu'il avait épousé la fille naturelle d'un ministre de l'Instruction Publique.

... Le second original était un Américain qui s'était arrêté dans cette auberge, l'année dernière, et qui y avait trouvé une eau-de-vie de marc extraordinaire, à son avis.

Il avait demandé au patron :

— Vous en avez beaucoup comme ça, des bouteilles?

— Environ un mille.

— Je vous les achète.

Le patron eut la foudroyante vision qu'il y avait là une fortune pour lui.

— Elles ne sont pas à vendre, répondit-il avec l'accent blésois.

— Dix francs la bouteille.

— Pas à vendre, je vous dis.

— Vingt francs la bouteille.

— Même pas cent mille francs!

— C'est bon! répondit froidement le neveu de

l'oncle Sam avec l'accent de l'Américain vexé. Je les boirai ici!

Et il s'installa dans cette petite auberge, bien décidé à ne pas s'en aller tant que palpiterait une goutte du précieux marc au fond d'une fiole.

Quand il était gris (et, pour ma part, je ne le vis jamais à jeun), il prenait les gens par leur cravate et leur contait de force ses aventures dans les Cordillères des Andes.'

Il avait exploré des pampas de lui seul connues, où, selon la forte expression du géographe, la main de l'homme n'a jamais mis le pied, des pampas double-vierges!

Pour dire quelque chose, je demandai :

– On pourrait aller par là, en bicyclette?

– Impossible, mon pauvre garçon, il y a trop de tessons de bouteilles sur les routes!

– Nous terminerons, si vous voulez bien, messieurs et dames, par le troisième étrange type de cette galerie.

J'ai tenu à finir par celui-là, qui est incontestablement le plus dangereux des trois.

Pas un mot ne sort de sa bouche sans être farci d'un ou de plusieurs calembours.

Comment ai-je pu conserver mes méninges intactes à la suite des propos de cet homme? Dieu seul le sait, et il ne serait peut-être même pas fichu de l'expliquer.

– Vous avez un joli vélo! me dit-il un jour.

– J't'écoute! lui fis-je. C'est un Comiot!

– Ah! un Comiot? Et *comiot* vous trouvez-vous là-dessus?

Un matin, il me demande :

– Vous allez faire un tour?

– Oui.

– A pied ou sur votre vache?

– Sur ma vache? Quelle vache?

– C'est votre comiocipède que j'appelle une vache.

– ???

290

– Évidemment, puisque c'est une machine...
comme Io!

Je me sentais déjà fort déprimé.

Il m'acheva d'un coup de massue :

– Et votre pneu, quelle marque?

– Dunlop.

– Savez-vous quel est le contraire du pneu Dunlop?

– Non, je ne sais pas.

– Eh bien, le contraire du *pneu d'un lop,* c'est le
pneu d'un anti-lop!

D'un bond, je fus à la caisse, exigeai ma note, la
soldai, et si je cours encore depuis ce moment-là, je
suis rudement loin!

L'INATTENDUE FORTUNE

Tel que vous me voyez, mesdames et messieurs,
je suis détenteur d'une somme de 10.000 francs (je
dis *dix mille*) qui glissa dans les replis de mon
portefeuille, par une bien inhabituelle trémie.

Cet or (d'ailleurs en papier) n'est pas le fruit d'un
âpre et incessant labeur.

Il ne me fut donné par aucune âme compatissante.

Il ne me vient ni du jeu, ni d'un heureux pari, ni
d'un habile chantage.

Je ne l'ai ni volé, ni emprunté, ni trouvé dans la
rue.

Alors, quoi?

Ah, voilà!

... Il y a quelques semaines, j'ai dû me mettre en
quête d'un appartement (celui que je possédais
auparavant ne convenait plus à mon nouveau genre
d'industrie).

Ah! que j'ai gravi d'étages! J'en ai descendu
beaucoup aussi, avant de découvrir le *sweet home*
idéal!

Un jour, je visitais un appartement dans la rue Jules-Renard, un joli petit appartement confortable, propre et coquet.

Elle-même, la maîtresse de la maison, guidait mes pas.

Je me trompai tout d'abord sur l'étiage social et mondain de cette dame.

Une cossue bonne petite bourgeoise, conjecturais-je.

Je ne me trompais pas de beaucoup; mon éventuelle hôtesse était, en effet, une cossue bonne petite bourgeoise, mais – *horrendum!* – pas mariée et de posture analogue à celle de cette madame Warner, que notre distingué Vandérem nous a si bien contée dans l'éminent *Charlie.*

Une demi-mondaine bien popote, bien sage et pratique au-delà de toute prévision.

Comme son bail n'était pas tout à fait fini, la dame avait hâte de trouver un brave locataire qui prît l'appartement tout de suite, et je goûtais vive joie à l'entendre déployer tant d'éloquence à me persuader les innombrables charmes de son logement.

Toutes les pièces, disait-elle, se commandaient sans se commander.

Elle avait placé son lit comme ça, mais on pouvait le placer autrement, comme ça, par exemple, sans que rien n'eût à flancher dans l'harmonie de la pièce.

Jolie, avec ça, la mâtine! Un peu replète, mais très fraîche encore, malgré la trentaine à coup sûr dépassée.

En retraversant la salle à manger :

– Vous prendrez bien un doigt de porto? insinua-t-elle.

Une pas autrement déplaisante petite femme de chambre me débarrassa de mon chapeau, de mon pardessus, de ma canne, et servit le porto.

Nous en savourions le second verre, quand vibra la sonnerie de l'entrée.

– Qui est-ce? s'enquit la dame.

– Monsieur Chicago, fit la désirable soubrette.

– Fais-le entrer au salon.

Correct, je me levai.

C'était entendu, patati, patata, l'appartement me convenait; je reviendrais, demain ou après-demain, rendre réponse.

Une heure après, je croisais dans la rue un de mes cousins.

– Très chic, ton nouveau chapeau! disait l'adolescent admiratif.

– Mon nouveau chapeau?... Je n'ai pas de nouveau chapeau.

Instinctivement, j'enlevais mon couvre-chef et constatais qu'il n'était pas mien.

Nul doute permis! J'avais, par erreur, dans l'antichambre de la dame, coiffé le galurin du nommé Chicago.

Au fond du dit galurin, luisaient la marque d'or d'un chapelier de New York et cinq ou six initiales, surtout des *W* et des *K*.

Je n'avais pas perdu au change: le chapeau du Yankee était un extraordinairement beau chapeau et qui m'allait comme un gant.

Une imperceptible boursouflure gonflait le cuir intérieur.

Grâce à une légère enquête, je constatai bientôt la présence clandestine, à cet endroit, de dix jolis billets de mille.

Oh! la chose ne comportait aucun mystère!

Avant de monter chez sa bonne amie, M. Chicago avait prudemment *carré* une somme de cinq cents louis, destinée sans doute à un autre emploi.

... Et moi, je me trouvais là, stupide, devant ces dix ridicules mille francs.

L'indélicatesse de l'Américain (car, enfin, ce n'est pas chic de se méfier ainsi de sa maîtresse) me suggéra un instant l'idée de m'assimiler froidement cette galette fortuite.

Mon atavique probité reprit le dessus.

– Cet argent n'est pas le mien! Je le rendrai à son légitime propriétaire.

Toutes mes démarches pour retrouver le méfiant Chicago demeurèrent vaines.

La dame ne voulut me fournir aucune indication.

Une lettre à elle confiée pour être remise au monsieur resta sans réponse.

Je crois que je finirai par appliquer à des besoins personnels cet argent tombé du ciel.

Ça me rappellera une portion importante de ma jeunesse, où je vécus exclusivement des générosités de quelques braves courtisanes, qui m'aimaient bien parce que j'étais rigolo.

PATRIOTISME

Un autre jour, que je déjeunais à cette excellente auberge, je fus témoin d'une scène dont la solution, quelques heures plus tard, me combla d'une vive allégresse.

Les habitués parlaient entre eux d'une assez vilaine affaire, arrivée dans la ville et dont le héros était un général de brigade.

– Jamais, s'écria quelqu'un, jamais je ne croirai cela d'un général français!

Je contemplai le monsieur qui s'indignait ainsi : c'était une manière de vieux quidam moustachu de blanc, dont l'ancien métier devait être celui des armes, en général, et de la cavalerie, en particulier, comme qui dirait un ancien colonel de dragons.

La rosette rouge de sa boutonnière encourageait cette supposition.

– Jamais, accentua le supposé citrouillard, jamais je ne croirai cela d'un général français!

– Pourquoi donc? demanda son voisin de table, un jeune employé des postes et télégraphes.

– Pourquoi? Parce qu'on aura beau dire et beau faire, un général français sera toujours un général français!

– D'accord!... Mais donnez-moi une raison, une simple petite raison de rien, expliquant pourquoi un général français serait plus honorable qu'un étameur danois, par exemple.

– Comment, vous osez comparer un général français...!

Et, en prononçant ces deux mots : *général français*, l'homme aux moustaches blanches semblait se gargariser avec un drapeau tricolore : un *général français!*

La noble indignation du personnage, le sang-froid du jeune postier fournirent une piquante discussion.

– Parfaitement! j'ose comparer... Les généraux, c'est absolument comme les ébénistes, les charcutiers et les vétérinaires – il s'en trouve d'une honorabilité au-dessus de tout soupçon, cependant que d'autres ne sont ni plus ni moins que d'épaisses brutes et d'immondes fripouilles.

– Vous raisonnez comme un Prussien!

– Ainsi, voyez notre vieux Dreyfus; si on ne l'avait pas nommé artilleur honoraire aux Iles du Salut, voici un garçon qui était très en passe de devenir général dans une quinzaine d'années.

– Jamais Dreyfus ne serait devenu général!

– Pourquoi donc cela, je vous prie? Dans vingt-cinq ans, l'État-Major français sera uniquement composé d'officiers juifs.

– Je vous le répète, vous raisonnez comme un Prussien, comme un voleur de pendules!

– Comme Napoléon Ier, alors?

– Napoléon Ier n'a jamais volé de pendules.

– Non, c'est le chat qui les a barbotées pour lui! Avez-vous lu le testament de Napoléon Ier?

– Peut-être, mais je ne m'en souviens pas.

– Eh bien, dans le testament de Napoléon Ier, il y a ceci, en toutes lettres : «*Je lègue à mon fils la pendule ayant appartenu à Frédéric-le-Grand, et que j'ai prise moi-même dans son cabinet, à Postdam. »* (Textuel.) Vous voyez que le Petit Caporal ne négligeait pas de mettre la main à la pâte quand il le fallait.

— Napoléon a pris cette pendule comme souvenir.

Ici, le jeune postier devint tout à fait comique.

D'une main preste, il fit disparaître dans sa poche la belle chaîne et la belle montre en or du colonel, en disant : « Ne faites pas attention, c'est comme souvenir ! »

Le déjeuner était fini. La discussion prit fin avec cette affirmation du vieux soldat que la France serait toujours la France, et que les Français ne cesseraient pas une seconde d'être des Français.

Sur cette fière assurance, je me rendis à la gare où j'attendais mon ami, le peintre américain, Joë Moonfellow.

— Hello, Joë !

— Hello, Alphy ! How are you, old chappie ?

Sur le coup de cinq heures, après avoir visité la ville, nous songeâmes à gagner notre résidence d'été.

Un verre de quelque chose, avant de monter en voiture, s'imposait.

— Mais, s'écria Joë en nous installant à la terrasse du café, mais, sacré mille diables ! je ne me trompe pas, c'est bien le père Auguste !

Et Joë me désignait, comme père Auguste probable, le monsieur assis près de moi.

Or, ce monsieur n'était autre que le vibrant colonel de dragons de tout à l'heure, celui qui *ne croira jamais ça* d'un général français !

— Mais non, mais non, je ne me trompe pas ! assura Joë. C'est bien le père Auguste.

Et, se levant, il alla tendre la main au monsieur, rondement, sans façons, en vieux camarade.

— Bonjour, père Auguste ! Je ne m'attendais, sacré mille diables ! pas à vous rencontrer ici.

La physionomie de l'interpellé se cramoisit aussitôt de superbes tons écarlates.

– Mais, monsieur... vous vous trompez... Je ne
suis pas la personne que vous croyez...

– Vous n'êtes pas le père Auguste?

– Je vous assure... monsieur... je vous assure que
vous vous trompez.

– Eh bien, monsieur, c'est, sacré mille diables!
trop fort! C'est épatant ce que vous ressemblez à un
père Auguste que j'ai connu à Chicago pendant
l'Exposition.

Juste à ce moment arrivait, devant le café, une
grosse vieille dame blonde dans une petite charrette
anglaise qu'elle conduisait elle-même.

La dame, aidée par un garçon, descendit, et la
première personne qu'elle aperçut, ce fut mon ami
Joë.

– Ah! monsieur Joë! s'écria-t-elle. Ce bon monsieur Joë! Quelle bonne rencontre! Et vous vous
êtes toujours bien porté depuis le temps?

Et patati et patata, tout ce que peut dire une
grosse vieille dame blonde, bavarde, à un monsieur
qu'elle n'a pas vu depuis trois ans!

Mais Joë affectait une vive surprise.

– Je vous assure, madame, que vous vous trompez. Vous croyez sans doute avoir affaire à l'honorable M. Joë Moonfellow, vous vous trompez!

– Comment, vous n'êtes pas monsieur Joë
Moonfellow?

– Non, madame, je ne suis pas ce gentleman et je
ne le serai pas, tant que ce bonhomme ne sera pas le
père Auguste!

Le père Auguste, car, décidément, c'était bien le
père Auguste, consentit enfin à rentrer dans la peau
dudit père Auguste.

Il tendit la main à Joë en lui recommandant, tout
bas et en anglais, de ne point parler : *Not a word!*

Joë promit le plus sépulcral des silences, mais, à
moi, il voulut bien tout dire.

Le père Auguste, ce patriote farouche, cet irréductible cocardier, le père Auguste était l'ancien patron d'une des maisons les mieux famées (du latin *fama,* femme), de Chicago.

En dix ans, dont une d'exposition universelle, il avait gagné son million, son joli petit million, qu'il était venu manger paisiblement et honorablement sur les bords fleuris du Beuvron.

La rosette rouge qui fleurissait sa boutonnière était bien une rosette rouge, mais une rosette rouge panachée d'un peu de vert symbolique.

Cet emblème constituait tout ce qu'il avait pu tirer d'un Président de République vaguement sud-américain, lequel l'avait honoré de sa clientèle décorative, mais peu rémunératrice.

Et comme je racontais l'indignation ressentie par le personnage au récit qu'on faisait d'un général de brigade, amenant chez lui de jeunes fillettes, mon ami Joë conclut sagement :

– Probablement, il était furieux de ne pas les lui avoir procurées lui-même.

Et il ajouta plus sagement encore :

– Où, sacré mille diables, le patriotisme va-t-il se nicher ?

UNE INFÂME CALOMNIE
DU *PETIT JOURNAL*

Nous recevons la lettre suivante, que, fidèle à notre vieille tradition d'impartialité, nous n'hésitons pas à insérer.

Nous insérerons de même, s'il y a lieu, la réponse de M. Francisque Sarcey ou de son fils Jean.

« Monsieur le raidacteur,

» Je vous écri asseulfain de protesté ôtement conte les imputacion calaumenieuse que M. Francisque Sarcey, mon patron, a mis dans le *Petit Journal* de hiere an datte du 6 sétambre 1895.

» Son artique dit que son fisse Jean a di à Royan, ouque nous somme an ce moman toute la fammille, que je ne me jenerait pas pour fère pacé des piaisses fosses au monde.

» Du raiste, Monsieur le raidacteur, jugé par vousmaime. Je découpe avec des siso le passage ouqu'il ait cestion de moi et je le caule ici avec dais pin a cachté :

« J'étais, ces jours derniers, en villégiature à Royan. Vous n'ignorez pas qu'on y joue, comme dans tous les casinos de bains de mer, aux petits chevaux. Or, à Royan on est, je ne sais pourquoi, empoisonné de pièces papales, ou suisses, ou roumaines. J'en reçus une, sans y prendre garde, et naturellement la première fois que j'eus besoin de payer quelque chose, on me le refusa.

» – C'est bien! dis-je; voilà qui m'apprendra à faire attention.

» Et j'allais en faire cadeau à quelqu'un pour la vendre au poids de l'argent :

» – Oh! donne-la-moi, me dit mon gamin de fils. Je la ferai bien passer, moi.

» – Et où cela?

» – Aux petits chevaux. Comme les préposés ne peuvent pas examiner toutes les pièces, c'est là qu'on porte toutes celles qui ne sont pas bonnes.

» – Non, répondis-je, j'aime mieux la donner à la bonne pour qu'elle l'échange à son prix en argent.

» – Ah bien! si tu crois qu'elle ne la fera pas passer, elle.

» – C'est une autre affaire! Elle sera dans son tort; mais l'ayant prévenue, je n'y serai pour rien.

» J'avoue qu'il n'eut pas l'air très convaincu. »

. . . .

» Dabor, je pourais me pleinde que M. Sarcey socupe de ma vie privé et qu'il n'a pas le droi de me mette dan les journo san ma permisillon, mais je ne lui an veu pas de tro pour ça, rapor à tou les artique quil a afer et que ce povre omme ait bien forcé de prande des sujé ouquil les trouve, mais ce que je nademai pa sou socun prétaisque, cet quil dise publiqman que je sui une fame a fer pacé des piaisse fosse au monde.

» An noute, ça ma fé bocou de pène de voire que M. Jean, le fisse à monsieur, tenai des propo comme ça sure moi, car un gamain quon na vu naite pour insidir, ça fait toujoure de la pène de voire quit n'a pas une meilleure opinion sure vous.

» Dans tou les cas, je man raporte à vos colone, monsieur le raidacteur, poure dire publiqman que je ne sui pa une fame a fer pacé des piaisse fosse au monde.

» Joré bien écri au petit journal lui maime mé je suis sure que M. Poidatz moré mi des baton dans lé rou pour quon ninser pas ma lette, alaure cét à vou que jécri.

» Je vou remerci bocou, monsieur le raidacteur et recevé le salu de vote dévoué servante.

» Signé : FRANÇOISE,
» Bonne ché M. Sarcy depui biento
catorse ans. »

La protestation de Françoise nous paraît des plus légitimes. M. Sarcey a agi avec une impardonnable légèreté, en laissant supposer aux huit cent millions de lecteurs du *Petit Journal* que sa cuisinière est femme à faire passer des pièces fausses au monde, comme elle dit.

Quant à M. Jean Sarcey, il trouvera, je l'espère, dans sa conscience, le châtiment de sa jeune inconséquence.

La jeunesse actuelle a bien des défauts, mais on ne saurait l'accuser de professer un respect excessif pour les aïeux illustres ou les grands aînés.

La jeunesse actuelle considère que la portion assez importante, en somme, de l'humanité, née avant la guerre, se compose uniquement de vieilles bêtes et de sordides crapules.

Je ne m'amuserai même pas à relever l'exagération d'un tel dire, et je passerai tout de suite à la partie anecdotique de mon machin.

Le jour des obsèques de Pasteur, le fils d'un de mes amis haussait ainsi les épaules :

– Pasteur! Mais si nous avions un gouvernement sérieux, au lieu des fantoches qui nous régissent, c'est dans une maison centrale que serait mort ce vieux farceur qui empoisonne l'humanité avec ses sales vaccines!

Ce n'était pas déjà trop mal, dites; mais il alla plus loin encore :

– Vous les trouvez bien, ces vers-là? Mais c'est de la poésie complètement gâteuse!... On dirait du Hugo!

Tous les propos de mon jeune homme se tiennent dans cette tonalité.

M. de Monthyon, dont, pourtant, la mémoire est respectée de tous, savez-vous comment mon jeune homme le désigne?

Il l'appelle *ce vieux saligaud de Monthyon!*

Parce que, dit-il, ce brave homme aurait donné son nom à une rue où les plaisirs d'amour sont éminemment variés et non exempts, paraît-il, d'un côté quasi commercial.

Qu'est-ce que vous voulez répondre à une aussi évidente mauvaise foi?

Connaissez-vous dans l'histoire de l'Art Industriel un exemple plus réellement beau, plus, tranchons le mot, héroïque que celui de Bernard de

Palissy brûlant son mobilier et son plancher pour achever la cuisson de ses remarquables céramiques?

Eh bien! la grande ombre de Bernard de Palissy n'a pas su trouver grâce devant l'irrespect de ce jeune homme, si moderne; il l'appelle *cette vieille andouille de Palissy.*

– Pourquoi? fais-je un peu interloqué.

– Parce qu'on n'est pas bête à ce point-là. Il faut être crétin comme l'était ce huguenot! Brûler un admirable mobilier de l'époque, de superbes bahuts Henri II, des lits Charles IX de toute beauté, des fauteuils François Ier épatants, tout ça pour obtenir un plat comme on en trouve à 4 fr. 50, et tant qu'on veut, au Grand Dépôt de la rue Drouot!... On l'a f... à la Bastille où il est mort, votre Bernard : on a bien fait!

La conversation continua longtemps sur ce ton-là.

Je commençais à m'y faire.

Mais, vraiment, je ne pus me défendre d'un vif sursaut, en entendant mon jeune homme proférer :

– C'est encore comme *cette vieille fripouille de saint Vincent de Paul!...*

Certes, on ne saurait m'accuser d'être un ultra-montain endurci : j'ai lu Voltaire, Diderot et tous les encyclopédistes; mais j'ai gardé assez de liberté d'esprit pour reconnaître le mérite partout où il se trouve : j'éprouve, notamment, sans partager ses idées, une profonde estime pour la personnalité de saint Vincent de Paul.

Aussi, m'indignai-je :

– Ne touchez pas au souvenir de saint Vincent de Paul, car celui-là est un saint, un vrai saint dont le nom brille au martyrologe de l'humanité.

Mais le jeune homme de rire plus fort :

– Saint Vincent de Paul! Dites-moi donc ce qu'il a fait de si chouette, votre ratichon?

– Il a sauvé de la mort mille et mille orphelins.

302

– *Il sauva de la mort mille et mille orphelins!* Ça c'est un beau vers... Et lesdits orphelins, où sont-ils à l'heure qu'il est?

– Mais... ils sont morts.

– Ah! vous voyez, je ne vous le fais pas dire! Ils sont morts!... Il ne les a donc sauvés de rien du tout, ces fameux orphelins, DE-RIEN-DU-TOUT! C'est un fumiste, et vous, vous êtes un pitoyable *snob!*

Je me tins fort heureux que ce jeune homme m'eût simplement qualifié *snob,* quand il aurait pu employer une expression moins courtoise.

L'OR MUSSIF

Tout d'abord, je tiens à remercier publiquement l'édilité parisienne de la délicate surprise qu'elle m'a faite pendant ma courte absence de Paris.

Elle a bien voulu remettre en place l'horloge pneumatique de la rue Royale, en face de la Madeleine, cette horloge dont la disparition m'avait fait pousser, ici même, d'étincelantes clameurs.

J'aimais déjà beaucoup l'édilité parisienne; je l'aime plus encore, maintenant – si cela est possible –, pour sa charmante attention.

... Divers bruits ont couru, dans certaine presse, sur le but de mon voyage à Londres.

D'après les uns, j'aurais été chargé d'une mission assez louche auprès de personnages plutôt ténébreux, au sujet d'une très vilaine affaire sur laquelle il ne sied point de s'étendre pour le moment.

D'autres assurent froidement que j'allais tentativer un léger chantage auprès du nouveau Lord-Maire, qui aurait encouru, en 1872, une condamnation auprès du tribunal correctionnel de Rambouillet.

On va jusqu'à affirmer... Mais que n'affirme-t-on point?

Bref, on a tout dit, sauf la vérité.

La vérité! Mais je n'ai aucun intérêt à la cacher, la vérité!

Je suis allé à Londres organiser le lancement d'une nouvelle affaire bien parisienne, celle-là, et de tout repos.

Il s'agit des placers de *Saint-Georges-Fountein*, inépuisables à ce que m'a affirmé Paul Escudier, qui doit s'y connaître, puisqu'il est conseiller municipal de ce quartier [1].

La fortune! c'était la fortune!

— Imagine-toi, mon vieux, que j'ai trouvé le moyen de *démussifier* l'or!

(Pour celles de mes lectrices qui pourraient l'avoir oublié, je dirai que l'*or mussif* est un bisulfure d'étain qui n'a du précieux métal que l'aspect.)

Et Cros, entrant dans la plaisanterie :

— Tous mes compliments, mon vieux! En effet, c'est la fortune!

A la table à côté, un jeune homme fort bien mis, et sûrement pas du *Quartier,* ouvrait d'avides oreilles.

— Tu comprends, repris-je, l'or mussif coûte dans les 30 ou 40 fr. le kilogramme. La *démussification* me revient à 14 fr., pas plus.

— Oui, objectait Cros, mais il y a le déchet.

— Environ 25 pour 100... Ça me laisse encore un joli bénéfice, puisque j'obtiens de l'or pur qui vaut 3.000 francs le kilo.

A ce moment, le jeune homme bien mis ne put y tenir.

1. L'élection d'Escudier comme conseiller municipal du quartier Saint-Georges demeurera un des bons souvenirs de ma vie :

George Auriol avait fait une chanson électorale qui obtint un vif succès. Le refrain en était :

Tararaboum de hay!
Votons pour Escudier!
C'est l' plus chouett' du quartier!
Tararaboum de hay!

Avec mille courtoisies, il nous offrit une bouteille de champagne.

Nous consentîmes.

Et nous causâmes.

De son crayon, il avait fait sur le marbre un rapide calcul, établissant que l'or pur nous reviendrait, grâce à notre procédé, à moins de 50 francs le kilo.

Cros et moi, je le jure, nous n'eûmes pas la pensée, une minute, que ce jeune homme apportait la moindre créance à notre loufoquerie.

Un garçon spirituel, pensions-nous, qui trouvait drôle notre fantaisie, et qui s'en faisait, pour un instant, le joyeux complice.

Il n'en était rien.

Nous avions causé, Cros et moi, avec un tel sérieux (ainsi que cela nous était coutumier, même en les plus folâtres occurrences), que le bon jeune homme avait coupé dans le godant comme dans du beurre.

Cette opération de prendre l'or mussif et de la *démussifier* lui paraissait si simple qu'il se demandait comment l'idée n'en était déjà pas venue à de préalables chimistes.

La petite plaisanterie dura huit jours.

Le brave jeune homme riche tenait absolument à nous commanditer.

En attendant, il nous payait des déjeuners, des dîners, des soupers, que notre absence totale de dignité nous autorisait à accepter.

Et puis, un jour, il disparut brusquement.

Nous apprîmes, par la suite, qu'une petite femme de brasserie, extrêmement cupide, l'avait déconseillé de mettre un sou dans notre affaire.

Nous le regrettâmes peu, car il commençait à nous raser, cet imbécile, avec son or mussif.

UNE CURIEUSE INDUSTRIE
PHYSIOLOGIQUE

Lors de mon dernier tour en Belgique, on me conseilla fortement de pousser jusqu'aux environs de La Haye, où j'aurais à voir *quelque chose de curieux.*

J'écoutai les objurgations de mes amis. Bien m'en prit; je ne regrettai pas mon voyage.

Je vis quelque chose de curieux, quelque chose de *réellement curieux.*

Dans quel ordre d'idée? vous inquiétez-vous.

Une curiosité naturelle? Non.

Un musée, une œuvre d'art quelconque? Non.

Un très antique et très beau monument! Non.

Une étrange cité? Non.

Zut! dites-vous.

Et vous avez bien raison de dire zut!

Donnez votre langue au chat (il adore ça) et ne cherchez plus.

Ce que je vis de si *réellement* curieux dans les environs de La Haye, c'est une industrie.

Une simple industrie. Oui, mais quelle industrie!

. . . .

Tout d'abord, je supplie les âmes sensibles et les natures facilement impressionnables de ne point poursuivre la lecture de ce factum.

Il y a, en apparence, dans l'industrie que je vais décrire, un petit côté pénible et même cruel, très suceptible de déchaîner les plus douloureuses compatissances.

J'ai dit *en apparence,* car, dans la réalité, ce côté pénible et cruel n'existe pour ainsi dire pas du tout.

. . . .

Ce fut au mois de septembre dernier que l'industrie sus-indiquée vit le jour.

La petite Wilhelmine, la jeune reine de Hollande, était venue passer un mois dans l'île de Walcheren.

En ce pays, c'est une vieille coutume chez les enfants pauvres de galoper les routes et les grèves avec les pieds nus.

Il résulte de ce parti pris une économie de chaussures fort sensible dans les petits ménages où l'on ne roule pas sur les ducats.

La jeune reine prenait un vif plaisir à contempler les ébats des petits nécessiteux zélandais. Son plus âpre désir était d'en faire autant.

Mais sa gouvernante appartenait à cette vieille race de gouvernantes hollandaises qui *ne veulent rien savoir.*

Or, un jour, cette duègne, légèrement indisposée, fut remplacée momentanément par une jeune institutrice française qui accompagna dès lors Sa Petite Majesté dans ses promenades.

L'institutrice française en question appartenait à cette vieille race d'institutrices françaises qui, du prestige, n'ont qu'une notion rudimentaire.

Wilhelmine manifesta le désir de courir dans la dune avec ses pieds nus. L'institutrice française aida Sa Majesté à se déchausser.

Mais, hélas! la charmante monarquette ne sut aller bien loin, la peau de ses pauvres et délicats petits pieds se refusant à un exercice aussi inhabituel.

– Que n'ai-je, ragea-t-elle, la rude peau des pieds de ces bébés indigents!

Un vieux courtisan qui passait pas là entendit le royal propos et se jura d'exaucer, dans la mesure du possible, le vœu de sa jeune souveraine.

Il choisit, parmi les enfants du pays, une fillette dont la pointure était exactement celle de la reine, l'installa confortablement chez lui et fit venir un célèbre chirurgien de ses amis.

Si vous êtes un peu au courant des progrès de la chirurgie, vous savez que c'est maintenant un jeu d'enfant d'enlever la peau des gens en vie, aussi facilement, et sans plus de souffrance, qu'on *dépiaute* un lapin mort.

Ce fut l'opération qu'on fit à la petite pauvresse, préalablement nettoyée et blanchie.

On lui leva la peau des pieds jusqu'à la cheville, de façon à former deux mignonnes sandales.

Un léger tannage à l'alun et ça y était!

Quant à la petite opérée, grâce à d'habiles pansements antiseptiques, quinze jours après, elle était sur ses pieds... ses pieds garnis d'une peau toute neuve toute rose.

La jeune reine, à la vue des sandales naturelles, manifesta une vive allégresse, et, tout de suite, elle voulut les chausser.

Fort heureusement, la vieille gouvernante hollandaise, toujours souffrante, était encore remplacée par l'institutrice française.

Sa Majesté s'amusa ce jour-là, avec ses sandales, comme elle ne s'était jamais amusée.

. . . .

En dépit de la lenteur qu'on prête au tempérament hollandais, la vogue des sandales en peau de pauvre s'accrut rapidement dans la noblesse d'abord, dans la riche bourgeoisie ensuite.

Elle s'accrut au point de devenir une industrie des plus florissantes.

. . . .

... La manufacture que j'ai visitée aux environs de La Haye se compose de deux bâtiments distincts.

Le premier ressemble beaucoup à une sorte d'hôpital.

C'est là qu'on enlève la peau des pieds aux pauvres.

Tous les pauvres décidés à l'opération y sont reçus, sans question d'âge, de sexe, de nationalité ou de religion. Il leur suffit de pouvoir établir qu'ils marchent pieds nus depuis un certain temps et que leur peau possède à la fois toute la souplesse et toute la fermeté désirables.

L'autre bâtiment sert à l'industrie proprement dite.

C'est là qu'on prépare et qu'on tanne légèrement les sandales ainsi obtenues.

Le peu de place dont je dispose ici me contraint à écourter des explications sur lesquelles j'aurais bien désiré m'étendre.

Terminons en apportant tous nos vœux à cette nouvelle industrie qui, si elle venait à s'acclimater chez nous, pourrait apporter une source de bénéfices aux déshérités français.

UNE MAISON PROLIFIQUE

Je feuilletais, la semaine dernière, quelques numéros du *Petit Bourguignon,* que j'avais mis de côté pour les lire à tête reposée.

(Le *Petit Bourguignon* exige qu'on le savoure loin des bruits du monde.)

Mes yeux tombèrent soudain en arrêt sur tout simplement ceci :

ÉTAT CIVIL DE DIJON

Du 29 octobre 1895

NAISSANCES

Henri Clerc, rue Docteur-Chaussier, 7.
Lucien-James Ferrand, rue Docteur-Chaussier, 7.

Lucienne-Jeanne Valter, rue Docteur-Chaus-sier, 7.

Alice Poisot, rue Docteur-Chaussier, 7.

Marcelle-Jeanne-Marguerite Perret, rue Saint-Philibert, 11.

Soit, pour cinq naissances dans tout Dijon, quatre dans cette seule maison.

Quatre naissances par jour dans une maison, cette maison fût-elle un vaste immeuble, voilà, je crois, un résultat fort capable de réjouir les patriotes les plus désespérés!

Et si toutes les maisons de France étaient aussi prolifiques, notre beau pays pourrait, dans vingt-cinq ans, mettre en rang une armée de première ligne, dont le cocardier Auguste Germain mourrait d'orgueil, sûrement.

Un doute planait, pourtant, sur mon âme.

Pourquoi quatre naissances, à ce 7 de la rue Docteur-Chaussier, et seulement une dans tout le reste de Dijon?

Vous avez beau dire, la proportion ne me semblait pas équitable.

Je voulus en avoir le cœur net (j'ai la manie du cœur net, parfaitement net, jusqu'à, des fois, me le passer au tripoli).

Précisément, à Dijon même, sévit, en ce moment, un de mes bons amis, conseiller de préfecture.

Quand j'aurai ajouté que ce garçon pourrait bien passer sous-préfet plus tôt qu'on ne s'y attend, je croirai l'avoir suffisamment désigné.

« Mon ami, lui écrivis-je, sois assez bon pour m'expliquer, par retour du courrier, le mystère de la nativité du 29 octobre 1895, 7, rue Docteur-Chaussier, à Dijon (Côte-d'Or), etc., etc. »

Il est probable que le courrier de Dijon était un peu souffrant ces jours-ci, car ce matin seulement j'ai reçu la réponse.

Une touchante histoire que celle des ces quatre

simultanées naissances dans la même maison:

Il y a un an, vivaient, dans l'immeuble situé au n° 7 de la rue Docteur-Chaussier, quatre ménages parfaitement unis, s'entendant à merveille et vivant en paix.

Quelques lettres anonymes vinrent mettre bon ordre à tout cela, et bientôt l'harmonie fut rompue.

Rompue? Que dis-je! Elle fut cassée en mille miettes.

Non seulement les familles étaient fâchées entre elles, mais les femmes voulaient divorcer, les époux parlaient de tuer les femmes, et réciproquement.

Vous avez deviné, n'est-ce pas, Mesdames et Messieurs, que toute cette discorde était le fruit de la calomnie, de cette lâche calomnie qu'on ne saurait trop comparer au serpent qui rampe, mord, bave, et tue?

Un des locataires du 7 de la rue Docteur-Chaussier (dont le procureur général de Dijon m'a prié de taire le nom) souffrait, en son âme de brave homme, de ce consternant état de choses.

Au moyen d'autres lettres anonymes plus habiles que les premières (guérir le mal par le mal!), il parvint à réconcilier tout notre petit monde.

Quand fut accomplie son œuvre de concorde, et pour la fêter, il invita les quatre familles, Clerc, Ferrand, Valter et Poisot, à un petit dîner comme on n'en avait pas vu, en Bourgogne, depuis Anne d'Autriche.

La chère fut succulente et copieuse.

Quant aux vins, je ne vous dis que ça! Les plus fameux crus du pays y étaient représentés par leurs plus poudreux échantillons.

Ceci – notez bien la date – se passait le 29 janvier.

Neuf mois après, jour pour jour, la France comptait quatre petits défenseurs de plus.

Ce qui prouve que si la concorde est une bonne chose, la réconciliation est meilleure encore.

. . . .

Dernières nouvelles. – On m'avait indignement trompé L'explication de ces faits est bien plus simple.

La maison sise au n° 7 de la rue Docteur-Chaussier n'est pas autre chose qu'un hospice de Maternité.

UN SAINT CLOU
POUR L'EXPOSITION DE 1900

> *A l'abbé Trave, futur cardinal*
> *(comme l'indique son nom).*

Un groupe de patriotes français vient d'avoir une idée à la fois touchante et ingénieuse : celle de faire inaugurer l'Exposition de 1900 par le tsar de toutes les Russies.

Pour cela, le sympathique autocrate du Nord naurait pas besoin de quitter Pétersbourg.

Un simple bouton électrique qu'il pousserait, et, crac! voilà notre Exposition inaugurée.

Émile Gautier, dans un récent numéro du *Figaro*, s'est longuement étendu sur cette glorieuse proposition, en a décrit les divers développements et, finalement, a émis des doutes sur la réalisation possible de cette superbe entreprise, à cause, dit-il, du peu d'intensité des courants arrivant de si loin.

L'électricité permet de faire des coups de Bourse à distance, elle ne permet pas d'en tirer un de canon.

Il y a encore bien des progrès à exécuter dans cette branche.

Alors, moi, qui ne suis pas un patriote, mais un être profondément religieux, j'ai eu aussi ma petite idée, une petite idée dont je suis assez content, ma foi!

312

C'est de faire inaugurer l'Exposition de 1900 par notre Saint-Père le Pape.

La faire inaugurer et la faire bénir du même coup! (c'est le même prix.)

Dans ma combinaison, le Souverain Pontife ne serait pas forcé de quitter son vieux Vatican. On relierait ce palais au Champ-de-Mars par un courant électrique d'une certaine intensité.

Mon projet se complique de plusieurs annexes : d'abord, un vaste bénitier de 34.000 mètres cubes, placé au centre de l'Exposition.

Le plus vaste bénitier du monde!

Ce bénitier serait constamment rempli d'une eau que Sa Sainteté consentirait certainement à bénir Elle-même, téléphoniquement.

(On est arrivé à construire de téléphones qui transmettent la bénédiction, l'extrême-onction, etc., etc., le tout avec un déchet insignifiant.)

Le jour de l'inauguration, à l'heure dite, le successeur de saint Pierre appuiera sur un petit bouton électrique. Les courants déchaînés par le saint doigt actionneront d'énormes pompes aspirantes et foulantes qui projetteront en l'air, avec une vigueur surhumaine, l'eau du sacré réceptacle (préalablement bénite).

Et cette eau retombera en pluie bienfaisante sur toute la surface de le *Paris-Exhibition.*

Pendant ce temps, le téléphone, aidé de puissants microphones et de fantastiques porte-voix, redira les paroles rituelles venant de Rome, paroles saintes sans lesquelles nulle entreprise des hommes ne saurait prospérer.

Avouez que ce spectacle ne serait pas banal!

On dit que la foi disparaît des âmes françaises. Évidemment, elle disparaît, mais pourquoi? Parce qu'on ne fait rien pour l'y retenir.

Il faut, bon gré mal gré, que la Religion se décide à faire comme toutes les autres branches de l'industrie, qu'elle entre dans le mouvement!

Les affaires d'autrefois ne se faisaient pas comme celles de maintenant.

Aujourd'hui, impossible de rester debout sans ces deux béquilles : la Science, la Publicité.

Pour ce qui est de la Publicité, ça va bien, l'église en joue comme une vieille virtuose. Mais la Science, ah dame! la Science, il y a encore bien à faire dans cet ordre d'idées! L'Exposition de 1900 est pour le catholicisme une occasion qui ne se représentera jamais!

Le comprendra-t-on à Rome?

Reste la question des frais.

Un bénitier de 34.000 mètres cubes, l'installation électrique entre le Vatican et le Champ-de-Mars, les pompes aspirantes et foulantes, etc., etc., tout cela coûtera les yeux de la tête, m'objectait dernièrement Monseigneur d'Hulst.

Certes, on n'a rien pour rien; mais qui empêche de couvrir les dépenses de cette entreprise et, au besoin, d'en tirer quelque profit au bénéfice du denier de saint Pierre?

Un projet entre mille :

Vous connaissez ces petits appareils de distribution automatique qui vous remettent un objet quelconque contre le décime que vous insérez dans la fente *ad hoc?*

Vous connaissez aussi, sans doute, ceux de ces appareils qui vous projettent à la face un peu de parfum pulvérisé?

Vous les connaissez? Bon!

Eh bien, pourquoi ne pas parsemer l'Exposition de 1900 d'appareils automatiques distribuant, pour deux sous, un peu d'eau bénite?

De l'eau bénie par le pape lui-même, ça n'est pas de la petite bière, dites donc, mes amis!

Il faudrait véritablement ne pas avoir deux sous dans sa poche ou posséder un parti pris farouche d'irréligion pour se refuser ce petit avantage.

. . . .

Un de mes lecteurs m'a suggéré une autre idée très magnifique et bien humaine.

314

On construira sur la place de la Concorde une immense horloge, immense, immense, si immense qu'on pourra, au besoin, se servir de l'Obélisque comme balancier!

Cette immense horloge sera agrémentée d'une formidable sonnerie, avec d'énormes cloches, énormes!

Et toutes les nations réunies à Paris dans ces joutes du travail et de la peine, pourront entendre – enfin! – *sonner l'heure de la Concorde*.

UN MIRACLE INDISCUTABLE

Le tapis de l'actualité et encore encombré de la question toujours palpitante des pèlerinages et des miracles.

N'en déplaise à messieurs les livres penseurs, le flambeau de la foi, rebelle à l'ouragan du doute, brûle encore au sein de notre vieille France, la France des Croisades, la France de saint Louis, cette vieille France, enfin, qui comptait plus de bénitiers que de cuvettes, au dire de la statistique (ô l'âme blanche du moyen âge, tant regrettée de Huysmans! l'âme blanche et les pieds noirs!)

Ricanez, esprits forts! Ricanez, lecteurs de Zola! Vous ne ricanerez peut-être pas d'aussi bon cœur en goûtant personnellement les hautes températures du très achalandé *Lucifer's grillroom*.

Élevé par une vieille tante extrêmement pieuse, j'ai toujours fait de la religion le pivot de ma vie. Toujours, je partageai mon temps entre la prière et l'étude, loin des cabarets et des maisons pires peut-être.

Mon corps se trouva bien de ce régime, mais c'est surtout mon âme qu'il faudrait voir. Une âme rose tendre tirant sur le bleu-clair!

Aussi, vous pensez bien qu'avec une âme de ce

ton-là, je n'aime pas beaucoup qu'on blague les miracles devant moi.

Et M. Zola, tout Zola qu'il puisse être, entrerait dans cette chambre à cette heure, que je n'hésiterais pas à lui flanquer ma main sur la figure.

La semaine dernière, pas plus tard, je fus, moi qui vous parle, témoin d'un miracle, d'un miracle qui fera sourire messieurs les incrédules; mais qu'importe!

Une dame d'un certain âge, revenant d'une pèlerinage à Lourdes, se trouvait dans un hôtel où j'étais moi-même descendu.

Cette dame occupait une chambre contiguë à la mienne.

Un matin, elle frappa à ma porte.

– Vous n'auriez pas, dit-elle, un peu d'esprit-de-vin à me prêter?

– Je le regrette bien vivement, répondis-je, mais je ne possède point la moindre fiole de ce liquide.

– Ah! c'est bien fâcheux, reprit la dame; j'ai égaré le mien, et j'en ai le plus pressant besoin pour la petite lampe où je chauffe mon fer à friser.

– Demandez-en à la bonne de l'hôtel.

– La bonne n'en a pas, et le plus proche épicier du pays est à plus de deux kilomètres.

– C'est bien ennuyeux!

Après s'être excusée, la dame rentra chez elle et bientôt je l'entendis pousser un grand cri.

– Venez! clamait-elle. Venez voir!

J'entrai dans sa chambre et j'aperçus ma voisine dans une pose extatique, qui contemplait le flamboiement de sa petite lampe à alcool.

– Vous avez retrouvé votre esprit-de-vin? fis-je.

– Non! s'écria-t-elle. J'ai rempli ma lampe avec de l'eau de Lourdes, j'ai invoqué Notre-Dame et mon eau s'est enflammée.

– Spontanément?

– Non, avec une allumette.

– Ça n'en est pas moins fort édifiant.

. . . .

Tel est le fait dans toute sa simplicité.

Osera-t-on, nier, désormais, l'influence surnaturelle de notre bonne Dame de Lourdes?

E. M. Zola viendra-t-il encore parler de suggestion, d'hystérie et de mille autres sornettes?

Post-Scriptum. – Au moment de mettre à la poste le récit de ce miracle, j'apprends un léger détail qui va peut-être en diminuer la portée.

Le liquide dont la brave dame s'est servie pour mettre dans sa lampe à esprit-de-vin était réellement de l'esprit-de-vin.

Cette personne a retrouvé, depuis, sa vraie bouteille d'eau de Lourdes dans le fond de sa malle.

Le fait n'en demeure pas moins des plus curieux.

UN PÈLERINAGE

Ce que j'aime dans l'Église catholique, c'est son incontestable aptitude organisatrice.

Dans toutes les affaires qu'elle entreprend, depuis Lourdes (la plus florissante entreprise du siècle) jusqu'au plus humble pèlerinage régional, on retrouve cette maîtrise de l'art subtil de bien remplir la caisse et de ne laisser rien à l'imprévu.

Pas plus tard qu'aujourd'hui, je viens d'assister au pèlerinage qu'ont fait, à Notre-Dame-de-Grâce, plusieurs milliers de braves gens de Lisieux et des environs.

C'est une de mes meilleures et plus gaies journées de la saison.

Chaque pèlerin était muni d'une petite brochure, mi-indicateur, mi-recueil de cantiques, dont la lecture à froid dégage un comique assez analogue à celui des *Poêles mobiles* de ce pauvre Mac-Nab.

Quelques extraits pourront sans doute en donner une légère idée :

3e PÈLERINAGE LEXOVIEN

*à Notre-Dame-de-Grâce
le 29 août 1895*

MATIN

1er train (départ). 6 h. 10
2e train   6 h. 27

... Les billets de pèlerinage ne sont pas délivrés par les employés du chemin de fer, mais aux sacristies des paroisses de la ville, et par MM. les curés de campagne à leurs paroissiens.

Ne jamais chanter avant les départs ni pendant les arrêts.

En partant de Lisieux, on entonnera le cantique suivant :

AVE MARIA

(Air de Lourdes.)

Déjà de l'aurore
Les feux ont brillé
Et l'airain sonore
Annonce *l'Ave.*
Ave, Ave, Ave Maria (bis).

Franchissons l'espace, (42 kilom.!)
Heureux pèlerins;
Allons tous à Grâce
Chanter nos refrains.

Devant l'église du Breuil, on chantera trois fois, en l'honneur du patron de la paroisse :

Sancte Germane, ora pro nobis.

Après la station du Breuil, prière du matin.
Avant la station de Pont-l'Évêque, on chantera trois fois :

Sancte Michaël, ora pro nobis.

(Bien que personne ne m'ait chargé de cette commission, je crois devoir déclarer que le *Michaël* de Pont-l'Évêque n'a rien de commun avec le jeune recordman anglais du même nom.)
En quittant Pont-l'Évêque, on chantera le cantique suivant :

LOUANGE A MARIE

Unis aux concerts des anges,
Aimable reine des cieux,
Nous célébrons tes louanges
Par nos chants mélodieux. (Mélodieux!) etc., etc.

Après la station de Quetteville, chapelet. (Remarquez comme se fouille le patron de l'église de Quetteville. Est-ce que saint Machin aurait démérité?)
Arrivée à Honfleur : Détacher et donner en sortant de la gare le coupon d'aller.

PROCESSION

La procession partira de la gare après l'arrivée du deuxième train et marchera lentement.
On se rangera dans l'ordre suivant et sans distinction de paroisse :

Suisses

Bannières paroissiales

Croix

Garçons		Garçons
Hommes	Fanfare	Hommes
	Clergé	
Filles	Bannières	Filles
Femmes		Femmes

Nous demandons instamment à tous les pèlerins d'unir leurs voix pour que les chants s'exécutent avec entrain.

En face de l'église Saint-Léonard, on chantera trois fois :

Sancte Léonarde, ora pro nobis.

Et, en passant près de l'église Sainte-Catherine, trois fois également :

Sancta Catharina, ora pro nobis.

Avant d'arriver à la chapelle, on commence le cantique suivant :

A NOTRE-DAME-DE-GRACE

(Air : Unis au concert des anges)
Nous avons franchi l'espace (42 kilom!)
Qui nous séparait de vous,
O Notre-Dame-de-Grâce,
Pour nous mettre à vos genoux.
    La jeunesse,
    La vieillesse,
A vous tout âge a recours,
    L'innocence,
    La souffrance
Implorent votre secours.

(Forcé d'écourter, je cite seulement deux couplets de ce pimpant petit cantique.)

> De son esquif il regarde
> La chapelle des marins
> Et dit : La Vierge nous garde,
> Nous aurons des jours sereins.

(Enfoncé, le filage de l'huile!)
Etc., etc., etc.
... Après la messe et la première communion, récitation de cinq « Pater » et de cinq « Ave » pour :

L'Église,
La France,
Le diocèse de Bayeux,
Les paroisses des deux cantons de Lisieux,
L'expédition de Madagascar,
Trois « Pater » et trois « Ave » aux intentions particulières des pèlerins, et le De profundis *pour les défunts amis ou parents des pèlerins.*

L'office du matin sera terminée par un allegro militaire, *exécuté par la fanfare.*

Après une matinée si bien remplie, les pèlerins sont libres jusqu'à 3 h. 1/2. Les cantiques à la Vierge sont remplacés par des engouffrements de fricots énormes, de cidres torrentiels et de petits calvados sans nombre.

Après quoi, assemblée, sermon, nouveaux cantiques, *magnificat*, salut, etc.

Un léger extrait de ces chants :

> Jadis l'Anglais foula notre patrie,
> Nous gémissions sous le joug étranger.
> Le vieux Gaulois se lève et dit : « Marie,
> Si vous voulez, notre sort peut changer. »
> Jeanne paraît! etc.

Étrange! On appelle Marie et c'est Jeanne qui vient! Manque d'organisation!

La fin de la petite brochure est consacrée à de menus détails extraordinairement pratiques.

Hein! tout de même, si Pierre l'Ermite avait organisé sa croisade avec une fanfare et cette précision, croyez-vous que le tombeau du Christ

Serait encore aux mains des mécréants? *(Bis.)*

ANECDOTE INÉDITE
SUR M. JULES LEMAÎTRE

Sans doute il est trop tard pour parler encor
d'elle.

disait Musset à propos de la Malibran.

Le temps a donné raison au poète, car la grande artiste, tout en restant chérie de ceux qui l'entendirent et desquels le nombre tend à décroître chaque jour, a totalement disparu du tapis de l'actualité.

Non, ce n'est pas de la Malibran que je vais vous entretenir, mais bien de M. Jules Lemaître, le nouvel académicien.

D'autres plumes plus autorisées que la mienne ont examiné en M. Jules Lemaître le critique, le conférencier, l'auteur dramatique, le conteur, etc.

M'incombe la tâche, à moi, de vous présenter M. Jules Lemaître sous l'angle un peu spécial de professeur de rhétorique au lycée du Havre pendant les mois de juin et de juillet de chaque année, et sous l'angle, plus spécial encore, de charmeur d'insectes.

Je tiens les renseignements d'un ancien élève de M. Lemaître, actuellement chauffeur à bord du transatlantique *l'Argenteuil* (ligne des Antilles).

M. Jules Lemaître, au temps où la pédagogie était

son fait, éprouvait une indicible horreur pour cette partie de son métier qui consiste à régenter les élèves, à les prier de se taire, à les inviter à tenir, de préférence, leurs mains sur leur pupitre, etc., etc.

Les observations à propos de discipline scolaire, venant hacher ses ingénieux aperçus, le dégoûtaient profondément. Par exemple :

– Il est évident, messieurs, que Paul Verlaine... Balochard, n'attrapez pas toutes les mouches, il n'en restera plus dans la classe... Il est évident, vous disais-je, que Paul Verlaine... Leroux, vous roulerez votre cigarette après le cours, il en sera encore temps... Il est évident, disais-je, et j'avais tort de dire *il est évident,* car en somme rien n'est moins prouvé... Fauvel, vous n'êtes pas ici dans votre cabinet de toilette... Le même fait s'est présenté pour Jean Moréas, pour Jean Moréas dont le vrai nom, d'ailleurs, est Papadiamantopoulos...

Allez donc, dans ces conditions, enseigner la littérature à vos jeunes contemporains !

A la fin de l'année scolaire, surtout, la chaleur aidant, les cours devenaient de plus en plus pénibles pour notre sympathique professeur.

Beaucoup d'élèves sommeillaient ou affectaient des attitudes débraillées tout à fait incompatibles avec l'atticisme de l'enseignement du futur immortel.

C'est alors que M. Jules Lemaître eut l'idée de mettre à profit la connaissance profonde qu'il avait des insectes.

Tout jeune, en effet, dans son pays blésois, M. Lemaître avait manifesté un goût très vif pour l'entomologie.

Plus tard, à l'École normale, de préférence à ceux qui s'occupent de lettres, il préférait les élèves destinés à l'enseignement des sciences naturelles, principalement de la zoologie, et plus particulièrement encore de l'entomologie.

Les insectes, le fait est connu, aiment ceux qui les aiment : M. Lemaître arriva vite à obtenir de ces menus animaux des prodiges de bonne volonté et des travaux qu'on n'aurait jamais attendus d'aussi fragiles organismes, de cerveaux aussi frivoles.

Les taons, par exemple! Qui ne connaît ces insupportables petits piqueurs, terreur des hommes et des bêtes?

Eh bien! M. Lemaître en faisait ce qu'il voulait.

Il en avait dressé quelques-uns à se poser, et pas ailleurs, sur un personnage qu'il indiquait du doigt.

Rien n'était plus curieux que ce petit manège, et plus discret à la fois.

En arrivant à son cours, dans les mois d'été, M. Lemaître apportait ses pensionnaires ailés dans une petite boîte qu'il ouvrait bientôt.

Les taons sortaient, se répandaient sur la chaire, se gardant de voleter sans un signe du patron.

Un élève venait-il à sommeiller, ou à distraire ses camarades, ou à lire un livre obscène, alors, sans cesser de parler, M. Lemaître prenait un taon sur le bout de son doigt et le mettait dans la direction du coupable.

Une seconde après, un petit cri retentissait, un léger sursaut s'opérait, et M. Lemaître avait reconquis un auditeur.

Bientôt, la classe de rhétorique du lycée du Havre devint une des plus attentives de toute l'Université de France.

Des élèves d'élite en sortirent à flots, rehaussant l'éclat des Lettres Françaises.

Ajoutons, pour calmer l'inquiétude bien légitime des familles, que la piqûre disciplinaire de M. Lemaître était dépouillée de tout danger.

Avant chaque classe, le jeune universitaire faisait prendre à ses taons un petit bain antiseptique qui rendait leur dard aussi inoffensif que celui de l'agneau qui vient de naître.

SUPÉRIORITÉ
DE LA VIE AMÉRICAINE SUR LA NÔTRE

De mon dernier séjour en Amérique (si j'en excepte les deux paradisiaques mois passés en Canada), le meilleur souvenir que j'aie gardé, c'est Hotcock-City.

Je n'eus pas plus tôt posé les pieds sur le quai de la gare que j'adorai ce pays.

Par la suite, plus je le connus et plus je l'aimai.

La première chose qui me frappa, c'est les trottoirs feutrés!

– Peste! fis-je, que de luxe!

– N'allez pas croire à un faste frivole! me répondit mon excellent hôte William H.-K. Canasson...

Avant de terminer cette affaire de trottoirs, laissez-moi vous présenter mon ami William H.-K. Canasson.

Un trait suffira à vous peindre ce vavasseur (pourquoi vavasseur?).

William H.-K. Canasson prétend que son véritable nom est ainsi : *Cana's son,* ce qui signifie : *Fils de Cana.*

Il descendrait de ce fameux Cana dont les noces, encore qu'elles remontent à une belle pièce de deux mille ans, sont présentes à toutes les mémoires.

Et puisque l'occasion me vient de parler de cette pénible histoire, je ne suis pas fâché de m'en expliquer très nettement et sans ambages (pour faire taire les bruits qui ont couru à mon sujet dans une certaine presse).

Jésus-Christ crut devoir accepter l'invitation de Cana : c'est son affaire et cela ne regarde que lui.

Mais l'attitude qu'il prit à table, les tours de passe-passe qu'il exécuta avec les breuvages, toutes ces – passez-moi le mot – galipettes auxquelles il se livra pendant le repas, sont de la dernière incorrection et tout à fait indignes d'un Divin Sauveur.

Le fils de Dieu perdit là une belle occasion de rester tranquille.

Parlons d'autres choses, si vous voulez bien, parce que je sens que je me ficherais en colère!

... Mon ami William H.-K. Canasson me pilota dans Hotcock-City avec une bonne grâce digne du vieux monde.

– Les trottoirs feutrés! reprit-il. Vous vous imaginez sans doute, pâle et ridicule Européen, que nous avons feutré nos trottoirs pour en faire comme qui dirait des instars de salons. Biffez cela de vos tablettes, goîtreux Français!... Ce feutre sur lequel vous appuyez mollement la plante de vos pieds recouvre tout un jeu ingénieux et charmant de ressorts. Chaque pas que vous faites, espèce d'imbécile du Vieux-Continent, se traduit par un travail qui ne tombe pas dans l'oreille d'un sourd... Tout ce travail des pas humains (ou autres) est totalisé, centralisé, utilisé sous forme d'électricité (accumulateurs qu'on charge)... Qu'est-ce que vous pensez de cela, imbécile de Parisien?

– Je n'en pense que du bien, mais je trouve que vos propos ne perdraient rien à se dépouiller de quelques désobligeances nationaliteuses.

– C'est bon! voulut bien Canasson. Je ne vous croyais pas l'entendement dans un état aussi voisin de la putréfaction. S'il n'y a que ça pour vous faire plaisir, je serai courtois comme un marquis.

– Je vous en prie, me piquai-je.

– Pas seulement les trottoirs enregistrent et accumulent le travail des passants. Aussi les chaussées. Chaque pavé de nos rues est monté sur ressort... Résultat : suppression de tressaut chez les voiturés, travail gagné au profit de tout un chacun. Comprenez-vous, jeune et beau Celte?

– Je comprends.

– Ah! vous comprenez? On est si subtil de l'autre côté de l'Atlantique!... Vous aimez les chevaux?

– Ah! les sales bêtes! Elles ont du poil aux pattes!

– Ça tombe bien, parce que vous n'en verrez jamais la queue d'un à Hotcock-City.

– Il n'y a pas de chevaux à Hotcock-City?

– Tous ceux précédemment en usage furent naguère rendus à leurs chères études. *Automobilism!* Voilà de quel bois nous nous chauffons en matière de véhicule!... L'accumulateur est à l'œil à Hotcock-City; on serait bien bon de se gêner!

– Gratuits, les accumulateurs?

– Presque... On a 170,000 volts pour un sou.

– De bons volts?

– Des volts épatants!... Alors, qu'arriva-t-il? Il arriva que l'exclusive adoption des voitures électriques nous permit de doubler le nombre de nos rues.

– Je ne vois pas bien.

– Crétin!... Ah! pardon... poète! Vous ne voyez pas bien?... C'est pourtant d'une simplicité biblique... Une voiture sans chevaux est de moitié moins longue qu'une voiture avec chevaux... Elle encombre de moitié moins la longueur des rues. Inutile donc d'avoir des rues si longues! Alors, quoi!... D'une rue nous en avons fait deux. Et voilà!

Évidemment, c'est très simple, mais encore fallait-il y penser.

D'autres choses nouvelles me frappèrent encore dans cette admirable ville américaine de Hotcock-City.

C'est surtout ces mille robinets dans les appartements qui m'intriguèrent beaucoup.

Robinet pour l'eau froide, robinet pour l'eau chaude, cela se trouve dans les plus sordides coins de la miasmatique et purineuse Europe.

Mais le robinet à air froid! Voilà du nouveau. Avez-vous trop chaud dans votre chambre? Un simple tour de clef, et un air frais vous inonde jusqu'à ce que vous ayez obtenu la température qui vous sied.

Tant que je n'en connus pas l'emploi, un petit robinet marqué J.-C. m'énigmatisa beaucoup.

J.-C.! Jésus-Christ, pensai-je d'abord, un instant.

Mais non! On a mis le Christ à bien des sauces plus ou moins à l'abbé Chamel, mais à propos de quoi songerait-on à le canaliser?

J.-C.! Jules Claretie, peut-être? Serait-ce point là le fameux robinet par où fluèrent tous les impérissables chefs-d'œuvre de Jules Claretie, empreints d'un cachet si personnel et tant inoubliable?

J'en étais là de mes réflexions quand William H.-K. Canasson pénétra dans mon room.

– Ah! vous avez envie d'un *John Collins*! Excellente idée! Prenons un *John Collins!* Tout à fait fameux pour le... *Wooden mouth!* Comment dites-vous en français!

– Ça dépend! Le docteur Héricourt dit *xylostome,* les voyous prononcent *gueule de bois.*

Pendant cette courte explication, Canasson, tournant le robinet J.-C., avait rempli deux grands verres d'un liquide gazeux fleurant le *Old Tom Gin* et le citron, lequel n'est autre que le fameux *John Collins.*

Et ce fait donne bien une idée de l'ingéniosité américaine et de la supériorité de leur initiative sur la nôtre.

Une Société s'est formée à Hotcock-City (*The Central John Collins C°*) pour la canalisation et la conduite à domicile de ce délicieux breuvage dont les Américains font une ample consommation chaque matin.

Pour que le liquide arrive très frais à destination, les tubes en argent qui le charroient sont insérés dans un plus gros tube en étain, sorte de gaine où circule une eau glycérinée toujours maintenue à la température 0°.

Inutile d'ajouter que *The Central John Collins Co* fait des affaires d'or.

Le lait est également l'objet d'une industrie pareille, ce qui permet à tout citoyen de Hotcock-City d'avoir, à n'importe quelle heure du jour et de nuit, une tasse de lait aussi exquis que celui qui sort du pis de la vache.

La société qui s'occupe de cette denrée (*The Illimited Pneumatic Milk*) possède dans toute la campagne périphérique de Hotcock-City une quantité énorme de vaches vivant toutes à air libre ou dans des étables admirablement tenues au point de vue de l'hygiène.

A certaines heures, deux fois par jour, ces braves bêtes, averties par une sonnerie électrique à laquelle elles sont habituées, viennent se ranger dans un vaste hangar *ad hoc* et poser leurs mamelles sur des appareils en cristal, sortes de larges coupes communiquant à des tubes qui aboutissent eux-mêmes à une formidable machine pneumatique fonctionnant au centre de la ville.

En quelques coups de piston, les vaches sont débarassées de leur lait. Ce dernier se trouve dirigé, par la force du vide, vers un immense réservoir central, où il est mis sous pression et envoyé vers les cent mille clients de *The Illimited Pneumatic Milk*.

Comme vous le voyez, mesdames et messieurs, il n'y a dans cette opération rien de sorcier ni même de bien compliqué.

Qu'attend-on pour en faire autant à Paris? Que M. Paul Leroy-Beaulieu ait comprit un mot à la question sociale? Ce sera bien long!

J'ai parlé plus haut de Jésus-Christ avec une familiarité qui va peut-être offusquer quelques lectrices.

Cela m'amène à féliciter le clergé américain de l'entrain avec lequel il adopte, à peine parues, toutes les plus fantastiques applications de la science actuelle.

Ah! ce n'est pas pour les prêtres de Hotcock-City que William Draper pourrait récrire ses *Conflits de la Science et de la Religion!*

Pas une maison qui ne soit munie d'un *théophone*, instrument analogue à notre *théâtrophone*, sauf qu'au lieu de s'appliquer à des spectacles mondains, il opère la transmission des sermons ou des chants sacrés.

Une nouvelle église (véritablement réformée celle-là) vient de se fonder, qui proclame légitimes et valables les derniers sacrements administrés par téléphone.

Le clergé catholique n'en est pas encore là; mais, néanmoins, il faut lui savoir gré de s'être vaillamment aventuré dans la voie du progrès.

Quelques jours avant mon départ de Hotcock-City, je croisai sur la route un vertigineux tandem, monté par un digne ecclésiastique et son enfant de chœur, lesquels allaient porter l'extrême-onction à un vieux, riche et moribond fermier des environs.

L'ENGRAISSEUR

– Chacun prend son plaisir où il le trouve...

– Dit un proverbe que j'approuve.

– Moi, j'ai un ami dont la suprême joie est d'aborder les passants (de préférence les messieurs décorés) et de leur dire sur le ton du mystère confidentiel : « Vous voyez bien cette dame! – Oui, fait le monsieur interloqué. – Eh bien, elle est nue! – Comment cela, nue? – Toute nue, oui, monsieur, toute nue! » Le bonhomme décoré commence à faire une tête inquiète; mon ami insiste : « Complètement nue!... Les vêtements que vous lui voyez sur le corps sont là (*baissant la voix*) pour écarter les soupçons; mais sous son manteau, sous sa robe, sous sa chemise, elle est nue, inexorablement nue! » Il s'en va, ravi. Voilà mon ami joyeux pour le restant de la journée!

– Ton ami n'est pas difficile à réjouir; mais si ce passe-temps lui suffit, tant mieux pour lui! L'Ecclésiaste a dit : *Heureux ceux qui rigolent d'un rien!*

– L'*Ecclésiaste* est un ouvrage recommandable entre tous.

– Moi, j'ai un ami dont la seule distraction est d'amener traîtreusement chez lui les chiens qu'il rencontre dans la rue et de ne les rendre à la circulation qu'après les avoir teints en vert, en rose, en bleu, en toutes les couleurs imaginables. Et-même, aux environs du 14 juillet, il teint les pauvres bêtes en tricolore pour faire plaisir à Georges d'Esparbès...

– Qui se montre très sensible à cette attention...

– Jusqu'aux larmes.

Plusieurs des convives citèrent encore des cas de ces divertissements baroques et monomaniaques, mais pourtant non attentatoires aux bonnes mœurs et à la sûreté de l'État.

Celui qui parla le dernier s'exprima ainsi :

– Moi, j'ai un ami qui s'amuse à engraisser des danseuses.

– A engraisser des danseuses?

– A engraisser des danseuses! Il en engraisse trois ou quatre par an et il est peut-être l'homme le plus heureux du globe.

– Des danseuses?... De vraies danseuses?

– Eh! oui, de vraies danseuses, des petites danseuses du Moulin-Rouge!... Vous n'êtes pas sans avoir remarqué au Moulin-Rouge toute une race de jeunes petites danseuses, maigres comme des clous, parfois jolies, originaires, presque toutes, des flancs de Montmartre, la butte sacrée, ou du sein des Batignolles?

– Nous connaissons l'espèce.

– Ces jeunes personnes mettant – et on ne saurait trop les en louer – le culte de la chorégraphie au-dessus du soin de leurs intérêts pécuniaires, ne trouvent que plus tard l'occasion de devenir de grosses dames. Leur danse gagne à cette combinaison une alertise, une rythmosité qu'on découvrirait difficilement dans les pas andalous de la vieille reine d'Ibérie. Souvent, on les voit sautiller seules des danses fantaisistes dans la manière de celle qui inaugura ce genre, une artiste qui portait un nom d'explosif dont le souvenir m'échappe.

– Picrate d'ammoniaque?

– C'est bien cela, Picrate d'ammoniaque. Or, mon ami (car, si nous revenions un peu à mon ami) arrive au Moulin-Rouge, fait le tour de la salle et avise la jeune personne dont la gorge frise de plus près le néant et dont les jambes n'attendent qu'un mot pour se déguiser en tringles à rideaux. Il fait l'aimable auprès d'elle, lui offre *quelque chose*, lui prodigue mille compliments sur son incomparable maîtrise et finalement l'invite à souper. Neuf fois sur dix, la petite est libre de toute attache sérieuse et habite un hôtel garni. Mon ami lui loue un petit appartement qu'il meuble de palissandre. Éblouissement de l'enfant! Ensuite, il lui donne une bonne, une bonne spéciale qui ne lui sert qu'à cet usage. Cette bonne se met à fabriquer des cuisines exquises mais gaveuses. L'appétit de la petite est savamment aiguisé par de petites promenades sagement dosées et par des apéritifs spéciaux à base de liqueur de Fowler et de gouttes de Baumé. Bien entendu, pendant cette cure, pas le moindre Moulin-Rouge, pas le moindre Casino de Paris, pas la moindre polka! Et puis, un beau soir, au bout de trois mois, quand le sujet est arrivé à peser pas loin de deux cents livres, mon ami, avec un petit air de rien, propose : « – Tiens, si on faisait un tour au Moulin, ce soir? » La petite accepte, enchantée. Très rosse et fou de joie à l'avance, mon ami insinue : « Tu devrais bien danser ce joli pas que tu exécutais, toute seule, le jour où je t'ai vue pour la première fois. » L'infortunée, qui ne se doute pas de l'étendue du désastre, s'élance dans l'arène, et la cohue devient bientôt telle que l'orchestre s'arrête de jouer. Ce n'est plus une danseuse qui sautille, mais un tas de viande et de graisse qui se trémousse, irrésistiblement burlesque!... Mon ami en a environ pour un mois à être largement satisfait; après quoi il passe à une autre jeune personne.

— Chacun prend son plaisir où il le trouve...

— Dit un proverbe que j'approuve.

LE PAUVRE RÉMOULEUR
RENDU A LA SANTÉ

Il y a longtemps que ce pauvre rémouleur excitait vivement ma pitié, avec sa figure minable et la veulerie évidemment anémique de son attitude.

— Pauvre rémouleur, lui répétais-je souvent, vous devriez vous soigner!

Mais le pauvre rémouleur haussait ses maigres et résignées épaules d'un air qui signifiait :

— Me soigner? C'est bon pour les gens riches de se soigner! Un pauvre rémouleur doit mourir à la peine.

Pourtant, je le décidai à voir un morticole, un stupide morticole qui ne trouva rien de mieux que de lui conseiller l'usage fréquent de la bicyclette.

Le pauvre rémouleur en fut quitte pour hausser à nouveau les épaules de tout à l'heure et pour s'éloigner, le cœur enflé du mépris des médecins.

— Faire de la bicyclette! un pauvre rémouleur! Idiot, va!

Quand le pauvre rémouleur me conta la chose, moi aussi je haussai les épaules et portai sur ce thérapeute un jugement des plus sévères.

Et puis, mon ingéniosité native reprenant le dessus, il me vint une idée à la fois simple et géniale.

. . . .

Je suis sûr, astucieux lecteurs, que vous avez déjà deviné.

Sans dire un mot de mon projet au pauvre

rémouleur, je pris l'express de Paris, et, de la gare, je ne fis qu'un bond, rue Brunel, chez le jeune et intelligent Comiot, mon constructeur ordinaire.

Ce jour-là, une nouvelle machine était inventée, le *vélo-meule!*

Imaginez-vous une bicyclette comme toutes les autres, avec cette différence que la roue de devant, au lieu d'être garnie d'un pneu, est habillée d'un revêtement en pierre meulière, la même qui sert à ces messieurs pour repasser les couteaux, les ciseaux, les rasoirs.

Évidemment, c'est très simple, mais encore fallait-il y songer.

Elle tint du délire, la joie du rémouleur, quand il aperçut le nouvel engin que je lui offrais de grand cœur!

Aussitôt il enfourcha son stratagème, ramassa un certain nombre de pelles et bientôt conquit le sens précieux de l'équilibre.

Il était sauvé!

Maintenant, il exerce son métier tout en pédalant selon la prescription du médecin.

Un petit filet est suspendu de chaque côté de sa machine, ce qui le dispense de s'arrêter à chaque porte.

Les gens lui jettent leurs couteaux, leurs ciseaux, leurs rasoirs.

Lui, pédale, pédale à mort, utilisant la rotation de sa roue de devant pour affiler lesdits outils.

Une heure après, il les rapporte à tout un chacun. Et c'est un spectacle réellement très curieux que celui de ce brave homme exerçant de si nouvelle façon une des plus vieilles industries de l'humanité.

Sans compter qu'il se porte infiniment mieux qu'avant.

LA LANGUE
ET L'ARMÉE FRANÇAISES

A la terrasse du mastroquet départemental où j'étanchais ma soif, vinrent s'asseoir près de moi deux caporaux de ligne. Deux caporaux blonds avec des taches de rousseur, comme on les a toujours dépeints dans les récits dits naturalistes.

La bouteille de vin blanc entamée, ils s'informèrent gentiment des nouvelles du pays, des familles respectives, et du bien-être qu'ils éprouvaient chacun dans leur compagnie.

Je constatai avec joie, bien que les affaires de ces guerriers ne me concernassent en rien, que tout allait au gré de leurs vœux.

Seulement, l'un éprouvait nonobstant un visible petit souci.

L'autre s'en aperçut :

– Qu'est-ce que t'as? T'as l'air un peu embêté?

– Non, je t'assure, j'ai rien.

Mais si! T'as quéq'chose.

– Eh ben, oui, j'ai quéq'chose! j'ai qu'il y a le ratichon qui s'est payé ma poire ce matin, et que j' voudrais bien en être sûr, parce qu'il n'y couperait pas, c't enfant de salaud-là!

– Un ratichon qui s'est payé ta poire! Quel ratichon?

– C'est un apprenti curé qu'on a dans la compagnie et qu'on appelle le ratichon. Y a pas plus rosse que lui! Et tout le temps un air de se f... du monde!

– Et comment qu'il a fait pour se payer ta poire?

– Je le commandais de corvée, ce matin, et lui ne voulait rien savoir. Il me donnait des explications qui n'en finissaient pas. Mais moi non plus, je ne voulais rien savoir. C'était à son tour de marcher, je voulais qu'il marche! Je n' connais que ça, moi! A la fin, impatienté, je lui dis : « Et puis, en v'là assez, vous pouvez *romper!* »

(Explication pour les jeunes gens qui n'ont jamais fichu les pieds sous un drapeau : l'expression : *Rompez!* c'est employée militairement pour désigner à un inférieur qu'on l'a assez vu et qu'il n'a plus qu'à se retirer.)

En prononçant : *Vous pouvez romper!* le jeune caporal considéra attentivement son camarade pour juger de l'effet que produisaient ces mots sur lui.

Mais le camarade ne broncha pas.

— Et alors? demanda-t-il.

— Alors, reprit l'autre, le ratichon s'est mis à rigoler comme une baleine. Je lui ai demandé ce qu'il avait à rigoler, et il m'a dit : « Caporal, on ne dit pas : *Vous pouvez romper!* on dit : *Vous pouvez rompre!* »

— Rompre? s'étonna l'autre caporal. Qu'est-ce que ça veut dire, ça, *rompre?*

— C'est ce que je me suis demandé. As-tu jamais entendu parler de ça, toi, *rompre?* Ça veut rien dire.

— Eh ben, tu peux être tranquille : ton ratichon s'est payé ta bobine!

Les caporaux se versèrent un nouveau verre de vin, qu'ils burent à la santé des bonnes amies restées au pays, et la conversation reprit sur la question : *Vous pouvez romper!* ou *Vous pouvez rompre!*

— Tiens! s'écria soudain le caporal du ratichon, v'là Brodin!... On va l'appeler. Il va nous renseigner, lui qui est bachelier!

— Te renseigner! Oui, tu vas voir : il va t'envoyer aux p'lotes!

(Encore aux p'lotes : expression militaire pour inviter une personne à aller se faire fiche.)

— M'envoyer aux p'lotes, Brodin! On voit bien que tu ne le connais pas. Je l'ai eu *bleu* dans mon escouade. C'est le meilleur gas de tout le régiment.

Pendant ce colloque, ledit Brodin s'approchait, le bras orné des deux galons de fourrier, la mine futée et imberbe d'un jeune rigolo à l'affût des joies de la vie.

– Hé! Brodin!

– Tiens, Lenoir! Comment ça va, mon vieux Noirot?

– Ça s'maintient. Prends-tu quéque chose avec nous?

– Volontiers! Qu'est-ce que vous buvez là?

– Tu vois, du vin blanc.

– Vous avez raison, c'est ce qu'on peut boire de meilleur de ce temps-là, d'autant plus qu'il est délicieux, ici. Un bon verre de vin blanc, ça vaut mieux que toutes ces cochonneries d'apéritifs qui vous démolissent la santé! Garçon! une absinthe pure!

– Je t'ai appelé, Brodin, pour te demander une petite consultation...

– Mais, je ne suis pas vétérinaire.

– Ça n'est pas rapport à la question de la santé, c'est pour un mot que je voudrais bien savoir si on le dit ou si on le dit pas.

– Quel mot?

– Voilà l'affaire : est-ce qu'on dit *Vous pouvez romper* ou *vous pouvez rompre?*...

Les yeux du fourrier Brodin s'allumèrent d'un vif petit feu intérieur.

– *Rompre?* s'écria-t-il. Qu'est-ce que ça veut dire? Je n'ai jamais entendu prononcer ce mot-là! On doit dire : *vous pouvez romper!* Il n'y a pas d'erreur, parbleu!

– Ah! je savais bien, moi!

– Une supposition, insista Brodin, que tu sois capitaine des pompiers et que tu veuilles dire à tes hommes de pomper, est-ce que tu leur diras : *Vous pouvez romper,* ou *vous pouvez pompre?*

– Je dirai : *vous pouvez pomper.*

– Eh bien! C'est exactement la même chose.

– Salaud de ratichon! Crapule! En v'là un qui ne va pas y couper, dès demain matin!

ESSAI SUR LA VIE DE L'ABBÉ CHAMEL

A PROPOS DE LA STATUE
QU'ON SE PROPOSE D'ÉRIGER EN SOUVENIR
DE CE DIGNE PRÉLAT

Rosalie Chamel était depuis plus de vingt ans au service de l'abbé Tumaine, et sa seule angoisse était de quitter cet ecclésiastique.

Femme de ménage de premier ordre, cuisinière hors de pair, nature affective entre toutes, Rosalie Chamel s'attacha fortement à la cure de Hétu (près de Monvieux) et à son titulaire.

Aussi, à chaque heure de la journée, l'entendait-on gémir :

– Mon Dieu! qu'est-ce que je deviendrais si l'abbé mourait?... Où irais-je si l'abbé mourait?... Je n'aurais plus qu'à me jeter à l'eau, si l'abbé mourait!

Si l'abbé mourait, par-ci. *Si l'abbé mourait,* par-là... Tout le diocèse retentissait de cette sempiternelle antienne.

Le nom en resta au pauvre serviteur de Dieu, et bientôt on ne l'appela plus que l'*abbé Mouret*.

Ainsi qu'il était facile de s'y attendre avec un tel sobriquet, l'abbé Mouret ne tarda pas à commettre une faute, la faute bien connue sous le nom de *faute de l'abbé Mouret*.

L'infortunée Rosalie Chamel n'y coupa point : neuf mois plus tard, la légion des Chamel comptait un petit membre de plus.

L'abbé Mouret (conservons-lui ce nom, n'est-ce pas, ce nom qui, tout compte fait, ne dérange personne), l'abbé Mouret, dis-je, fut très chic dans cette affaire-là.

Plutôt que de perdre une tant irremplaçable cuisinière, il passa par-dessus toutes les convenances mondaines et sacerdotales, et conserva Rosalie Chamel à son service, en l'augmentant (ça alors, est très chic) de trente mensuels francs pour les multiples dépenses occasionnées par le frais émoulu.

Tout de suite, l'enfant grandit en taille et en vertus.

Mais l'atavisme était là, qui veillait!

Atavisme, laissez-vous saluer en passant! Vous êtes le grand veilleur! A votre place, il y a belle lurette que je m'en serais allé coucher!

L'atavisme veillait pour insuffler, dans cette baudruche qu'est la destinée d'un enfant, la double et simultanée aptitude des parents, cuisine et saint-sacrement mêlés!

Et la chimère du petit Chamel oscilla longtemps entre l'art culinaire de sa maman et la profession ecclésiastique de son criminel à la fois et sacré papa.

Abrégeons : l'enfant, devenu jeune homme, se fit prêtre, non sans avoir jeté sur le *Fourneau* un long regard tenant plus de l'*Au revoir* que du définifif *Adieu.*

... Nous n'avons pas encore assez abrégé. Abrégeons davantage et brûlons les planches du Temps :

Nous retrouvons l'abbé Chamel à la tête de la florissante petite paroisse de Dauday-sur-Tarasque.

Il pouvait bien être onze heures du matin, onze heures et demie même.

A la porte du presbytère, tintinnabula le grelot d'une bicyclette, et de cette bicyclette alertement sauta un homme, jeune encore, portant le costume ecclesiastique.

L'abbé Chamel n'eut pas grand-peine à reconnaître en ce véloceman son collègue, l'abbé Kahn, le secrétaire particulier de Monseigneur, prêtre d'origine juive (comme l'indique son nom) et qui (comme l'indique encore son nom) passait les trois quarts de sa vie en vélocipède (ces prêtres-là, vous avez beau dire, font énormément de tort à la religion).

– Mon cher Chamel, fit l'abbé Kahn avec une volubilité bien sémite, voici ce dont il s'agit : Monseigneur arrive ici dans quarante minutes; il s'agit de lui fricoter un petit *lunch* qui ne soit pas dans une potiche!

– Ah! riposta l'abbé Chamel, vous vous imaginez que ça s'organise comme ça, en cinq sec, un petit déjeuner pour un prélat! Nous ne sommes pas dans le ghetto de Francfort ici.

(L'abbé Chamel est un des premiers abonnés de la *Libre parole*.)

L'abbé Kahn se mordit les lèvres :

– Mais, mon cher collègue, un petit poulet, un petit canard, un petit lapin...

– Nous n'avons ici ni petit poulet, ni petit canard, ni petit lapin!

– On m'avait pourtant dit que la petite paroisse de Dauday-sur-Tarasque était très riche...

– Précisément! Les gens sont si riches ici qu'ils achètent tout ce qui est à vendre et qu'ils ne veulent rien vendre de ce qui leur appartient!

– Ah diable!

– Tout ce que j'ai chez moi, c'est du beurre, du lait, de la crème et des œufs... Je ne parle pas, bien entendu, d'un vieux restant de veau d'hier... Mais j'ai une idée!... si Monseigneur vient, priez-le de m'excuser : je vais lui composer un petit plat de ma composition...

Abrégeons encore :

On se mit à table.

Monseigneur prit des œufs. Il en reprit. Il en redemanda encore. Et ce manège dura tant que durèrent les œufs.

– Comment appelez-vous cette sauce? s'informa le doux prélat.

– Cette sauce, Monseigneur, n'a aucun nom dans aucune langue. C'est moi qui viens de l'improviser.

– Eh bien! tous mes compliments. Je me souviendrai longtemps des *œufs à l'abbé Chamel!*

. . . .
Un comité vient de se former pour réunir les
fonds destinés à élever une statue à l'excellent
prêtre, au digne homme, à l'incomparable cuisinier
que fut l'abbé Chamel.

Je m'inscris personnellement pour 350 000
francs.

OÙ L'IVROGNERIE MÈNE LES LAPINS

Plusieurs de mes lecteurs s'adressent à moi et me
consultent sur l'attitude qu'ils doivent prendre,
dorénavant, devant les alcools.

« L'Académie de Médecine, me demandent-ils,
est-elle une assemblée d'augustes savants ou bien
un amas de vieux rigolos? »

Cruelle énigme!

Beaucoup de bons esprits, en effet, à la lecture des
comptes rendus de l'A. de M., se prennent à douter
du sérieux de ces morticoles.

La dernière séance n'est pas faite, hélas! pour
remettre le public en confiance.

Le docteur Daremberg y prit la parole et déclara
froidement que, plus une eau-de-vie est antique, et
même auth *idem,* plus elle est néfaste.

Au contraire, les pires tord-boyaux consommés
sur les zincs innombrables de faubouriens mastro-
quets à la veille da faire faillite, s'avalent tel le petit
lait, et sans plus d'inconvénients.

Alors, quoi?

Qui trompe-t-on, ici?

(La première conclusion que je tire de la désinvolture de M. Daremberg, c'est que si ce savant
possède des propriétés quelque part, ce n'est pas
dans les Charentes. Voulez-vous parier?)

Le docteur Daremberg ne parlait pas à la légère.

A l'appui de son dire, il exposa à l'Académie le

récit des expériences auxquelles il avait procédé pour éclairer sa religion et qu'on peut résumer ainsi :

I. Sept lapins reçoivent chacun, dans la veine de l'oreille, 10 centimètres cubes de cinq eaux-de-vie achetées au détail sur les comptoirs de cinq marchands de vins.

Aucun de ces animaux ne meurt.

(Ces lapins sont de rudes lapins!)

II. Six lapins reçoivent chacun, dans la veine de l'oreille, 10 centimètres cubes de vieux cognac ayant coûté 60 francs la bouteille.

Ces animaux meurent sur le coup.

(Je ne vois guère qu'Otero pour avoir le moyen de faire ainsi périr ses gibelottes.)

III. Deux lapins reçoivent chacun, dans la veine de l'oreille 10 centimètres cubes de cognac authentique ayant coûté 12 francs la bouteille.

Ils meurent sur le coup.

Et voilà!

Avant de tirer la désolante moralité de ces chiffres, écoutons la parole autorisée de deux autres académiciens. MM. Laborde et Magnan.

Ces deux princes de la science contestèrent la valeur des conclusions de l'honorable préopinant.

D'abord, un lapin n'est pas un homme.

(Non, un lapin n'est pas un homme, et rien n'est plus facile de distinguer un lapin d'un homme : le lapin a du poil aux pattes – oh! la sale bête! – il court plus vite que l'homme; il bat du tambour beaucoup mieux que l'homme, et surtout, il est infiniment plus posé que l'homme.)

Et puis, qu'est-ce que c'est que ce procédé pour déguster la fine-champagne? Où a-t-on jamais vu les gens se verser un petit verre dans la veine de l'oreille, comme une confidence! Non, non, mon vieux Daremberg, à d'autres!

Et pourtant...

Me voilà fort embarrassé, bons lecteurs, pour vous donner le conseil demandé.

Le mieux, je crois, est de prendre un moyen terme :

Donc, mes amis, lorsqu'il s'agira d'alcools bizarres à deux sous le petit verre, introduisez-les-vous délicatement dans la veine de l'oreille.

Ce petit excercice n'a pas fait de mal aux lapins du père Daremberg, pourquoi voulez-vous qu'il vous soit nocif?

Mais quand vous serez en présence de vieille fine-champagne datant de la première moitié de ce siècle, employez de préférence l'ingestion bucco-stomacale, comme faisaient nos pères, qui ne s'en portaient pas plus mal.

UNE AFFAIRE DE TOUT PREMIER ORDRE

Cet homme, adorné d'une belle barbe blonde couleur de moisson mûre, était un homme entre deux âges, et, à ce qu'il me parut, entre deux vins, car la pourpre de son teint trahissait l'abus des boissons fermentées et des spiritueux.

Sa nationalité était celle du Lapon.

Je n'ai eu que très peu d'occasions, en ma vie pourtant si diaprée, de hanter des Lapons; aussi me ruai-je sur cette bonne fortune offerte.

Bien que d'une taille exiguë, ce Lapon avait des hautes visées et ne parlait rien moins que de placer la Laponie, sa chère Laponie, à la tête des nations civilisées, et cela dans pas très longtemps.

Il parlait un français très correct panaché, point désagréablement, d'un léger accent lapon, et scandait la plupart de ses phrases d'une petite lampée de *swenska punch*.

Moins l'accent lapon, j'imitais la conduite momentanée de cet homme du Nord : je sifflais, entre autres, le traître *swenska punch* avec un déplorable abus.

Sur ce que je m'informais pourquoi surtout il
était venu en France, il dit :

– Pour peu que vous ayez voyagé sur les routes
de France, vous avez remarqué, et principalement
au bas des côtes, de gros piliers portant à leur
sommet cette indication : *Chevaux de renfort*. Avez-
vous remarqué?

– Que de fois!

– Beaucoup de ces poteaux ne sont plus que les
pâles vestiges d'une civilisation disparue. Il y a bien
les piliers, mais les chevaux de renfort sont allés se
rafraîchir dans les neiges d'antan. Ils ne servaient
plus à rien, la grande route étant devenue veuve de
rouliers.

– La faute aux chemins de fer! Ceci tuera cela.

– Longtemps, en France, on la crut morte et bien
morte, la belle route nationale que jalousaient les
nations voisines et dont s'enorgueillissaient à bon
droit mille départements français.

– Mille! Vous exagérez, mon vieux Lapon!

– Non, elles n'étaient pas mortes, vos belles
routes nationales, et, la preuve, c'est qu'à l'heure
qu'il est, l'admirable réseau de ces chemins qui
sillonnent votre patrie a repris une vie active, un air
de joie et de prospérité...

– Grâce à la bécane!

– Grâce à la bécane, vous l'avez dit. Et les bonnes
vieilles auberges campagnardes renaissent de leurs
cendres! A nous les omelettes au lard et les petits
reginglards du pays!

– Le roulage est mort, vive le tourisme!

– Et vous, agents-voyers, comme dirait d'Esparbès, sortez de votre torpeur et entretenez-nous nos
routes, si bien, mille tonnerres! qu'on dirait des
pistes!

– Malheureusement, les agents-voyers sont toujours au café... Tenez, les quatre messieurs qui
jouent à la manille, à cette table, ce sont quatre
agents-voyers.

– Ah! vraiment!

– Et les deux qui jouent au billard, aussi!

– C'est bien triste. Mais il n'y a pas, pour le tourisme, que cet inconvénient de routes parfois mal entretenues : il y a aussi les côtes.

– Ah! oui, les côtes.

Pour un cycliste vigoureux et bien entraîné, une côte est un jeu d'enfant; mais pour des personnes déjà âgées, pour de tout jeunes enfants, pour de frêles petites femmes, une côte raide et longue constitue un épouvantail qui suffit souvent à dégoûter de la route bien des gens.

– On ne peut pourtant pas raboter la France... pour faire plaisir à des vieillards décrépits ou à des fillettes chlorotiques.

– Inutile de raboter la France! J'ai un truc et, sans toucher aux côtes, j'en supprime l'inconvénient. C'est même pour lancer cette affaire-là que je suis venu en France.

Et mon homme sortit de sa poche un prospectus dont le titre était ainsi conçu :

SOCIÉTÉ FRANCO-LAPONE

pour le tirage,
au moyen de rennes,
des cyclistes aux montées.

– Ce que les chevaux de renfort, continua le Lapon, faisaient pour les grosses voitures des rouliers, mes rennes le feront pour les cyclistes. Un petit attelage fort ingénieux s'adapte à toutes les machines. Mes rennes sont dressés à donner juste la traction équivalente à l'effort de montée, de sorte que le cycliste, ainsi tiré, n'a qu'à continuer à pédaler comme s'il était sur une route absolument horizontale.

– Ce sera pittoresque.

– Et surtout pratique.

– Le renne s'acclimate-t-il bien chez vous?

– Admirablement, sauf dans le Midi. Mais cela

n'a aucun inconvénient, car, dans le Midi, les vélocipédistes sont si forts, si forts, qu'ils sont obligés de mettre le frein pour monter les côtes!

· ·

La *Société Franco-Lapone pour le tirage, au moyen de rennes, des cyclistes aux montées,* va lancer une émission d'actions dans la seconde quinzaine de septembre.

C'est un placement absolument sûr, une occasion unique pour la petite épargne.

Ceux de nos lecteurs qui désireraient souscrire une ou plusieurs actions peuvent m'envoyer directement leur argent. (Se presser).

LE MÉTICULEUX VIEILLARD

J'ai eu l'occasion, comme tout le monde, de rencontrer, dans ma vie, des gens propres et même des gens extraordinairement propres.

Mais d'aussi propres que ce petit bonhomme-là, jamais je n'en ai rencontré, jamais! Dès qu'on l'aperçoit sur la route, tout de suite on s'écrie : « Mon Dieu, que ce petit bonhomme-là est propre! » et il vous paraît si propre que, lorsqu'il est passé, on se retourne pour contempler, quelques instants encore, un tant propre petit vieillard.

Comment arrive-t-il à donner une sensation aussi vive de propreté? Je ne sais pas au juste, mais il est probable que c'est en se lavant beaucoup et en revêtant du linge et des habits d'une irréprochable netteté.

Le boucher du pays, à qui je demandais des détails sur ce méticuleux personnage, sembla ravi de pouvoir exhaler une vieille rancune :

– Ce bonhomme-là? grommela-t-il. S'il n'y avait que des gens comme ça dans la commune, tout le monde pourrait bien crever de faim!

Non pas que son cœur fût plus dur qu'un autre, mais c'était un homme qui *ne faisait pas aller les affaires.*

Depuis dix ans qu'il était fixé dans le pays, on ne l'avait vu acheter ni un kilo de pain, ni une livre de viande, ni une once de café, ni un clou de girofle, ni un grain d'ellébore, ni une barrique de vin, ni un arobe de madère, ni un gallon de whisky, ni une bouteille de cognac, ni un boujaron de rhum.

De quoi donc vivait cet homme? pantelez-vous.

De rien ou, tout au moins, de fort peu de chose : cet homme s'était fait une règle de se nourrir uniquement d'œufs frais, et encore, ces œufs, les récoltait-il dans sa propre basse-cour.

L'eau pure étanchait sa soif.

Les gens du pays disaient de lui : « C'est un original. » Les gens du pays eussent été plus près de la vérité en proclamant : « C'est un sage! »

Et peu s'en fallut que je ne fusse intégralement conquis aux pratiques de ce raisonnable individu.

Certes, il y avait, dans son cas, un peu de manie (ne cherchons pas à le dissimuler), mais on y pouvait constater surtout un grand bon sens et une intelligente application au vivre des leçons de physiologie.

J'eus l'immense avantage de lui plaire tout d'abord : pas cinq minutes après la connaissance faite, il m'appelait son cher ami.

— Je ne vous invite pas à déjeuner, ajouta-t-il en souriant, car vous vous accommoderiez sans doute fort mal de mon régime.

J'ébauchai une vague grimace mi-acquiesceuse, mi-protestataire.

— Voyez-vous, continua le méticuleux bon-homme, les œufs, il n'y a que ça! Les œufs, c'est propre, au moins?

— C'est par propreté que vous vous nourrissez d'œufs?

— Par hygiène, aussi, mais surtout par propreté.

L'idée de manger de la viande tripotée par un boucher qui vient de mettre ses mains je ne sais pas où, pouah! C'est comme le pain! C'est comme les légumes! Tandis que l'intérieur d'un œuf, parlez-moi de ça, comme propreté!

— Et cet aliment vous suffit?

— Pourquoi ne me suffirait-il pas? L'œuf est un aliment complet, puisqu'il est composé de toutes les molécules qui constituent le petit poulet, avec ses os, ses muscles, sa graisse, ses nerfs, tout quoi!... Il ne manque rien dans un œuf.

— Et vous buvez de l'eau!

— Rien que de l'eau, et de l'eau sans microbes, je vous prie de le croire!

— Vous la filtrez?

— Mieux que ça! j'ai un truc à moi : je fais bouillir mon eau; quand elle bout très fort, je la porte à la cave (une cave aussi fraîche qu'une glacière). Les microbes attrapent, à ce petit jeu-là, un chaud et froid dont ils ne se relèvent jamais. Pas un n'échappe au carnage. Je la filtre et je peux alors me vanter de boire de l'eau propre.

— Ne boire que de l'eau, c'est bien débilitant.

— Débilitant, l'eau? Croyez-vous donc, jeune homme, que les taureaux s'abreuvent de malaga? Et pourtant, quand ils vous flanquent un coup de corne, vous le sentez, dites? Et les lions du désert, croyez-vous qu'ils sablent le champagne à tous leurs repas? Allons donc, l'eau et le tonique par excellence, l'eau propre, bien entendu!

La maison de cet homme est assez particulière, en ce sens que pas un morceau de bois n'a contribué à sa construction.

— C'est sale, le bois, et ça ne peut pas se nettoyer!

Tout est en acier, en granit et en céramique.

Chaque matin, une énorme pompe à vapeur inonde la maison jusque dans ses plus petits replis.

Sauf le linge et les vêtements du bonhomme, pas

une maille d'un tissu quelconque n'a mis les pieds dans cette maison.

Trois ou quatre fois par jour, notre vieil ami rentre chez lui se nettoie de fond en comble et prend de nouveaux vêtements qui sortent d'une étuve aseptique fonctionnant sans trêve.

Mais ce qui me charma le plus dans cette maison, ce fut la façon dont l'homme propre peut se vanter de manger des œufs frais.

Sur un feu jamais éteint bout une casserole pleine d'eau.

Les poules, admirablement dressées à cet excercice, accourent dans la cuisine, dès qu'elles sentent l'œuf prêt à faire son entrée dans le monde.

Elles penchent sur la casserole leur orifice ouvert, et l'œuf tombe directement du cul de la poule dans l'eau bouillante.

Voilà, je pense, un record de l'œuf frais assez difficile à battre!

LÉGITIME REVENDICATION

Bornons-nous, pour aujourd'hui, à enregistrer une légitime réclamation.

Elle se passe de commentaires, et j'en suis ravi, car je m'en trouve complètement dénué en ce moment, et j'ai passé un marché avec une grande maison anglaise qui m'interdit de me servir de tout commentaire ne sortant pas de ses manufactures :

« Cher monsieur,

» A qui j'adresserais cette âpre réclamation, longtemps j'hésitai entre M. votre oncle Francisque Sarcey et vous-même.

» Je conclus pour vous-même, rapport au nommé Symbole auquel aurait pu croire votre digne parent, et dont le vieux bougre se serait méfié peut-être.

» Si vous n'avez rien de mieux à faire pour le

moment, relevez le bas de votre pantalon et entrons dans le vif de la question.

» (Je serai obligé à messieurs les typographes d'employer les capitales pour les trois lignes suivantes, afin de les distinguer de la professionnelle et bafouilleuse littérature circonvoisine qui les enserre.)

» PLUS IL FAIT CHAUD, PLUS JE ME VOIS FORCÉ DE GRIMPER HAUT DANS LE TUBE DES THERMOMÈTRES.

» Ces jours-ci, dans certains appareils dont il me serait pénible de désigner avec plus de précision les propriétaires, je fus contraint d'atteindre, en plein soleil et au moment le plus chaud du jour, des degrés sis pas loin du 45° centigrades.

» Par contre, quand viendra l'hiver, je n'aurai rien de mieux à faire que de stagner dans des bas-fonds de thermomètres, au risque d'y geler bêtement et sans plus de gloire que les pontonniers de la Bérésina. (Honneur et Patrie!)

» Serait-ce plus simple, entre nous, de chavirer l'état des choses en question?

» Plus il ferait froid, plus je grimperais haut à l'échelle, et ça me procurerait de l'excercice.

» Plus il ferait chaud, plus je me tiendrai tranquille, dans les environs de pas loin de zéro degré, où j'attendrais patiemment la fraîcheur du soir.

» La science n'y perdrait rien; l'humanité y trouverait son compte.

» C'est en vous que j'espère, cher monsieur, mollement, d'ailleurs.

» Veuillez, etc., etc., etc.

» *Signé :* LE MERCURE
DES THERMOMÈTRES. »

Pas plus tôt cette lettre reçue, je fis un bond à l'Observatoire, où je ne pus me mettre en contact qu'avec un vague subalterne.

Je sortis entièrement découragé.

Du courage, Mercure des Thermomètres, du courage encore!

TABLE DES MATIÈRES

On n'est pas des bœufs

LA COMPOSITION, L'IMPRESSION ET LE BROCHAGE DE CE LIVRE
ONT ÉTÉ EFFECTUÉS PAR LA SOCIÉTÉ NOUVELLE FIRMIN-DIDOT
POUR LE COMPTE DES ÉDITIONS U.G.E.
LE 19 FÉVRIER 1985

Imprimé en France
Dépôt légal : février 1985 – N° d'édition : 1564 – N° d'impression : 1897